TREIZE MARCHES

Kazuaki Takano

TREIZE MARCHES

Roman

*Traduit du japonais
par Jean-Baptiste Flamin*

PRESSES
DE LA CITÉ

Titre original : *13階段 / 13 KAIDAN*

L'édition originale de ce texte a paru en 2001 aux éditions Kôdansha, Japon.

© Kazuaki Takano, 2001
© Presses de la Cité, 2016 pour la traduction française
ISBN 978-2-258-13411-9

Presses
de   un département **place des éditeurs**
la Cité

place
des
éditeurs

À mon père, ma mère et mon frère

« C'est la peine de mort qui t'attend ! »

Extrait du film *Entre le ciel et l'enfer*,
d'Akira Kurosawa

Prologue

La Mort arrive à neuf heures du matin.

Ryô Kihara le savait. Une fois seulement, il avait entendu ses pas.

Ce jour-là, il avait d'abord perçu le bruit sourd d'une porte en métal grinçant sur ses gonds, semblable au grondement de la terre. Quand l'air avait cessé de vibrer, l'atmosphère dans sa cellule avait changé du tout au tout. Les portes de l'enfer s'étaient ouvertes, et le véritable effroi, celui qui ne laisse pas même le corps frémir, s'en échappa.

Le couloir silencieux résonna bientôt d'une multitude de pas : une file de gardiens avançait, plus longue et plus rapide que Kihara ne l'aurait imaginé.

Ne vous arrêtez pas !

Le prisonnier était incapable de regarder la porte. Assis, comme il se doit, à genoux au milieu de sa cellule de confinement, il fixait ses doigts tremblants sur ses cuisses.

Ne vous arrêtez pas, par pitié !

Une puissante envie d'uriner afflua dans son bas-ventre.

Plus les pas approchaient, plus ses genoux tressautaient. Il ne pouvait empêcher sa tête trempée de sueur de s'incliner vers le sol.

Le bruit des semelles battant les carreaux du couloir s'intensifia. Jusqu'à atteindre sa cellule. En quelques secondes, son cœur sur le point d'éclater fit circuler son sang à une

11

vitesse folle, au même rythme que ses poils se dressaient sur sa peau.

La procession ne s'arrêta pas.

La Mort dépassa sa porte, fit encore neuf pas, puis marqua l'arrêt.

Le temps de comprendre qu'il avait la vie sauve, Kihara reconnut le glissement d'une trappe de surveillance, puis le cliquetis d'un verrou métallique. Il devait s'agir non pas de la cellule voisine, mais de la suivante. Une voix grave appela :

« Numéro 190, Ishida. »

La voix du surveillant-chef ?

« C'est l'heure. Sors. »

En guise de réponse, un cri affolé.

« Hein ? Moi ?

— Oui. Suis-nous. »

Silence, suivi aussitôt, comme si quelqu'un venait de tourner le bouton du volume, d'un grand fracas : vaisselle en plastique heurtant les murs, mêlée de pas précipités, et, plus fort que tout, hurlements bestiaux – vociférations surhumaines.

Bientôt s'ajoutèrent des bruits de pets foireux, des échos aqueux désagréables, comme quelqu'un qui pataugerait dans une flaque. Un concert dissonant aux tonalités stridentes.

Intrigué, Kihara tendit l'oreille et distingua une respiration derrière les braillements. Il frémit. De la bouche de l'homme que l'on extrayait de force de sa cellule jaillissait un puissant jet de vomi. Succombant à l'effroi de la mort, le détenu rendait son repas et ses sucs gastriques.

Gagné par la nausée, Kihara plaqua les mains sur sa bouche pour ne pas l'imiter.

Le tumulte finit par diminuer et on n'entendit plus que des râles et des sanglots, que remplacèrent le bruit des pas qui repartaient et celui d'un objet lourd traîné au sol.

Lorsque le silence retomba dans le couloir, Ryô Kihara ne put plus rester assis. On lui infligerait peut-être une sanction, mais peu importait : incapable de garder plus longtemps la posture de rigueur, il se pencha en avant et s'affala sur les tatamis.

Aujourd'hui encore ce souvenir le faisait frissonner. La scène avait eu lieu trois ans après son arrivée dans le quartier des condamnés à mort du centre de détention de Tokyo, aussi connu sous le nom de « district zéro ». Depuis, près de quatre années s'étaient écoulées. Kihara ignorait si les exécutions avaient été interrompues. Un tel vacarme ne s'était jamais reproduit, mais parmi les rares condamnés qu'il croisait dans le couloir, certains visages disparaissaient parfois.

Kihara avait demandé à travailler. Il fabriquait des sacs en papier pour les grands magasins. Il fit une pause, et balaya la pièce du regard. Une cellule d'isolement mesurait à peine plus de quatre mètres carrés. Toilettes et lavabo mis à part, l'espace libre se limitait à trois mètres carrés. Le néon était allumé toute la journée à cause du manque de clarté, et la nuit, une ampoule de dix watts éclairait sans discontinuer le détenu placé sous haute surveillance. C'est à l'intérieur de cet espace lugubre, tenaillé par l'angoisse de la mort, que Kihara avait vécu sept ans.

Au loin, le passage d'un train le tira de ses pensées. Il se leva lentement, passa sous la corde à linge où séchaient ses vêtements et s'approcha de la fenêtre, qu'il fit coulisser.

Les barreaux de fer et le panneau en plastique opaque dont elle était munie empêchaient de glisser la tête dehors. Il aperçut un coin de ciel nuageux au-dessus du panneau, et un vent chargé d'humidité souffla sur sa joue.

Humant l'air extérieur, Kihara fut assailli par l'angoisse. Une angoisse à laquelle il ne s'habituerait jamais. Était-il proche, le jour où la Mort s'arrêterait devant la porte de sa cellule ?

Les trois demandes de révision de son procès avaient été rejetées. À chaque refus, il avait interjeté appel et introduit un recours spécial auprès de la Cour suprême, mais en vain. Après le quatrième rejet de sa demande de révision, Kihara avait une fois de plus fait appel. L'espoir que cette démarche aboutisse semblait si précaire qu'il était illusoire de s'y accrocher. Au bout de la quatrième demande, le tribunal aurait beau étudier encore et encore les documents du procès, il ne trouverait aucune preuve suffisamment solide pour casser la sentence définitive.

Serait-il exécuté ?

Pour un crime dont il n'avait aucun souvenir...

Kihara eut l'impression d'entendre un gardien, et retourna devant sa table basse. Il était onze heures du matin. L'heure à laquelle on venait chercher les condamnés était passée. Il avait au moins l'assurance de rester en vie jusqu'au lendemain matin.

Il se remit à plier et coller des sacs au logo d'un grand magasin. Remunéré trente-deux yens de l'heure, ce travail lui rapportait chaque mois cinq mille yens. Avec cette somme dérisoire, il pouvait payer des articles de papeterie, des sucreries, du linge et leur livraison.

Les mains occupées, Kihara laissa voguer son esprit. Cette astuce l'aidait à alléger quelque peu l'angoisse de la mort.

Qui utilisait de tels sacs ?

Des femmes au foyer, en majorité. Peut-être des hommes aussi, venus acheter un cadeau à leur petite amie.

Kihara se représenta un client en train de déambuler entre les rayons, sac à la main. Ses doigts s'immobilisèrent.

L'image d'un escalier apparut dans sa tête. Montant les marches du grand magasin, un client portait à deux mains un lourd bagage. La silhouette, pour une raison inconnue, s'attardait dans son esprit. Il fronça les sourcils et se concentra.

Le dos d'un homme. Un sac lourd. Des jambes gravissant les marches une à une.

Oui, se dit Kihara en relevant la tête.

L'escalier.

Un très vague souvenir avait ressuscité dans sa mémoire.

C'est ça. À ce moment-là, il montait des marches, tourmenté, comme maintenant, par la peur de la mort.

Kihara secoua la tête avec force pour s'assurer que la vision apparue inopinément n'était pas le produit de son imagination. Pas d'erreur possible : ce jour-là, il avait gravi un escalier.

Il se leva et rabattit le couvercle du lavabo pour en faire un bureau. Il tendit le bras vers l'étagère, prit un stylo bille et du papier à lettres avant de s'asseoir sur la cuvette des toilettes, qui lui servait de chaise.

Il s'apprêtait à rédiger une « demande d'autorisation de correspondance ». Tout courrier requérait cette démarche, même à destination de son avocat.

On lui accorderait sûrement un envoi spécial et, au vu de son contenu, la lettre devrait franchir l'étape de la censure.

Il était possible qu'il s'en sorte.

L'espoir bouillonna dans sa poitrine. En sept ans d'attente dans le quartier des condamnés à mort, il n'avait jamais éprouvé un sentiment aussi lumineux.

Qui sait ? peut-être parviendrait-il à faire demi-tour aux portes de l'enfer ?

Sa demande remplie, il entama sur-le-champ une lettre à son avocat, faisant courir le stylo sur le papier avec ardeur.

1

Réinsertion sociale

1

— Je m'engage à résider à une adresse fixe, et à exercer une activité professionnelle honnête.

La voix aiguë était parcourue de trémolos nerveux. Son propriétaire n'avait plus qu'un pas à faire pour gagner le paradis, et pressentait que la moindre erreur lui serait fatale.

— Je m'engage à me conduire de manière irréprochable.

Jun'ichi Mikami écoutait son camarade, au garde-à-vous comme lui. Il avait déjà troqué son uniforme de détenu pour des vêtements civils, et serrait dans ses mains son autorisation de remise en liberté conditionnelle. Paupières légèrement plus marquées que la normale, sourcils bas nettement dessinés, il faisait un peu plus jeune que ses vingt-sept ans. Son visage était fermé, rongé par l'inquiétude.

— Je m'engage à ne pas frayer avec des individus potentiellement criminels ou dont la conduite n'est pas respectable.

Jun'ichi fixait le dos de son codétenu chargé de la lecture du serment de bonne conduite. Il s'appelait Tazaki et avait dix ans de plus que lui. Difficile d'imaginer, à regarder ce visage aux yeux tombants, qu'il avait perdu la tête et battu à mort sa fiancée en apprenant qu'elle n'était plus vierge.

— Je m'engage à demander l'autorisation de la personne en charge de mon suivi judiciaire avant de déménager ou d'entreprendre un voyage de longue durée.

En plus des deux hommes, la salle de réunion du pôle sûreté du centre de détention de Matsuyama accueillait ce jour-là le directeur de la prison et plusieurs « chargés de traitement et de redressement », autrement dit des surveillants pénitentiaires. Dix ans auparavant, la réforme de la structure carcérale avait rayé l'appellation de « gardien de prison » de la liste des postes, et ce terme ne désignait plus aujourd'hui qu'un grade.

Une lumière diffuse, filtrée par le verre dépoli des fenêtres, conférait aux surveillants un air plus humain, que Jun'ichi découvrait pour la première fois. Mais la sérénité que ce tableau inspirait au jeune homme fut balayée par la phrase suivante.

— Je m'engage à prier pour le repos de l'âme de ma victime, et à m'efforcer en toute bonne foi de l'apaiser.

Il blêmit.

Prier pour l'âme de sa victime, et s'efforcer de l'apaiser…

Jun'ichi se demanda si l'homme qu'il avait tué se trouvait à présent au ciel ou en enfer. Ou bien nulle part. Son âme s'en était peut-être simplement retournée au néant. La violence dont il avait fait preuve aurait-elle réussi à pulvériser l'existence de ce type ?

— Je m'engage à rendre visite deux fois par mois à mon conseiller d'insertion et de probation ou à mon chargé de suivi judiciaire pour le tenir au fait de ma situation.

Jun'ichi baissa les yeux. Encore maintenant, les questions qui l'avaient tourmenté tout au long de son incarcération demeuraient sans réponse. Avait-il vraiment commis un crime ? Et si oui, deux ans ou presque de détention avaient-ils suffi à l'expier ?

— Je m'engage à ne parler sous aucun prétexte du quotidien de la prison.

Tazaki avait achevé la liste des obligations postcarcérales, il pouvait à présent entamer le paragraphe principal du serment :

– Je bénéficie aujourd'hui d'une remise en liberté conditionnelle et fais l'objet d'un suivi judiciaire...

Jun'ichi leva les yeux et croisa le regard de l'un des gardiens : Nangô, le surveillant-chef, la quarantaine bien tassée. Ses épaules robustes soutenaient un visage aux traits austères. Une fois n'est pas coutume, il observait Jun'ichi avec un sourire aux lèvres.

Se réjouissait-il de sa libération ? Étrangement, le jeune homme eut l'impression que ce sourire dissimulait une compréhension plus profonde de son cas.

– Je promets de respecter les règles énoncées ci-avant, et de m'efforcer de devenir un citoyen respectable...

Pourquoi Nangô ferait-il preuve d'une si grande considération à son égard ? Curieux. Durant sa détention, Jun'ichi avait rencontré des gardiens attentionnés, prêts à alléger le quotidien des détenus dans la mesure où le règlement le permettait, mais aussi des sadiques, qui les provoquaient dans le seul but de pouvoir ensuite leur infliger des sanctions. Nangô était différent ; Jun'ichi ne l'avait d'ailleurs quasiment jamais vu. Qu'il ait joué un rôle particulier dans sa réhabilitation paraissait improbable.

– Dans le cas où j'enfreindrais ces conditions, ma liberté conditionnelle serait révoquée et je retournerais en détention, sans la moindre objection possible. Tazaki Gorô, au nom des remis en liberté conditionnelle.

À l'instant où la lecture prit fin, on applaudit dans le dos de Jun'ichi. La personne qui battait des mains dut aussitôt se rendre compte du caractère déplacé de son geste, car le bruit cessa net.

Le jeune homme n'avait pas besoin de se retourner : il savait qu'il s'agissait de son père. À cinquante et un ans, ce gérant d'un atelier de fabrication à Tokyo avait effectué

21

le long trajet depuis la capitale jusqu'à Matsuyama dans le Shikoku pour accueillir son fils. Les lèvres pincées de Jun'ichi se détendirent enfin, et le jeune homme sourit.

Le directeur de la prison, vêtu d'une veste croisée bleu marine, donna alors ses dernières instructions :

— Votre détention a peut-être été longue, cependant je veux que vous preniez conscience que votre véritable renaissance débute maintenant. Vous ne retournerez pas en prison, vous deviendrez des citoyens exemplaires, et un jour vous pourrez dire que votre réhabilitation fut un succès. D'ici là, ne vous laissez pas abattre par les obstacles qui se dresseront en travers de votre chemin, n'oubliez pas ce que vous avez appris ici, et soyez forts. Mes félicitations.

Cette fois-ci, la salle entière applaudit chaleureusement.

Cette « cérémonie de distribution des formulaires de remise en liberté conditionnelle » avait duré moins de dix minutes.

Jun'ichi s'inclina pour adresser un léger salut aux surveillants, puis il se retrouva, comme Tazaki, à ne plus trop savoir quoi faire. Durant leur détention, tout leur avait été dicté, jusqu'à la direction dans laquelle ils devaient tourner la tête ; un tel conditionnement ne se dissiperait pas facilement.

— Bon…, dit le directeur en tendant la main droite vers la sortie pour leur montrer le chemin.

Jun'ichi pivota du côté indiqué.

Toshio, le père du jeune homme, était adossé contre le mur du fond. Son corps frêle et sa peau légèrement hâlée trahissaient son statut d'ouvrier, tandis que le costume bien trop coûteux qu'il avait revêtu pour l'occasion lui donnait l'air d'un chanteur de variétés ringard. Toutefois, de son allure mal dégrossie se dégageait indéniablement la chaleur consolatrice du foyer.

Jun'ichi rejoignit son père, alors que Tazaki se précipitait vers un couple sur le retour d'âge, vraisemblablement ses parents.

Toshio Mikami accueillit son fils d'un grand sourire, les poings levés en l'air dans un geste victorieux. Non loin, les surveillants pouffèrent malgré eux. Toshio fixait son garçon.

– C'était long, dit-il en poussant un soupir, comme si c'était lui qui venait de purger la peine. Mais tu as tenu bon.

– Où est maman ?

– À la maison. Elle te prépare un festin.

Jun'ichi hocha légèrement la tête, puis hésita un instant.

– Pardonne-moi, papa.

Les larmes affluèrent aux yeux de Toshio, et son fils se mordit les lèvres dans l'attente d'une réponse. Celle-ci fut embarrassée :

– Ne t'en fais plus… À partir de maintenant, tu n'auras qu'à te mettre à travailler sérieusement. D'accord ?

Jun'ichi acquiesça en silence.

Toshio retrouva son sourire, passa le bras droit autour du cou de son fils et le secoua gentiment.

La fenêtre du bureau des affaires générales donnait sur le portail de l'établissement. Les Mikami s'apprêtaient à le franchir : il ne leur restait plus qu'à se soumettre à un dernier contrôle d'identité.

L'esprit serein, Shôji Nangô observait la joie du père et du fils. Il aimait le spectacle qu'offraient les personnes libérées au moment de passer les portes du centre de détention. Il avait réussi le concours de gardien de prison à l'âge de dix-neuf ans. Moins d'un an avait suffi à lui faire perdre sa vocation. S'il avait continué à exercer ce métier pendant presque trente ans, c'était uniquement grâce aux remises en liberté. Ces moments attestaient un nouveau départ dans la vie des criminels : Nangô en profitait pour oublier les risques de récidive et se sentait plus réjoui que jamais.

Les Mikami s'inclinèrent dans un profond salut au surveillant et passèrent le portail de la prison côte à côte, épaule contre épaule.

Lorsqu'ils eurent disparu, le surveillant-chef retourna devant le casier aux archives. Il y trouva le « dossier de suivi » de Jun'ichi Mikami, un épais document contenant le rapport d'observation du condamné pendant l'exécution de sa peine. À la libération du jeune homme, la section du traitement des détenus, où officiait Nangô, avait transféré le dossier au bureau des affaires générales. La liasse de feuilles resterait archivée là jusqu'à nouvel ordre, à condition que Jun'ichi n'écope pas d'une nouvelle peine de prison.

Nangô avait déjà examiné le dossier plusieurs fois mais voulait s'assurer d'une dernière chose. Il l'ouvrit, et relut les informations inscrites sur la fiche de l'ex-détenu, ainsi que les chefs d'inculpation.

Jun'ichi Mikami était originaire de Tokyo, sa famille se composait de ses parents et d'un frère cadet. Deux ans plus tôt, au moment du crime, il était âgé de vingt-cinq ans. Reconnu coupable de coups et blessures ayant entraîné la mort, il n'avait pas fait appel du jugement en première instance, et avait écopé d'une peine de deux ans de prison ferme qui prenait en compte sa période de détention provisoire. Selon les critères de classification des condamnés, Jun'ichi tombait dans la catégorie YA (majeur de moins de vingt-six ans sans tendances criminelles) et, pour cette raison, avait été transféré du centre de détention de Tokyo à celui de Matsuyama.

Nangô s'attarda ensuite sur les pages relatant le passé du condamné et son crime. Toute la vie de Jun'ichi depuis son enfance se trouvait résumée ici, sur la base des documents de l'enquête. Le surveillant lut les détails du crime en suivant du doigt les caractères sur la page.

Jun'ichi Mikami était né en 1973 à Tokyo, dans l'arrondissement d'Ôta. Son père était alors ouvrier dans une petite usine, mais à présent, il tenait son propre atelier de fabrication où il employait trois personnes.

Aucun fait notable jusqu'à la fin du collège. Mais en 1991, au cours de sa troisième année de lycée, se produisit un événement qui aurait quelques liens avec l'affaire ultérieure.

Durant les vacances d'été, Jun'ichi partit à Katsuura, dans la préfecture de Chiba, pour quatre jours en compagnie de ses copains. Ne le voyant pas rentrer à la date prévue, ses parents, inquiets, prévinrent la police.

Dix jours plus tard, le 29 août, Jun'ichi fut retrouvé à Nakaminato, une ville située à quinze kilomètres au sud de Katsuura, en compagnie d'une petite amie. Il avait prétexté une virée entre copains pour sa première escapade amoureuse.

À compter de cet incident, Jun'ichi multiplia les absences aux cours et commença à se rebeller contre ses parents et ses professeurs. Ses notes dégringolèrent, il échoua aux examens d'entrée à l'université, redoubla et finit par intégrer une faculté scientifique, la quatrième sur sa liste de vœux, où il étudia la chimie industrielle.

Une fois son diplôme en poche, il travailla à Mikami Modeling, l'atelier de pièces de montage de son père. Deux ans plus tard, en 1999, l'affaire survint.

— Tu m'as l'air bien absorbé.

Surpris, Nangô leva la tête.

Sugita, le directeur des affaires générales, le couvait d'un œil méfiant. Son grade de directeur adjoint du redressement le plaçait un rang au-dessus de Nangô. Deux barrettes dorées brillaient aux manches de son uniforme.

— Un problème avec la liberté conditionnelle du 229 ?

Le personnel désignait toujours les détenus par leur matricule.

Nangô décida de s'en tirer au moyen d'une plaisanterie.

— Non, c'est pour tenter de me remettre de la séparation. Je peux emprunter le dossier ?

— Bien sûr…, répondit Sugita avec un sourire embarrassé.

Nangô rit dans sa barbe. Le quotidien des surveillants était réglé comme du papier à musique : un rien pouvait les déstabiliser et le moindre imprévu suffisait parfois à entraîner d'importantes complications. Ce grand timoré de Sugita avait fait carrière grâce à l'arme caractéristique des hommes de son genre – la méfiance –, aussi risquait-il d'angoisser en voyant son subordonné emporter un dossier de suivi.

– Je ne le garderai pas longtemps, le rassura Nangô.

Il retourna au premier étage du pôle sûreté, dans la section du traitement des détenus, qu'il dirigeait. Cette section, la plus en amont dans la procédure carcérale, gérait le traitement des condamnés dans son ensemble. À quarante-sept ans, Nangô avait acquis le grade de surveillant-chef – ni trop tôt ni trop tard pour quelqu'un de son âge. Dans une entreprise ordinaire, son poste aurait été l'équivalent de celui d'un directeur adjoint.

L'étage, non cloisonné, rassemblait bureaux et écrans de surveillance. Il était presque désert à cette heure-ci, la majorité des surveillants effectuant leur ronde. Nangô marcha sans hâte, s'assura qu'aucun des subordonnés qui venaient souvent lui faire valider des demandes n'était là, et s'installa sur une chaise, dos à la fenêtre. Il alluma une cigarette avant de se replonger dans la lecture du dossier. Le crime commis par Jun'ichi à l'âge de vingt-cinq ans était détaillé dans plusieurs documents, notamment la déposition faite devant le procureur général, et les minutes du procès.

C'était le 7 août 1999, à huit heures trente-trois, que l'affaire avait éclaté. Tout avait commencé dans un restaurant situé près de la gare de Hamamatsuchô, à Tokyo. Kyôsuke Samura, un client âgé de vingt-cinq ans, buvait un verre lorsqu'il avait soudain interpellé Jun'ichi, assis à une table du fond, en lui lançant un « Qu'est-ce que tu veux, t'as un problème ? ».

Plusieurs témoignages confirmèrent par la suite que l'altercation avait bien été initiée par Kyôsuke Samura et que les deux jeunes hommes étaient assis à des tables éloignées.

Jun'ichi, l'air déconcerté, avait levé les yeux vers Samura, venu se camper devant sa table. D'après la déposition du patron du restaurant, Samura lui avait cherché querelle avec des phrases comme « Qu'est-ce que t'as ? », « Tu me regardes comme si j'étais un criminel ».

Les deux hommes avaient ensuite échangé deux ou trois phrases. Puis la querelle s'était brutalement envenimée. À en croire la déposition de Jun'ichi contenue dans le rapport du procureur, Samura lui aurait, en substance, craché : « Tu me prends pour un péquenot, hein, tu te fous de ma gueule ? » Jun'ichi savait que Samura était originaire de la préfecture de Chiba et, sans doute pour calmer le jeu, avait évoqué sa fugue au lycée. Lui-même, avoua-t-il, était déjà allé à Chiba, dans la ville de Nakaminato. Mais cela ne fit que jeter de l'huile sur le feu : ce soir-là, Kyôsuke Samura s'était précisément rendu à Tokyo depuis Nakaminato, où il travaillait. Il prit cette phrase pour une provocation.

Un « Connard ! » fusa, entendu par tous les clients, et l'instant d'après Samura empoignait Jun'ichi par le col. Le temps que le patron saute par-dessus son comptoir pour intervenir, entre quatre et une dizaine de coups de poing avaient déjà été échangés, selon les témoins. Jun'ichi avait levé la main le premier. « C'était le seul moyen pour qu'il me laisse tranquille », expliquerait-il dans sa déposition.

Incapable de les séparer, le patron décrivit, au cours du procès, la scène comme suit : « C'était la victime qui agressait l'autre ; l'accusé, lui, se débattait comme un beau diable pour tenter de s'échapper. »

Ce que Jun'ichi parvint à faire. Mais Samura revint à la charge. Alors, Jun'ichi l'insulta : « Espèce d'enfoiré, sale merde ! », et se lança de tout son poids sur lui, lui infligeant coups de tête, d'épaule et de poing. Pris au dépourvu, Samura chancela en arrière, buta contre une chaise, tomba à la renverse et heurta violemment le sol, ce qui entraîna une fracture du crâne et une contusion cérébrale. Lorsque

27

les secours débarquèrent, onze minutes plus tard, le jeune homme était mort.

Pétrifié, Jun'ichi resta sur les lieux du crime à attendre la police, sans que le patron eût besoin de le retenir. Il semblait complètement abasourdi. Il fut inculpé pour coups et blessures ayant entraîné la mort.

Nangô interrompit sa lecture, écrasa sa cigarette et soupira. Un sourire aussi amer qu'inconvenant lui monta aux lèvres.

Un cas typique. Il fallait être bien malchanceux pour se retrouver pris dans ce genre d'affaire. Deux ans de prison ferme constituaient une peine assez lourde au vu des faits reprochés. Jun'ichi aurait pu s'en tirer avec du sursis. Aux yeux des juges, son parcours scolaire ainsi que son comportement avaient pu passer pour de la délinquance juvénile. C'était sûrement à dessein que le procureur avait décrit en détail sa fugue lycéenne lors de son réquisitoire introductif.

En temps normal, dans les affaires de coups et blessures entraînant la mort, les juges débattent sur la légitime défense et l'intention de tuer. Si la première est avérée, l'accusé est déclaré non coupable ; dans le second cas, les faits sont requalifiés en meurtre. La loi stipule qu'en cas d'homicide reconnu l'accusé encourt jusqu'à la peine de mort. Dans le cas de Jun'ichi, le verdict rendu aurait pu être bien plus sévère.

La découverte d'un couteau de chasse dans le sac à dos de Jun'ichi n'avait pas plaidé en sa faveur durant le procès. À sa décharge, le jeune homme maniait des couteaux au quotidien dans l'atelier de son père, et de plus, l'objet se trouvait encore dans son emballage d'achat. Ainsi, les juges retinrent l'argument de son avocat, qui affirma que « si son client avait eu l'intention de tuer, il aurait utilisé son couteau ». Il rappela que les poursuites pour infraction à la loi sur le port d'arme avaient été abandonnées durant l'instruction.

Après avoir appelé à la barre Mitsuo Samura, le père de Kyôsuke, le procureur se lança dans un violent réquisitoire, où il avança qu'après deux chopes de saké, soit la quantité d'alcool qui figurait sur le reçu du restaurant, la victime n'avait pas pu provoquer une querelle. Cet argument, certes conforté par les résultats de l'autopsie, fut insuffisant pour alourdir la peine de Jun'ichi.

Finalement, la cour rendit son verdict au bout de la troisième audience : Jun'ichi écopa de deux ans de réclusion ferme, incluant le mois de détention provisoire.

Nangô leva les yeux du dossier et retraça de mémoire les dix-huit mois que le jeune homme avait passés à Matsuyama.

Il avait senti chez le condamné numéro 229 un tempérament maladroit, simple, tout sauf calculateur. La lecture des documents avait renforcé cette impression. Un visage adulte où subsistait quelque chose de juvénile, un regard sans cesse inquiet. Cette fugue lycéenne de dix jours avait-elle été uniquement motivée par l'envie de passer du temps avec une petite amie ?

Nangô se remémora une réunion des surveillants, six mois plus tôt. Le personnel avait évoqué le refus de Jun'ichi de voir l'aumônier de la prison, en se justifiant ainsi : « Je ne me fie pas à la religion, je préfère penser par moi-même. » Ce comportement parut bien impertinent et des sanctions furent envisagées. Nangô s'y opposa et la proposition fut rejetée. Jun'ichi Mikami avait piqué la curiosité du surveillant-chef.

Plus tard, cette curiosité fut renforcée par la découverte d'une étrange coïncidence dans le dossier du prisonnier.

Au moment de sa fugue, l'adolescent était avec sa petite amie sur les lieux mêmes d'une affaire de meurtre des plus singulières.

Nangô avait terminé ses ultimes vérifications. Plus d'hésitation : il avait trouvé son homme.

Il écrasa son mégot, tira à lui le téléphone et composa le numéro d'un cabinet d'avocat tokyoïte.

— J'ai presque terminé, annonça-t-il à voix basse. Tout sera prêt demain, ou après-demain.

2

De la prison de Matsuyama à Tokyo, le trajet dura à peine quatre heures. Ce laps de temps fut nettement suffisant à l'ex-détenu pour sentir la joie de la libération déferler en lui, en plusieurs vagues successives.

La première chose qui étonna Jun'ichi fut la petitesse du mur d'enceinte de la prison. Que sa liberté ait été entravée par ces cinq mètres de béton lui parut soudain bien ridicule. De l'intérieur, la muraille semblait se dresser jusqu'au ciel, et même le recouvrir.

Il écarquilla ensuite les yeux devant la largeur des rues. À travers la vitre du taxi qui les conduisait à l'aéroport, chaque building de l'agglomération de Matsuyama semblait prêt à vous écraser de son intimidante hauteur. Le jeune homme était sorti en ville pas plus tard que la veille pour son ultime exercice de préparation à la libération, mais moins de vingt-quatre heures plus tard, sa perception de la ville s'était transformée de manière radicale. Il appréhendait le retour à Tokyo.

Une fois leurs bagages enregistrés à l'aéroport, Toshio demanda :

— Tu veux boire un verre ?

Jun'ichi secoua la tête et répondit :

— Je veux manger sucré.

Ils entrèrent dans un salon de thé et commandèrent un flan aux fruits et une coupe de glace chocolat chantilly.

Le père regarda en silence son fils dévorer ces douceurs.

Lorsqu'il fut rassasié, le jeune homme se mit à lorgner avec insistance les jeunes femmes alentour. C'était le mois de juin, époque où la longueur des vêtements féminins raccourcit. Du salon de thé à la porte d'embarquement, Jun'ichi dut marcher légèrement penché en avant, les mains enfoncées dans les poches.

Assis dans l'avion, il sentit une vive douleur lui vriller les boyaux et dut effectuer plusieurs allers-retours aux toilettes durant le vol. Pendant presque deux ans, son système digestif n'avait connu qu'une alimentation à base de riz et de blé, très pauvre en calories ; il réagissait mal à l'assaut des desserts riches de tout à l'heure. Pourtant, Jun'ichi était content. Pouvoir faire ses besoins dans une cabine, à l'abri de tout regard, était comme un rêve pour lui.

À l'aéroport de Haneda, père et fils prirent le train pour Ôtsuka, une gare située au nord-ouest de la ligne circulaire Yamanote, à seulement quelques minutes à pied du quartier animé d'Ikebukuro.

C'est à Ôtsuka qu'ils habitaient désormais. Jun'ichi n'avait encore jamais vu leur nouvelle maison. Environ six mois plus tôt, ses parents lui avaient fait part de leur déménagement dans une lettre. Il n'avait pas osé demander à quoi ressemblait la nouvelle demeure, se réservant le plaisir de la découvrir à sa sortie. Pour Jun'ichi, qui voulait faire table rase du passé et recommencer sa vie, habiter dans un quartier inconnu offrait les chances d'un avenir un tant soit peu meilleur.

Il passa les portiques de la gare d'Ôtsuka et observa la place devant lui, le rond-point et les rues qui rayonnaient autour. Une banque, un hôtel d'affaires, une chaîne de restaurants et un flot ininterrompu de badauds. La vue de ce quartier grouillant d'animation lui égaya le cœur.

Jun'ichi marcha encore cinq minutes derrière Toshio, puis ils entrèrent dans le quartier résidentiel et les alentours lui donnèrent soudain l'impression d'être déserts. Dix minutes plus tard, il se sentit même oppressé. Il commença à se demander s'il n'avait pas négligé une question cruciale. Ce doute et le remords qui l'accompagnait le taraudaient. Inconsciemment, il se mit à marcher tête baissée.

Ils approchaient de la maison lorsque Toshio, moins loquace que tout à l'heure, dit enfin :

— On tourne dans la prochaine ruelle, et c'est là.

Jun'ichi n'eut même pas le temps d'hésiter : ils tournèrent au coin. Le jeune homme se trouva face à un mur noirci par la suie. La façade de la maison, longtemps exposée aux intempéries, était zébrée de saleté. En guise d'entrée, point de portail, mais une simple porte donnant sur la ruelle. Le terrain ne devait pas faire plus d'une vingtaine de mètres carrés. Même pour une petite maison, l'endroit était extrêmement humble.

— Allez, entre, invita Toshio, les yeux rivés au sol. Voilà ton nouveau chez-toi.

Par égard pour son père, Jun'ichi tenta de ne pas laisser transparaître ses émotions. Il entra donc et réussit parfaitement à donner le change.

— C'est moi, annonça-t-il en ouvrant la porte.

L'entrée donnait sur la cuisine. Occupée à préparer une salade, sa mère, Yukie, se retourna.

Ses yeux aux paupières plissées s'agrandirent sous l'effet d'une joie longtemps attendue. Elle avait un visage rond, le regard déterminé et les sourcils rapprochés, dont le fils avait hérité tels quels.

— Jun'ichi…

Tout en s'essuyant les mains sur son tablier, Yukie s'avança lentement vers l'entrée. En une fraction de seconde, ses yeux s'étaient mouillés de larmes, qui coulaient à flots.

En voyant sa mère à ce point vieillie, Jun'ichi reçut un choc de plein fouet, mais là encore, il n'en laissa rien paraître.

— Merci pour tout ce que vous avez fait pour moi. J'ai enfin pu rentrer.

Parents et fils commencèrent à célébrer leurs retrouvailles un peu avant dix-sept heures. Trois plats de résistance – viande de bœuf, poisson grillé et plat chinois – étaient disposés sur la table basse du salon.

Jun'ichi trouva suspecte l'absence de son frère Akio, de huit ans son cadet, mais décida de se taire et d'attendre que ses parents abordent eux-mêmes la question.

Toshio et Yukie ne se montraient pas très bavards. Ils ne savaient pas trop quoi dire à leur fils de vingt-sept ans repris de justice. La conversation avança par bribes, puis finit par s'orienter sur ce que Jun'ichi comptait faire dorénavant.

Celui-ci voulait se remettre au travail dès le lendemain, dans l'atelier de son père, toutefois ses parents lui conseillèrent de prendre huit jours pour se reposer. Jun'ichi se rangea à leur avis. Non pas qu'il voulût se la couler douce, sans but aucun. Mais après avoir vu la nouvelle maison noircie de suie, il avait compris qu'on lui cachait quelque chose.

Le festin terminé, Yukie le guida à l'étage. Les marches raides de l'escalier en bois grincèrent sous les pas du jeune homme. Il trouva en haut un étroit couloir donnant, à droite comme à gauche, sur des pièces japonaises traditionnelles.

Il fit coulisser la porte et vit la chambre que ses parents lui avaient réservée. Cinq mètres carrés. La même surface que sa cellule de prison. Aussitôt, le peu de joie qui subsistait en lui s'envola complètement.

— Ce n'est pas bien grand, mais ça devrait aller, non ? lui demanda sa mère d'une voix enjouée.

— Pas de souci.

Jun'ichi posa le sac de sport qu'il avait rapporté de Matsuyama, et se laissa tomber sur le futon déjà étendu.

Debout sur le seuil, Yukie souriait.

— Tu sais, cette maison, elle n'en a pas l'air comme ça, mais elle est agréable. Vieille comme elle est, il n'y a pas besoin de l'entretenir, et puis le ménage est vite fait.

Pourtant, au fur et à mesure qu'elle alignait les arguments, le ton de sa voix changeait, sonnant de plus en plus faux, en désaccord avec l'expression de son visage.

— Et puis, elle est loin de la gare, on n'a pas à se soucier du bruit, non ? Elle est bien exposée et, pour les courses, c'est pratique, car les commerces sont à un quart d'heure à pied.

Yukie marqua une pause et ajouta à voix basse :

— Bon, elle est moins grande que l'autre, mais…

— Maman, l'interrompit Jun'ichi, qui craignait qu'elle ne se remette à pleurer. Où est Akio ?

— Il ne vit plus ici. Il loue un petit studio.

— Tu peux me donner son adresse ?

Yukie eut un instant d'hésitation avant d'accepter.

Il était dix-huit heures passées lorsque Jun'ichi sortit de chez lui avec l'adresse de son frère et un plan dessiné par sa mère.

Le solstice d'été approchant, le soleil n'était pas encore couché. Malgré cela, Jun'ichi éprouvait une certaine angoisse à marcher seul dans la ville. Non seulement les voitures qu'il croisait roulaient étonnamment vite à son goût, mais un autre problème se posait aussi, en lien avec sa remise en liberté conditionnelle. Durant les trois mois de peine qu'il lui restait à purger, si Jun'ichi commettait un délit entraînant une sanction supérieure à une amende, il serait renvoyé en prison. La moindre infraction au code de la route lui serait fatale. Il avait aussi pour obligation d'être sans cesse muni de sa « carte de liaison », familièrement appelée « carte de repris de justice ». Rangée dans la poche de poitrine de sa chemise, celle-ci pesait affreusement lourd.

Son frère habitait non loin de la gare de Higashi Jûjô, à moins de vingt minutes en train, dans un immeuble en bois d'un étage. Jun'ichi monta l'escalier extérieur, frappa à la dernière porte de l'allée et reçut en réponse un « Oui ? » peu enthousiaste. Il n'avait plus entendu la voix de son frère depuis un an et dix mois.

— Akio ? C'est moi, appela-t-il à travers la porte.

Son frère devait s'être figé derrière le panneau.

— Tu m'ouvres ?

Un silence suivit. Puis la porte s'entrouvrit, et un visage creusé par la maigreur, comme celui de son paternel, apparut dans l'embrasure.

— Qu'est-ce que tu veux ?

Akio avait un regard hostile. Jun'ichi reconnut là le visage véritablement courroucé de son frère.

Il hésita un instant, le temps d'imaginer la raison de sa colère, puis demanda :

— Il faut que je te parle. Tu me laisses entrer ?

— Non.

— Pourquoi ?

— Je laisse pas entrer les meurtriers chez moi.

La vision de Jun'ichi devint floue. Le désespoir de ceux à qui l'on rappelle qu'ils ont commis une faute irréparable s'empara de lui. Il hésita à s'en aller, mais se ressaisit. Partir sans demander son reste serait trop irresponsable.

Un bruit de pas montant l'escalier de l'immeuble se fit soudain entendre. Certainement un voisin qui rentrait chez lui. Un éclair de frayeur passa dans le regard d'Akio.

Celui-ci empoigna son frère par l'épaule, le tira à l'intérieur et referma la porte avant de dire :

— Je ne veux pas que les voisins me voient avec un meurtrier.

Jun'ichi demeura muet. Il étudia la pièce de dix mètres carrés. Sur une table basse probablement ramassée dans la rue étaient éparpillées des annales d'examens d'entrée à l'université. L'un des manuels, ouvert, indiquait qu'Akio étudiait avant sa visite.

Jun'ichi trouva étrange qu'il soit encore en train de préparer son entrée à la fac.

Akio avait suivi le regard de son frère ; il lâcha :

— J'ai arrêté le lycée.

— Hein ?

Étonné, Jun'ichi remonta mentalement deux ans plus tôt, avant son affaire.

— Mais... il te restait bien six mois avant les examens, non ?

— Comme si j'avais pu continuer à aller tranquillement en cours... Mon frère a tué quelqu'un, je te rappelle.

Le regard d'Akio était le même qu'un instant plus tôt, lorsqu'il craignait d'être vu de son voisin. Jun'ichi fut à nouveau pris de vertige, mais réussit tant bien que mal à ne pas s'écrouler. Il devait rester là. Connaissant Akio, celui-ci lui raconterait tout, sans rien lui épargner.

— Pourquoi tu as déménagé ?

— Papa m'a dit de renoncer aux études et de bosser... Je me suis dit que j'allais gagner de quoi me payer la fac.

— Tu as un boulot ?

— Je fais du tri dans les entrepôts. En bossant bien, j'arrive à gagner cent soixante-dix mille yens par mois.

Jun'ichi se résolut à aborder le point le plus important.

— Est-ce que... papa et maman... sont fauchés ?

Akio releva la tête et répondit d'un ton plus sec encore :

— Évidemment ! T'es pas au courant de ce qui nous est arrivé à cause de ton meurtre ? Tu sais pas non plus à combien s'élèvent les indemnités à la famille du type ?

Après l'affaire, Mitsuo Samura, le père de la victime, avait réclamé à Jun'ichi et à ses parents des indemnités au titre de dommages et intérêts. Les avocats des deux parties avaient alors engagé une procédure de conciliation qui avait débouché sur un contrat. Jun'ichi avait donné procuration à ses parents pour l'ensemble de la négociation. Il avait certes entendu parler du contrat, mais en ignorait jusqu'à présent les clauses précises – il avait cru son père, lorsque celui-ci lui écrivait dans une lettre qu'il n'avait « pas besoin de se faire de souci ».

Cette lettre, Jun'ichi l'avait reçue à la prison alors qu'il sortait tout juste de « cellule disciplinaire ». Après une altercation avec un maton qui l'avait dans le collimateur, il avait été envoyé dans cette cellule individuelle, minuscule et puante, où on l'avait laissé croupir une semaine, les bras immobilisés par des sangles de cuir. Sa nourriture, déposée dans une assiette à même le sol, il avait dû la laper comme un chien, et quant à ses besoins, il n'avait eu d'autre choix que de se faire dessus – une expérience atroce. Au moment où la lettre de son père lui était parvenue, ses facultés mentales étaient amoindries. C'est là qu'il avait négligé la question cruciale.

— Et ils s'élèvent à combien, les dommages-intérêts ?

— Soixante-dix millions.

Jun'ichi resta coi. En un an et huit mois de travail à la menuiserie de la prison, à raison de quarante heures hebdomadaires, il avait obtenu la somme de soixante mille yens. De plus, les bénéfices de ce travail avaient été engrangés par la prison et placés dans les caisses de l'État. Il n'était pas question qu'ils soient employés pour dédommager la victime.

Voyant son aîné toujours incapable de décrocher un mot, Akio le mitrailla d'explications.

— Ils ont réussi à dégager trente-cinq millions en vendant le bail de l'ancienne maison, deux millions avec la voiture et les machines de l'atelier, et ils ont emprunté six millions à la famille… Mais il en reste encore vingt-sept.

— Vingt-sept… mais comment ils font ?

— Eh ben, ils paient ce qu'ils peuvent tous les mois ! Maman a dit qu'ils en avaient encore pour vingt ans, sûr.

Jun'ichi se rappela le visage vieilli de sa mère, et ferma les yeux. Qu'avait-elle ressenti en quittant la maison où elle s'apprêtait à passer ses vieux jours ? Comme elle avait dû être malheureuse en emménageant dans cette bicoque sale ! Sa mère, sa seule et unique mère, avait sans nul doute frissonné sous le poids du crime de son fils, et pleuré en silence en repensant aux jours heureux passés dans sa chère demeure.

— Qu'est-ce qui t'arrive ? Pourquoi tu chiales ?

Akio donna un coup de coude à son frère.

— Tout ça, c'est ta faute. Tu crois peut-être qu'on va te pardonner parce que tu te morfonds ?

Il ne pouvait plus rien dire. Désespéré, Jun'ichi baissa la tête et sortit. Dans l'allée à présent sombre de l'immeuble, il ne pensait qu'à une chose : parvenir à sécher ses larmes sur le chemin du retour.

3

Tokyo, quartier de Kasumigaseki, Bâtiment commun numéro 6 du gouvernement central. Quelque part au Bureau des affaires criminelles du ministère de la Justice, le procureur détaché par le ministère public était sur le point d'achever la rédaction de sa « proposition d'exécution ». Ce document de cent soixante-dix pages venait conclure l'examen d'une énorme liasse de pièces occupant à elle seule un casier entier.

Le nom du condamné était Ryô Kihara. Son âge, trente-deux ans, le même que celui du procureur.

Avant de s'atteler à la conclusion, ce dernier s'appuya au dossier de son fauteuil et fouilla dans son esprit, afin de s'assurer qu'il n'avait rien omis. Il avait déjà procédé à cette vérification un bon nombre de fois.

Si le procureur détient le monopole de l'action publique – soit un pouvoir immense –, il lui incombe en revanche de mener à bien l'exécution des peines. Ainsi, il est de rigueur de réaliser un examen des plus rigoureux, en particulier lorsqu'il est question de la peine capitale : c'est pourquoi la proposition d'exécution qu'il était en train de rédiger devait recevoir l'approbation de treize bureaucrates issus de cinq postes différents.

Treize.

À ce nombre, le procureur fronça les sourcils ; il compta les démarches à effectuer, la sentence à l'application de la peine de mort. Le résultat était bien celui-ci : treize.

Comme treize étapes, treize marches.

Les « treize marches ». Se souvenant que c'était l'autre nom de la potence, le procureur goûta toute l'ironie de la chose. Dans l'histoire de la peine de mort au Japon depuis l'ère Meiji[1], jamais une potence de treize marches n'avait été construite. La seule exception fut le gibet de la prison de Sugamo, monté par l'armée américaine pour l'exécution des criminels de guerre. Au Japon, les potences d'autrefois comportaient, paraît-il, dix-neuf marches, mais comme des accidents survenaient souvent au moment de les faire gravir aux condamnés, on fut forcé d'améliorer le système. De nos jours, le condamné se tient debout sur une trappe, les yeux bandés et la corde passée autour du cou, puis la trappe s'ouvre en deux, le faisant choir jusqu'au sous-sol – un système dit de « pendaison souterraine ».

Toutefois, les treize marches subsistaient sous une autre forme dans des lieux inattendus. La tâche dévolue au procureur vacataire équivalait à la cinquième marche de l'escalier. Il restait donc huit pas à faire avant l'exécution. Ryô Kihara, le condamné, gravissait à son insu, degré après degré, l'escalier du gibet. Il parviendrait au dernier dans trois mois environ.

« Conclusion. »

Le procureur se mit à pianoter sur le clavier de son ordinateur.

« Nous pensons que, dans le cas présent, aucun des points évoqués ci-dessus ne motive la suspension de l'exécution, ni la révision du procès via la voie classique ou au moyen d'une procédure d'urgence, et songeons, à la lumière de ces faits, qu'un recours en grâce est inenvisageable. »

---

1. 1868-1912. *(Toutes les notes sont du traducteur.)*

Il fit une pause. Le cas de Ryô Kihara était particulier. Il avait contrôlé les points qui lui paraissaient suspects, mais après une ultime vérification, il avait conclu qu'au regard de la loi rien ne s'opposait à la peine capitale. Il aurait beau renâcler, la répulsion qui restait en lui n'avait, seule, pas force de preuve.

Le procureur écrivit alors la dernière phrase de la proposition :

« Ainsi, nous nous en remettons à la cour d'appel en vue de l'exécution de la peine de mort. »

Le lendemain matin de sa sortie, Jun'ichi devait se rendre au quartier des ministères de Kasumigaseki. Il fallait qu'il se présente au Bureau d'observation et de protection du ministère de la Justice pour un entretien avec son responsable de suivi judiciaire et son conseiller d'insertion et de probation.

Il n'avait pas fermé l'œil jusqu'à l'aube, puis il avait réussi à somnoler, avant d'ouvrir spontanément les yeux sur le coup de sept heures. Son organisme était encore calé sur le rythme de la vie carcérale. Il trouva cependant appréciable de ne pas être réveillé par l'appel matinal, et commença la journée de point trop mauvaise humeur. Il décida de taire ce que son frère lui avait dévoilé la veille, et d'attendre que ses parents abordent le sujet les premiers.

Le petit-déjeuner avec ses parents se déroula sans incident. Jun'ichi dit au revoir à son père qui partait pour l'atelier, se prépara et sortit à son tour.

Dans la salle d'attente du Bureau d'observation et de protection, il choisit un siège libre parmi la dizaine déjà occupés. Tous ces hommes avaient l'air de s'ennuyer. Au bout d'un moment, il se rendit compte qu'ils étaient des ex-détenus sous suivi judiciaire et tressaillit, effrayé, oubliant sa propre situation.

Sur ce, une voix appela son nom et un homme âgé vêtu d'un complet gris entra dans la salle d'attente.

Légèrement plus petit que lui, M. Kubo, le conseiller d'insertion et de probation, rayonnait de sympathie.

Kubo appartenait à l'association des conseillers d'insertion de l'arrondissement de Toshima. Depuis qu'il avait été choisi pour s'occuper de Jun'ichi, il avait enquêté sur l'environnement du détenu et accompli toutes les démarches nécessaires à sa remise en liberté conditionnelle. Il avait même effectué, sans rechigner, le long trajet jusqu'à la prison de Matsuyama, aussi Jun'ichi le connaissait-il déjà.

— Allez, entrons, enjoignit Kubo d'une voix calme.

Jun'ichi le salua rapidement et obéit. Un imposant bureau en bois verni occupait une partie de la pièce où attendait Ochiai, le responsable de suivi judiciaire.

Ce dernier, un homme de plus de quarante ans à la peau bistre, plein de prestance, parut de prime abord hautain à Jun'ichi, mais une fois la conversation engagée, il se révéla seulement pragmatique et franc. Il passa à nouveau en revue avec le jeune homme les clauses que les anciens détenus doivent observer, et en ajouta d'autres : « ne pas changer incessamment d'emploi sans motif valable », et « demander obligatoirement une autorisation pour un voyage à plus de deux cents kilomètres de son adresse actuelle ou d'une durée supérieure à trois jours ». Puis, maniant simultanément la carotte et le bâton, il ajouta :

— La police a tendance à se montrer plus sévère que de raison avec les repris de justice. Si elle venait à dépasser les bornes avec toi, n'hésite pas à venir me voir. Je ferai tout ce qui est en mon pouvoir pour défendre tes droits.

Surpris par ces paroles bienveillantes, Jun'ichi tourna inconsciemment le regard vers Kubo. Celui-ci sourit et hocha la tête, comme pour signifier qu'il n'y avait pas d'erreur.

— En revanche, reprit Ochiai, si tu ne respectes pas ces clauses ou si tu écopes d'une sanction plus lourde qu'une amende, tu retourneras en détention sur-le-champ, sans pouvoir protester.

Effrayé, Jun'ichi se tourna une nouvelle fois vers son conseiller d'insertion. Même sourire, nouveau hochement de tête.

— J'y pense : t'es-tu déjà acquitté de ce qu'exige le contrat de conciliation ? voulut savoir Ochiai.

Ébranlé, Jun'ichi leva la tête.

— Vous voulez parler des dommages-intérêts ?

— Non, de l'autre clause… Tes parents ne t'ont rien dit ?

— C'est que nous n'en avons pas encore vraiment discuté…

Kubo lui lança une bouée de sauvetage :

— Il vient juste de sortir, le pauvre…

— Vous avez raison.

Ochiai baissa les yeux sur sa feuille, réfléchit un instant et reprit :

— Tes parents ont pris à leur charge l'aspect financier du contrat. Je veux que vous discutiez sérieusement de ça entre vous. Mais l'autre chose que tu dois faire, c'est aller présenter tes excuses à la famille de la victime.

Un poids douloureux étreignit la poitrine de Jun'ichi.

— Tu dois te rendre à Chiba, dans le district de Nakaminato, chez M. Mitsuo Samura, et demander pardon.

Le responsable de suivi était au fait des antécédents de Jun'ichi, car il ajouta :

— C'est là-bas que tu as fugué avec ta petite amie, au lycée. Tu dois connaître les lieux ?

Il lui faudrait donc retourner dans cette ville. À cette seule pensée, un frisson lui parcourut l'échine.

Ochiai avait dit cela dans l'espoir de plaisanter, mais il dut noter le teint blafard du jeune homme, car, après lui avoir lancé un regard suspicieux, il changea de ton :

— J'imagine bien que cela ne doit pas t'enchanter, mais tu y es obligé. À la fois sur le plan juridique et sur le plan moral.

— J'ai compris.

Jun'ichi ne pensait qu'à une chose : foncer retrouver sa petite amie, sans plus attendre.

Le bazar de Hatanodai, situé dans le quartier commerçant devant la gare, n'avait pas changé. Sur l'auvent en plastique couleur lavande, les mots « Fancy Shop Lily » étaient toujours là, leur tracé tout en courbes mimant un ruban qui se dénoue.

Ne voyant pas sa petite amie, Jun'ichi s'assit un moment au café de l'autre côté de la rue, et commanda un café au lait sucré.

Au bout d'un moment, un minispace vint se garer devant la boutique, et il la vit, qui descendait du côté conducteur. Elle portait un jean et un tee-shirt recouverts d'un tablier en jean. Ses cheveux étaient plus courts qu'avant, mais sa frange, qui se balançait sur les côtés, était restée la même. Tout comme ses joues blanches et douces, et ses yeux noirs, éteints, qui donnaient aux autres l'impression d'une fille distraite. C'était elle. Yuri Kinoshita.

Après deux années sans la voir, Jun'ichi eut le sentiment qu'elle était amaigrie – comme sa mère, en quelque sorte.

Yuri sortit un carton de son coffre, le porta dans la boutique et engagea la conversation avec sa mère, qui se trouvait derrière la caisse.

Jun'ichi rapporta sa tasse de café au comptoir et sortit. Le moteur du minispace tournait encore, sa conductrice allait le garer sous peu.

C'est alors que Yuri sortit. Son regard se porta aussitôt sur lui. Comme si elle avait instantanément senti la présence de Jun'ichi.

— Je suis revenu.

Le visage de la jeune fille, surprise, se tordit aussitôt sous l'effet des larmes. Puis elle pivota de côté, jeta un coup d'œil à sa mère dans la boutique et monta prestement en voiture.

Jun'ichi songea qu'elle était en train de le fuir, à tort. Yuri lui fit signe de s'asseoir du côté passager.

Le petit van démarra dès qu'il fut installé.

Ils demeurèrent silencieux un moment. Yuri passa devant la gare et s'engagea sur une grande artère. Là, elle brisa enfin le silence :

— J'ai tout vu à la télé, tu sais. Au début, je n'ai pas pu croire que... tu avais fait une chose pareille. Toi, Jun...

Personne d'autre n'utilisait ce diminutif.

— Ils ont parlé de moi aux infos ?

— Pas seulement aux infos. Dans des émissions très connues aussi. Ces abrutis de journalistes n'ont pas arrêté de mentir à ton sujet : ils parlaient d'un ancien délinquant juvénile, ou je ne sais pas trop quoi... Ils voulaient carrément te faire passer pour un malfrat.

C'était probablement l'image que la société avait gardée de lui. Jun'ichi ressentit le poids amer de cet affront public. Sans les médias, son frère Akio n'aurait pas eu à se préoccuper du regard des autres et aurait sans doute pu terminer le lycée.

— Et toi alors, qu'est-ce que tu deviens depuis ? commença Jun'ichi de manière détournée. Pareil que d'habitude ?

— Oui. Tu sais, depuis ce jour-là, le temps s'est arrêté pour moi, répondit Yuri tristement. Je reviens sans cesse dix ans en arrière, à ce moment-là.

— Ça ne s'est pas un peu arrangé ?

— Non.

Fortement découragé, Jun'ichi détourna le regard.

— Désolée. Mais je crois que, quoi que je fasse, je ne pourrai jamais redevenir comme avant.

Le jeune homme resta muet. C'était plutôt à lui de demander pardon. Il n'avait d'ailleurs pas encore présenté ses excuses. Cependant, les mots ne voulaient pas venir.

Yuri semblait conduire en direction de la maison que Jun'ichi et sa famille habitaient deux ans auparavant. Elle ignorait sans doute leur déménagement.

Tout en observant les rues familières, Jun'ichi se remémora l'époque du lycée. Ses joggings matinaux dans le quartier résidentiel baigné de calme. Il courait de manière effrénée, pendant une vingtaine de minutes, jusqu'au rideau métallique baissé du Fancy Shop Lily, puis faisait demi-tour. Cela suffisait à son bonheur. En voiture, toutefois, il ne leur fallut pas cinq minutes pour parcourir cette distance. Au fur et à mesure qu'ils devenaient adultes, ils perdaient l'abondance du temps.

— Tu peux me déposer ici, dit-il tandis qu'ils approchaient d'une rue pleine de petites fabriques citadines.

Il n'avait pas envie de revoir son ancienne maison regorgeant de souvenirs.

Yuri gara le minispace, toujours en silence.

— Bon, salut, dit Jun'ichi une fois descendu.

La jeune femme tourna la tête vers lui, et annonça d'une voix étranglée par le chagrin :

— C'est fini, tu sais. Toi et moi.

Jun'ichi marcha pendant cinq minutes. D'humeur mélancolique, il éprouvait un sombre ressentiment du fait de ne pas avoir trouvé d'exutoire à son désir sexuel.

D'un pas lourd, il tourna au coin d'une rue où se mélangeaient maisons et fabriques, et tomba sur un visage familier. Celui d'une petite vieille, papetière de son état, qu'il croisait souvent avant que l'affaire n'éclate.

Jun'ichi se souvint qu'elle avait rédigé pour lui une demande d'allégement de peine et voulut aller la remercier. Cependant, dès qu'elle le reconnut, la surprise se dessina sur son visage, et elle resta figée sur place. Les remerciements que Jun'ichi avait préparés s'évanouirent aussitôt.

Les lèvres barrées d'un sourire faux, la vieille dame dit :

— Tiens, Jun'ichi, cela faisait longtemps.

Puis elle reprit son chemin. Dans le court intervalle avant qu'elle ne tourne les talons, Jun'ichi vit distinctement son visage se teinter de crainte et d'aversion.

« Il n'y a pas plus gentil que ce jeune homme... »

Voilà ce qu'elle avait écrit dans la demande d'allégement de peine.

« Si cette affaire a vraiment eu lieu, je pense qu'il ne peut s'agir que d'un malheureux accident. »

Ces mensonges, qui n'en étaient pas pour elle, avaient été employés tels quels comme pièce probante par le tribunal.

Mais la cour s'était fourvoyée sur toute la ligne. Jun'ichi en était plus que jamais convaincu. Le verdict des magistrats n'avait pas rendu la justice. Le jeune homme se sentait perdu, il ne savait pas quoi faire. Il se remit en route, la tête légèrement baissée, les yeux relevés, appréhendant de revoir des visages familiers.

À présent, le fardeau de sa condamnation pesait lourdement sur ses épaules. La réinsertion sociale s'annonçait bien plus difficile qu'il ne l'aurait cru. Le nom de Jun'ichi Mikami était enregistré, avec le crime qu'il avait commis, sur la liste des criminels de la mairie et du ministère public, ainsi que sur son casier judiciaire. Il était un repris de justice.

Il eut soudain envie de hurler. De cogner et bousiller les pare-brise des voitures dans la rue. Il parvint à se retenir tant bien que mal grâce à la conscience, nette et immédiate, de se trouver à un embranchement. D'un côté, le chemin se changeait en pente raide, facile à dévaler. De l'autre, un sentier plat, sur lequel il était plus difficile encore de marcher. De chaque côté se tenaient les gens qui conspuaient Jun'ichi, ce meurtrier, prêts à lui jeter des pierres.

Seule Yuri était à part. Jun'ichi ressentit une vague tiédeur dans sa poitrine. Elle seule portait sur lui un regard juste. Elle voyait qu'il était resté le même qu'avant l'affaire. Dans plusieurs années, lorsqu'il se retournerait sur le passé, ce court trajet en voiture avec elle serait peut-être devenu un souvenir inoubliable. C'est absorbé dans ces pensées qu'il arriva à Mikami Modeling.

De l'extérieur, l'atelier de son père n'avait pas changé. Un préfabriqué de plain-pied, à la porte d'entrée coulissante en aluminium.

Il entra et vit son père assis à son bureau, occupé à mettre de l'ordre dans ses factures. Deux ans auparavant, cette tâche était encore dévolue à une jeune secrétaire.

— Jun'ichi ! s'exclama Toshio en levant les yeux. Qu'est-ce que tu fais là ?

— Je veux travailler.

— Ah bon, répondit-il en jetant un œil par la porte d'entrée restée ouverte.

Jun'ichi comprit que son père n'était pas prêt. Qui sait s'il ne devait pas encore prévenir le voisinage, l'air de rien, que son fils sorti de prison allait travailler avec lui ?

— Tiens, j'y pense : il y a eu un coup de fil pour toi tout à l'heure.

Sur le point de demander qui l'avait appelé, Jun'ichi se ravisa. Il venait en effet de découvrir, au fond de l'atelier, une machine usée qui n'avait pas sa place dans un tel lieu. Une borne à écran de verre munie, en bas, d'un panneau couleur crème. Son père avait commandé ce modèle de machine-outil dernier cri lors d'une exposition à Hamamatsuchô, précisément le jour où Jun'ichi avait déclenché l'affaire.

Kyôsuke Samura…

Assailli par les souvenirs, Jun'ichi ferma les yeux.

Une voix incongrue résonna soudain :

— Et celle-là, là-bas, elle sert à quoi ?

Tiré de ses pensées, Jun'ichi se retourna. Dans l'embrasure de la porte se tenait un homme entre deux âges, coiffé d'un chapeau noir à larges bords.

Il se fendit d'un sourire espiègle, pencha la tête et ôta son chapeau. En voyant ce visage empreint de sévérité, comme par réflexe, Jun'ichi faillit se mettre au garde-à-vous et énoncer son matricule.

Le chef du traitement et du redressement des détenus de la prison de Matsuyama entra dans Mikami Modeling. L'air avenant, il s'adressa à Toshio :

— Désolé pour mon appel de tout à l'heure. Je suis Shôji Nangô. J'ai eu l'honneur de m'occuper de votre fils Jun'ichi, à Matsuyama.

— Vous avez fait un sacré chemin…, dit Toshio en baissant la tête, confus.

— Pardon de venir à l'improviste, dit Nangô à l'intention de Jun'ichi.

Celui-ci fut bien étonné d'entendre des excuses sortir de la bouche d'un travailleur carcéral.

— Monsieur Nangô, que nous vaut l'honneur ?

— Pas de « monsieur » qui tienne.

Nangô répugnait à ce qu'on marque à son égard la déférence excessive imposée aux prisonniers.

— J'ai une affaire à régler ici, tout simplement…

Tout à coup, Jun'ichi s'inquiéta : Nangô n'était-il pas venu pour révoquer sa liberté conditionnelle ? Ce dernier, jovial, balaya l'atelier du regard et posa une nouvelle fois sa question :

— Cette belle machine, là-bas, à quoi elle sert ?

Jun'ichi, qui se tenait devant un réservoir de résine ambrée d'un mètre sur deux, expliqua :

— C'est une graveuse. Elle sert à faire ce qu'on appelle de la stéréolithographie. Il suffit d'entrer des données dans l'ordinateur à côté pour réaliser une sculpture en trois dimensions.

— Vraiment ?

Une candide incrédulité se peignit sur le visage de Nangô. Qu'était-il donc venu faire ici ? Jun'ichi n'en saurait rien tant qu'il ne lui aurait pas d'abord expliqué le fonctionnement de la machine.

— Par exemple, en rentrant les données, disons, de votre visage, monsieur – euh, pardon –, je peux en obtenir une copie plastique en tout point identique à l'original.

— Donc, vous pouvez créer mon buste à partir de ma photo, c'est ça ?

— Plutôt qu'une photo, ce sont des données en trois dimensions qu'il nous faudrait, rectifia poliment Jun'ichi. Enfin, on peut arriver au même résultat avec des données planes si l'on entre les reliefs dans l'ordinateur. Ensuite, le laser solidifie la résine liquide et la sculpte selon la forme désirée.

— Ah oui ?

Les yeux de Nangô pétillaient comme ceux d'un enfant devant un jouet.

— Et vous pouvez reproduire jusqu'à mes poils de nez ?

— Cette machine a une précision de cent microns.

Nangô se retourna vers Jun'ichi, le sourire jusqu'aux oreilles.

— Eh bien ! C'est impressionnant de manier une telle bécane.

Jun'ichi comprit enfin que le surveillant disait tout cela pour lui. Les questions sur la machine visaient en premier lieu à faire son éloge.

À présent en confiance et touché par la franche gentillesse de Nangô, Jun'ichi confessa :

— À vrai dire, je n'ai jamais eu l'occasion de m'en servir. Nous l'avions commandée le jour du drame.

— Je comprends. Ce n'est vraiment pas de chance, répondit Nangô en se tournant vers Toshio. Voyez-vous un inconvénient à ce que je vous emprunte votre fils un moment ? J'aimerais discuter de plusieurs choses avec lui.

— Mais je vous en prie, répondit le père, le visage épanoui. Il a beaucoup à apprendre de vous. Et puis, on avait prévu de le laisser se reposer pendant huit jours environ.

*

51

— Ça a dû te faire drôle de me voir dans cette tenue.

Assis dans un salon de thé, Nangô ôta son chapeau, toujours en souriant.

— Quand on est gardien de prison, une aura de cruauté nous colle à la peau. Alors en privé, on fait tout pour changer.

Jun'ichi fixait le surveillant : celui-ci avait revêtu pour l'occasion une chemise aux motifs simples. En dehors du contexte carcéral, Nangô possédait une prestance étrange, une attitude à la fois brute et recherchée. Ses cheveux tondus court et ses sourcils fins aux mouvements vifs participaient au charme curieux qui émanait, à la grande surprise de Jun'ichi, de cet homme d'âge mûr. Jun'ichi n'aurait pas imaginé que l'uniforme aux barrettes dorées vous changeait un homme à ce point.

La serveuse vint prendre leur commande – deux cafés frappés –, et Nangô entra dans le vif du sujet.

— Tu dois te demander pourquoi je suis venu jusqu'ici, non ? Rassure-toi. Ce n'est pas pour t'annoncer une mauvaise nouvelle. À vrai dire, j'ai un travail à te proposer, une mission à durée déterminée.

— Une mission à me proposer ? Vous êtes venu de Matsuyama exprès pour ça ?

— Je n'habite à Matsuyama que pour le travail. J'y ai été détaché. Je suis originaire de Kawasaki, ce n'est pas loin.

— Ah ! je l'ignorais.

— Il n'est pas rare d'être muté, dans ma branche, dit Nangô avant de se gratter la tête, l'air gêné. La mission que je suis venu te proposer dure trois mois. Elle finira donc en même temps que ta période de suivi judiciaire. Il s'agit de travailler pour un avocat.

— Et qu'est-ce que je devrais faire, concrètement ?

— Prouver l'innocence d'un condamné à mort.

Jun'ichi eut besoin d'un instant pour intégrer le sens de ces mots.

Prêtant attention aux clients alentour, Nangô répéta plus bas :

— Oui, prouver l'innocence d'un condamné à mort. Qu'en penses-tu ? Cela te dirait de faire équipe avec moi ?

Le jeune homme dévisageait le gardien, parfaitement incrédule. Il eut l'impression que le petit salon de thé avait soudain perdu toute réalité concrète, qu'ils avaient atterri dans un lieu imaginaire.

— Vous voulez dire, faire éclater au grand jour une erreur judiciaire, parce qu'il est innocent ?

— C'est ça. Avant qu'il ne soit exécuté.

— Et vous aussi, vous participez à cette mission ?

— Oui. Si tu acceptes, tu me serviras d'assistant.

— Mais, pourquoi moi ?

— Précisément parce que tu viens d'obtenir ta liberté conditionnelle.

— Mais Tazaki aussi a été libéré en même temps que moi, avança Jun'ichi en faisant référence à son codétenu, enfermé pour avoir frappé à mort sa fiancée.

— Lui, il ne retournera jamais dans le droit chemin, assura le gardien aguerri par vingt-huit ans de métier. On l'a libéré parce c'est la loi, c'est tout. Au prochain coup de sang, il récidivera.

Fallait-il en déduire que Nangô croyait en sa réinsertion à lui ? Quoi qu'il en soit, son attitude chaleureuse dénotait clairement une certaine affection à son égard.

— Pendant que j'y pense : as-tu déjà présenté tes excuses à la famille de la victime ?

Jun'ichi fut déstabilisé par ce brusque changement de sujet.

— Pas encore. Je pensais le faire dans deux ou trois jours.

— Très bien. Je t'accompagnerai à ce moment-là.

— Vous êtes sérieux ? demanda le jeune homme, méfiant.

Nangô posa les mains sur la table et se pencha en avant.

— Le condamné à mort dont je viens de te parler…
L'affaire pour laquelle il a été inculpé s'est déroulée à Chiba,
dans le district de Nakaminato. Ce lieu ne t'est pas inconnu,
je me trompe ? C'est là que tu as fugué, et aussi là que
résidait ta victime.

Jun'ichi resta bouche bée. L'intérêt qu'il avait éprouvé
pour la mission de Nangô fondit comme neige au soleil.
Sans réfléchir, il demanda :

— Quand a eu lieu l'affaire en question ?

— Il y a dix ans, le 29 août. Le jour où la police t'a
ramené chez toi, en compagnie de ta petite amie.

La tête lui tourna, mais Jun'ichi tint bon. Il se demanda si
tout ça n'était pas, en somme, une punition. Un châtiment
infligé par le ciel, frappé du nom de hasard.

— Si tu acceptes, il faudra séjourner trois mois à Nakaminato. Je me chargerai de prendre contact avec ton conseiller
d'insertion. Après tout, il s'agit d'un travail honnête puisque
c'est un avocat qui t'emploie. Rien qui aille à l'encontre des
règles que tu dois respecter.

Devant l'hésitation de Jun'ichi, Nangô, qui l'observait avec
curiosité, changea de tactique.

— Tes parents ne doivent pas avoir fini d'en voir, avec
les dommages-intérêts à payer à la famille Samura.

Jun'ichi releva la tête. Sa méfiance refit surface. De par
sa fonction, Nangô savait tout de lui. Depuis son enfance
jusqu'à la situation financière de sa famille.

Nangô baissa la tête, comme honteux de sa ruse, et
ajouta, gêné :

— Tu dois te dire que je fourre mon nez où je ne devrais
pas, mais le salaire pour cette mission est assez alléchant.
Pour trois mois de travail, on sera rémunérés trois millions
de yens chacun. Soit un million par mois. On aura droit
en plus à trois millions pour couvrir nos notes de frais.
Enfin, si on réussit à prouver l'innocence du condamné,
une récompense de dix millions de yens nous attend.

— Dix millions ?

— Oui. Chacun.

Jun'ichi repensa à ses parents. À son père, plongé dans le classement des factures, qu'il avait autrefois les moyens de déléguer à une jeune secrétaire. À sa mère, sensiblement vieillie, dont les traits laissaient penser qu'elle pleurait sans cesse. Durant le procès, ils avaient tous deux été appelés à comparaître comme témoins à décharge et, devant leur fils au banc des accusés, ils avaient imploré, en larmes, la clémence du président du tribunal.

Jun'ichi avait lui-même les larmes aux yeux. Visiblement embarrassé, Nangô poursuivit sur un ton plus persuasif :

— Alors ? J'ai des scrupules à parler de rédemption, mais cette mission consiste tout de même à sauver la vie d'un homme. Et en prime, il y a de l'argent à la clé. Je ne vois pas comment tu pourrais refuser…

En cas de réussite, Jun'ichi gagnerait la moitié des dommages-intérêts que ses parents devaient encore verser. De plus, en sauvant un condamné à mort innocent, il arriverait peut-être à se racheter aux yeux de la société. Il revit le visage de ses parents, et la fierté dans leurs yeux quand ils le regardaient.

Il ne lui restait plus qu'à prendre sa décision. Si seulement il avait le courage de fouler à nouveau cet endroit maudit…

— Entendu, répondit-il. J'en suis.

— Très bien.

Un infime sourire vint éclairer le visage de Nangô.

Jun'ichi se força à sourire à son tour avant de reprendre :

— C'est peut-être pile ce qu'il fallait à un meurtrier qui veut rentrer dans le droit chemin.

L'expression grave, Nangô murmura :

— Ne t'inquiète pas, tu vas y rentrer, dans le droit chemin. Je m'en porte garant.

2

L'affaire

1

Dès le point du jour, Nangô quitta Kawasaki, où son frère et sa belle-sœur l'hébergeaient, et se dirigea vers la gare de Musashi-Kosugi. Là, il loua une voiture et remonta l'antique route de Nakahara-kaidô jusqu'à Hatanodai, où Jun'ichi et lui étaient convenus de se retrouver la veille.

Il arriva au lieu de rendez-vous à six heures cinquante. Jun'ichi se trouvait déjà dans un café, en train de siroter un espresso.

— Je t'ai fait attendre ?

Le jeune homme, qui regardait par la fenêtre, leva la tête.

— Non. J'espère que la route n'a pas été trop longue.

— Pas du tout, c'était rapide.

Nangô alla au comptoir et commanda du pain pour son petit-déjeuner, avant de s'asseoir en face de Jun'ichi. Celui-ci portait un tee-shirt blanc uni et un pantalon en coton. Sa ceinture semblait serrée au maximum, sans doute parce qu'il avait perdu du poids pendant sa détention. En habits civils, il paraissait bien plus digne de confiance qu'en tenue carcérale.

Pourtant, Nangô était à nouveau intrigué par l'air inquiet et préoccupé de l'ex-détenu. Certes, la réinsertion sociale n'était jamais une partie de plaisir pour un repris de justice, mais Jun'ichi était libre depuis deux jours. Il aurait dû paraître un tantinet plus jovial.

Soudain, l'expression du jeune homme changea. En suivant son regard, Nangô aperçut de l'autre côté de la rue un bazar du nom de Lily. Son volet métallique se releva légèrement et une jeune femme sortit en se faufilant dessous. Elle enfila en vitesse des sandales sur ses pieds nus et partit en courant. Probablement se rendait-elle à la supérette du coin, chercher ce qui manquait pour le petit-déjeuner. Jun'ichi ne la lâcha pas du regard, et l'on décelait dans ses yeux tout le désespoir d'un garçon dont l'amour n'est pas payé de retour.

Cette jeunesse au teint clair avait sensiblement le même âge que lui. Était-ce son ex-petite amie ? Comme aucune jeune femme n'avait témoigné à son procès, on pouvait penser que leur relation avait pris fin au moment du dévoilement de l'affaire.

Nangô poussa un soupir. Après tout, qu'y pouvait-on ? Celui qui a commis un crime voit son environnement se déliter de manière irrémédiable.

Ils terminèrent leur petit-déjeuner sans trouver quoi se dire, puis sortirent du café.

Ils avaient deux heures de route jusqu'à Nakaminato. Au volant, Nangô s'engagea sur l'Aqua-Line de la baie de Tokyo, l'immense route qui reliait la ville de Kawasaki à la préfecture de Chiba. Lorsqu'ils arrivèrent aux abords de la péninsule de Bôsô, Jun'ichi demanda :

— Vous attendez d'être sur place pour me donner les détails de l'affaire ?

— C'est ça.

— Dans quelles circonstances avez-vous reçu cette mission ?

— Au début du printemps, j'ai revu un avocat de ma connaissance lors d'un déplacement à Tokyo. C'est lui qui m'a recruté, en quelque sorte.

— Et ça ne pose pas de problème ? Je veux dire, qu'un surveillant pénitentiaire cherche à prouver l'innocence d'un condamné.

— Tu te fais du souci pour moi ?

Nangô éclata de rire mais apprécia la remarque.

— Ça ira. De toute façon, j'arrête bientôt ce métier.

— Comment ça ? demanda Jun'ichi, étonné.

— Je viens de poser tous les congés que j'avais accumulés depuis longtemps. D'un coup d'un seul. Une fois que j'en aurai profité, je démissionnerai dans les règles. Cette mission est considérée comme du bénévolat, je ne risque donc pas de me mettre en porte-à-faux vis-à-vis de la loi sur les travailleurs publics.

— Mais pourquoi démissionner à votre âge ?

— Il y a toutes sortes de raisons. Ce travail me frustre, ça ne va pas bien du côté de ma famille... Vraiment, pas mal de choses.

Jun'ichi opina du chef et se garda d'en demander plus.

Nangô changea de sujet.

— Pendant que j'y suis, concernant l'autre point : est-ce que tu es prêt ?

— Ah ! ça, euh... Quoi qu'il en soit, j'ai préparé un costume-cravate.

— Excellent.

Nangô prodigua ses conseils pour le moment difficile que Jun'ichi s'apprêtait à vivre.

— S'excuser auprès de la famille de la victime consiste seulement à montrer le plus de sincérité possible, rien d'autre. Peut-être que la famille te crachera toute sa rage au visage, mais ce n'est pas une raison pour t'affoler. Tu manifesteras tes regrets par tes mots et ton attitude.

— D'accord, répondit Jun'ichi d'une voix faible. Ça devrait aller, j'imagine.

— Si au fond de toi tu regrettes vraiment, alors oui, ça ira.

Aucune réponse ne vint. Nangô jeta un coup d'œil au jeune homme et demanda :

— Tu regrettes, au moins ?

— Oui.

Tu ne m'as pas l'air bien convaincu, faillit-il rétorquer, mais il se ravisa ; ils n'étaient plus à la prison.

Ils poursuivirent leur route tranquillement pendant un peu plus d'une heure. À hauteur de Kamogawa, ils quittèrent la nationale pour un tronçon payant, traversèrent la péninsule de Bôsô et, là, aperçurent enfin l'océan Pacifique. Enserré entre la ville de Katsuura et le district d'Awa, Nakaminato, leur destination, abritait moins de dix mille âmes. Commerces et habitations s'y égrenaient sur une étroite plaine en contrebas d'une région montagneuse qui s'étirait jusqu'au littoral. La pêche constituait la principale activité du lieu, mais on trouvait aussi toute une panoplie d'installations touristiques, hôtels, restaurants ou *game-center*, et les touristes y affluaient afin de profiter de la mer. Bien que tout demeurât d'échelle modeste, les habitants ne manquaient de rien et il y avait, dans ce district de Nakaminato, un dynamisme tel que la ville entière n'avait pas à craindre le déclin.

Après Kamogawa, la voiture battue par le vent marin continua de longer le littoral en direction du nord-est, puis traversa le district d'Awa, pour arriver finalement dans celui de Nakaminato.

Jun'ichi assurait son rôle de copilote en guidant Nangô vers l'adresse de la famille de sa victime au moyen d'un plan dessiné sur un bout de papier. Ils tournèrent à droite sur la nationale, la voiture déboucha sur une grande artère et, à la limite entre le quartier commerçant et la zone résidentielle, au coin d'une rue animée, ils tombèrent sur la maison de Mitsuo Samura. Cette bâtisse en bois était la seule du genre dans les environs. Sur la façade du rez-de-chaussée, donnant sur la rue, un panneau annonçait « Fabrique Samura ».

Nangô coupa le moteur et, tandis que Jun'ichi nouait sa cravate, observa la demeure du père de la victime. De l'autre côté du portail coulissant en bois, un jeune homme en bleu de travail œuvrait sur un tour à aléser. Kyôsuke Samura ayant été fils unique, il devait s'agir d'un employé de la fabrique. Nangô scruta alors le fond de l'usine : il fut surpris d'apercevoir là aussi un réservoir rempli de liquide ambré. N'était-ce pas le même genre de machine que possédait le père de Jun'ichi ? Bien qu'il eût étudié de nombreuses fois le dossier de l'affaire, il découvrait seulement aujourd'hui que la famille de l'agresseur et celle de la victime géraient toutes deux – ironie du sort – une activité semblable.

Jun'ichi vérifia son col dans le rétroviseur intérieur, descendit de voiture et enfila sa veste. Peut-être parce qu'il n'avait pas eu de temps à consacrer à sa garde-robe depuis sa sortie, il eut la sensation que toute sa tenue était dépareillée. Or, cet accoutrement ne dégageait-il pas, davantage encore que si Jun'ichi avait été tiré à quatre épingles, l'impression d'une volonté sincère de s'amender ?

– Qu'est-ce que vous en pensez ? demanda-t-il, inquiet.

– C'est bon. On ne peut pas se méprendre sur tes intentions. Allez, courage.

Jun'ichi s'avança vers la fabrique. Le bruit de ses pas fit se retourner l'ouvrier. Jun'ichi le salua du regard et continua lentement jusqu'à l'entrée.

Il n'avait pas oublié le visage de Mitsuo Samura. Quand le procureur l'avait appelé à la barre, le père de la victime avait imploré, en larmes, le président du tribunal d'« infliger une peine sévère à l'accusé ».

« Mon fils unique, la prunelle de mes yeux, il ne reviendra jamais plus. »

Jun'ichi songea plus d'une fois à tourner les talons pour se dérober, mais parvint jusqu'à la porte. Là, il demanda à l'ouvrier :

– Est-ce que M. Mitsuo Samura est là ?

– Oui… C'est de la part de ?

– Jun'ichi Mikami.

— Un instant.

Le jeune homme arrêta le tour et passa une porte qui reliait l'atelier à la partie habitée du bâtiment.

Pour patienter, Jun'ichi étudia les installations de la fabrique. Elles étaient de loin supérieures à celles de son père. Samura avait-il amélioré ses équipements grâce aux dommages-intérêts ? Ici, la graveuse laser était sans conteste dix fois plus coûteuse et performante qu'à Mikami Modeling.

Sur ce, il entendit une voix tonner :

— Mikami ?

Avant qu'il ait le temps de se préparer, Mitsuo Samura apparut. Cheveux lissés à la brillantine, front large et grands yeux brillants. Il donnait toujours, comme au procès, l'impression d'un homme imposant et énergique.

Dès que Jun'ichi entra dans son champ de vision, Mitsuo se figea sur place.

— Alors, il est sorti…

Ces mots, pareils à une imprécation ou à une menace, résonnèrent de manière sinistre.

Droit comme un I, Jun'ichi prononça péniblement le discours qu'il avait préparé pour l'occasion.

— J'ai racheté ma faute au centre de détention de Matsuyama. Je ne crois pas que vous puissiez jamais me pardonner, mais la moindre des choses était que je vienne vous présenter mes excuses, en bonne et due forme. Je suis profondément désolé, pardonnez-moi.

Il s'inclina aussi bas que possible et attendit une réponse. Mais le silence se prolongeait. Mitsuo s'apprêtait-il à châtier Jun'ichi de manière affreuse ? Plus le jeune homme y songeait, plus sa nervosité croissait.

— Relève la tête.

La voix de Mitsuo tremblait, laissant entendre la rage qu'il réprimait au prix d'un effort acharné.

— Entre. Tu vas me présenter tes excuses.

— Oui.

Jun'ichi pénétra dans la fabrique Samura. L'employé, qui semblait avoir deviné de quoi il retournait, regardait tour à tour les deux hommes, paniqué.

Mitsuo emmena Jun'ichi au fond de la fabrique et le fit asseoir devant un bureau. Il s'assit également, mais se releva aussitôt en poussant un faible grognement. Ignorant ce que Mitsuo avait derrière la tête, Jun'ichi attendit, anxieux. Le père du défunt fit chauffer de l'eau dans une théière électrique et posa une tasse devant Jun'ichi. Servir du thé au meurtrier de son propre fils devait requérir une force de volonté prodigieuse.

Le jeune homme remercia et ajouta :

— Je suis profondément désolé.

Un instant, Mitsuo le fixa du regard, sans un mot, puis demanda :

— Tu es sorti quand ?

— Il y a deux jours.

— Deux jours ? Pourquoi tu n'es pas venu tout de suite ici ?

— Je n'ai eu connaissance des termes du contrat de conciliation qu'hier, répondit Jun'ichi avec sincérité.

Une veine apparut sur le front luisant de brillantine de Mitsuo.

— Tu veux dire que sans ce contrat tu ne serais pas venu ?

— Non, ce n'est pas ça, répondit Jun'ichi, affolé.

Intérieurement, il se dit pourtant que Mitsuo avait raison. *Ce n'est pas moi qui suis en tort. C'est ton fils qui a déclenché tout ça.*

Nouveau silence de la part de Mitsuo. L'homme semblait employer le mutisme comme une arme, pour l'ébranler. Tout en priant au fond de lui pour être libéré au plus vite, Jun'ichi baissa une nouvelle fois la tête.

65

— Je ne pense pas pouvoir apaiser votre colère, mais… sachez que je suis réellement désolé.

Mitsuo reprit enfin :

— Ce contrat de conciliation, justement… Je veux bien croire que tes parents sont de bonne foi. En tant que confrère de ton père, je sais à quel point il est difficile de rassembler de telles sommes pour les dommages-intérêts. Je le sais bien.

À son ton, on pouvait penser que Mitsuo tentait de se convaincre lui-même. Il fixa Jun'ichi droit dans les yeux ; sans doute luttait-il furieusement pour maîtriser la rage qui bouillait dans son cœur.

— Bon, bois au moins ce thé.

Jun'ichi fut ému. L'indignation face aux lourds dommages-intérêts couvait en lui depuis qu'il avait connaissance de la situation de ses parents. Toutefois, en y réfléchissant de manière détachée, le point de départ de cette situation n'était autre que son propre comportement. La lueur de bienveillance dont Mitsuo faisait preuve à son égard semblait avoir transpercé le cœur obstiné de Jun'ichi.

— Merci pour le thé, dit-il doucement avant de prendre la tasse dans ses mains.

— Pour être franc, je ne veux plus jamais te revoir. Mais puisque tu es là, j'en profiterai pour te demander une chose, une seule.

— Je vous écoute, fit craintivement Jun'ichi.

— Avant de partir, je veux que tu ailles prier devant l'autel de mon fils.

Dix minutes plus tard, Jun'ichi sortait enfin de la fabrique Samura. Lessivé, il eut tout juste la force de rejoindre la voiture garée de l'autre côté de la rue. Il ouvrit la portière, s'écroula sur le siège et poussa un énorme soupir.

— Alors, comment ça s'est passé ? s'enquit Nangô.

— Je m'en suis tiré sans encombre, je ne sais même pas comment.

— Tant mieux, répondit le surveillant comme pour le féliciter, avant de démarrer.

Ils se rendirent dans une chaîne de restaurants et commandèrent un repas léger. Jun'ichi raconta l'entrevue avec Mitsuo dans les grandes lignes. En revanche, il fut incapable de décrire l'effet qu'avait produit sur lui la photo de Kyôsuke Samura qui décorait l'autel. À travers le cadre, Kyôsuke, dont l'existence avait été anéantie par la violence de Jun'ichi, semblait lui sourire. L'aspect radieux du jeune homme de vingt-cinq ans n'avait absolument rien à voir avec l'expression sombre qu'il arborait lors de leur altercation.

Ce type n'était plus de ce monde. À cette pensée, l'esprit de Jun'ichi se vida entièrement. Celui-ci ne savait plus ce qu'il devait penser, ni ressentir. Jusqu'alors, l'autoapitoiement, la justification et, plus encore, la résignation face à ce que l'on appelle le destin s'étaient succédé sans répit dans sa tête, or à cet instant, tout se volatilisait et, face à ce vide contre lequel il était impuissant, le jeune homme perdait pied.

Une fois le récit achevé, Nangô l'avertit :

— Il ne faut jamais que tu oublies la colère des proches de ta victime. Ce n'est pas toi qui as souffert le plus durement dans cette affaire, mais bien eux.

— Oui.

— Bien. Voilà au moins une bonne chose de faite. À présent, concentre-toi sur la mission, et sur rien d'autre.

Nangô prit l'addition, se leva et alla régler les deux repas. Il demanda aussi le reçu, sans doute pour faire passer cette dépense en note de frais auprès du cabinet d'avocat.

En songeant que leur mission avait déjà débuté, Jun'ichi se mit sur ses gardes. Prouver l'innocence d'un condamné à mort... Une telle chose serait-elle vraiment possible ?

2

Dix minutes après qu'ils furent sortis du restaurant, la voiture dépassait la ligne ferroviaire du réseau JR et s'enfonçait dans la région montagneuse qui donnait sur l'arrière-pays. À partir de là, la route s'étrécissait et les embranchements se firent plus rares. Les arbres poussaient dru derrière la rambarde rouillée, bouchant le panorama normalement visible de Nakaminato jusqu'à cacher la ville entièrement.

Après un passage en lacets serrés, ils aperçurent une berline blanche en stationnement sur le bas-côté.

— Voilà notre employeur, expliqua Nangô avant de se garer juste derrière la voiture.

Les deux acolytes descendirent, et un homme en complet sortit alors de la berline. La cinquantaine passée, il arborait une cravate usée qui frémissait au vent. Sous ses sourcils épais couraient de nombreuses rides, comme gravées à force de sourires convenus.

— Désolés de vous avoir fait attendre.

En réponse à la salutation de Nangô, un sourire flatteur, tout en sillons, se forma sur le visage de l'homme.

— Il n'y a pas de quoi, je viens d'arriver.

— Je vous présente Jun'ichi Mikami. Jun'ichi, voici maître Sugiura.

Le jeune homme inclina la tête.

— Enchanté de faire votre connaissance.

— Moi également, répondit l'avocat.

Savait-il que Jun'ichi était un repris de justice ? En tout cas il n'en laissa rien paraître. Il bavarda un moment avec Nangô, puis dit à son jeune coéquipier :

— Vous n'avez pas encore connaissance des détails de l'affaire, si je ne m'abuse.

— En effet.

— À vrai dire, tant mieux. Si je peux tout vous expliquer depuis le début, c'est parfait. J'ai transmis le dossier du procès à M. Nangô, vous le consulterez plus tard, précisa Sugiura, avant de baisser les yeux vers le bitume. Bien, laissez-moi vous détailler les faits de façon chronologique. Tout a commencé dix ans plus tôt, une nuit d'été. À peu près à l'endroit où vous vous tenez tous les deux, un homme gisait à terre.

Inconsciemment, Jun'ichi recula de quelques pas et fixa la chaussée à son tour.

— Il avait été victime d'un accident de moto. Son véhicule avait heurté la rambarde de sécurité et se trouvait à côté de lui, gravement endommagé…

Le 29 août 1991, à vingt heures trente environ.

Accompagné de son épouse Yoshie, Keisuke Utsugi, un enseignant résidant à Isobe dans le district de Nakaminato, remontait la route de montagne dans sa petite voiture pour se rendre chez ses parents âgés. Ce soir-là, le temps était à la pluie, mais comme il connaissait bien l'endroit, Keisuke n'y prêta pas plus attention que d'habitude.

Or, à deux cents mètres de la maison de ses parents, il faillit percuter un homme allongé en travers de la route. Surpris, le couple bondit hors de la voiture pour se précipiter à son secours.

Mari et femme surent qu'il était en vie en l'entendant gémir douloureusement. Puis, en découvrant la cylindrée

69

tout-terrain renversée quelques mètres plus loin, Keisuke Utsugi comprit qu'il s'agissait d'un accident de moto.

L'enquête ultérieure permit de retracer le déroulement de l'accident : la cylindrée, qui roulait à environ soixante-dix kilomètres-heure, avait raté le virage, percuté la rambarde de sécurité et s'était couchée, son conducteur étant projeté au sol.

Dans sa déposition, Keisuke Utsugi livra une information essentielle qui deviendrait un point litigieux durant le procès : « L'homme à terre ne portait pas de casque, et on pouvait voir au premier coup d'œil qu'il saignait de la tête. »

Keisuke et sa femme remontèrent aussitôt en voiture pour appeler le 119 depuis la maison de leurs parents. Le téléphone portable n'était pas encore répandu à l'époque.

Mais une fois chez eux, les Utsugi découvrirent les cadavres horriblement mutilés de leurs parents, assassinés à l'arme blanche.

— Déplaçons-nous, si vous le voulez bien.

Maître Sugiura marqua une pause dans son récit : il remonta en voiture et guida Nangô sur le chemin de montagne.

Trois cents mètres plus loin, au bout d'une allée en terre battue, se dressait une maison en bois de plain-pied.

C'était la demeure de Kôhei Utsugi et le théâtre du crime. Elle était visiblement inhabitée depuis l'affaire, les mauvaises herbes avaient envahi le jardin, et une épaisse couche de poussière recouvrait ce qui avait un jour été des fenêtres. Une atmosphère de totale désolation se dégageait de cette maison abandonnée, plate et cossue, atmosphère que même les rayons du soleil ne parvenaient pas à endiguer.

— Et si nous entrions ? proposa Sugiura le plus naturellement du monde, avant d'enjamber la chaîne tendue entre
la route et la propriété.

— Attendez, l'arrêta Jun'ichi.

— Que se passe-t-il ?

— Nous avons l'autorisation ?

— Ça ira. Personne ne vient jamais jusqu'ici.

— Non, ce n'est pas ça…

— Ah ! c'est vrai…

Nangô intervint et glissa laconiquement, comme par
égard pour Jun'ichi :

— Il est encore en période probatoire.

Sugiura ne semblait toujours pas comprendre.

— Et alors ?

— Eh bien, si jamais, au grand jamais, nous nous faisions
attraper pour violation de domicile, il retournerait en prison.

— Ah ! oui, je vois… Ce n'est pourtant pas faute d'être
avocat !

Le léger sourire de Sugiura provoqua une certaine aversion chez Jun'ichi.

— Bon, je vais vous expliquer depuis ici.

Sugiura ramena la jambe en deçà de la chaîne et poursuivit :

— La maison est conçue ainsi : à droite de l'entrée, vous
avez la cuisine et la salle de bains, et à gauche, le salon et
la chambre à coucher. C'est dans le salon, tout de suite à
gauche en entrant, que le vieux couple a été tué…

Arrivés chez leurs parents, Keisuke et Yoshie Utsugi
trouvèrent la maison allumée, et la porte d'entrée ouverte.
Keisuke se précipita à l'intérieur et décrocha le téléphone
posé sur le meuble à chaussures.

Pendant que son mari appelait une ambulance, Yoshie
entra à son tour afin d'expliquer la situation à ses beaux-
parents. Toutefois, lorsqu'elle eut fait coulisser la porte du

salon, elle découvrit deux corps affreusement mutilés gisant chacun à un coin de la pièce.

Yoshie poussa un cri de détresse et Keisuke aperçut l'horrible scène. Il jeta le combiné et se précipita dans le salon. Son père et sa mère étaient morts, leurs cadavres ne permettaient pas d'en douter.

Une fois sorti de son hébétude, Keisuke retourna au téléphone et appela malgré tout une ambulance pour ses parents. Alors qu'il allait raccrocher, il se souvint de l'accident de moto et demanda une autre ambulance.

Vingt minutes plus tard, trois véhicules de secours ainsi que des policiers débarquèrent sur les lieux. Quinze minutes plus tard encore, ce fut au tour de la première brigade d'enquête du commissariat de Katsuura. C'est ainsi que fut levé le rideau sur l'affaire de vol avec meurtre qui terrorisa la municipalité de Minamibôsô.

Le passage des lieux au peigne fin et l'autopsie des cadavres permirent d'établir les faits suivants :

La porte de la demeure ne montrant aucune trace de crochetage et les fenêtres étant restées intactes, le coupable avait dû s'introduire chez le couple par la porte d'entrée avant de se diriger dans le salon, où il avait commis son crime.

Les victimes étaient Kôhei Utsugi, soixante-sept ans, retraité, et sa femme, Yasuko. Le premier avait été principal d'un collège de la ville jusqu'à sa retraite sept ans plus tôt, après quoi, voulant aider à la réinsertion de détenus, il était devenu conseiller d'insertion et de probation. D'après les estimations, les décès étaient survenus aux alentours de dix-neuf heures. Ils avaient été provoqués par un seul coup porté à la tête ; l'attaque avait été assez violente pour pulvériser complètement le crâne et le cerveau des victimes. De plus, Kôhei avait vraisemblablement lutté avec son agresseur pendant un court instant, car on identifia sur ses bras de nombreuses blessures de défense, qui attestaient la puissance destructrice de la lame employée : quatre doigts sectionnés net avaient volé dans la pièce, et le bras gauche pendait du coude, ne tenant plus que par un muscle.

Le témoignage de Keisuke Utsugi, présent lors de la perquisition sur les lieux, permit d'établir que le livret bancaire, le sceau et le portefeuille contenant la carte de crédit des victimes avaient été emportés. Les autres pièces de la maison comportaient des traces de fouille, mais le fils et sa femme ne constatèrent pas la disparition d'autres biens.

L'équipe chargée de l'enquête concentra son attention sur le jeune Ryô Kihara, le motard accidenté retrouvé à trois cents mètres des lieux. Âgé de vingt-deux ans à l'époque, il se trouvait en liberté conditionnelle à cause d'antécédents de délinquance juvénile et pour une affaire mineure de vol commis après ses vingt ans. Par ailleurs, son conseiller d'insertion n'était autre que la victime, Kôhei Utsugi.

Dès que cette relation fut dévoilée, les enquêteurs foncèrent aux urgences où Ryô Kihara avait été transporté. Le portefeuille contenant la carte de crédit de Kôhei Utsugi fut découvert dans les affaires du jeune homme. En outre, un examen ultérieur révéla la présence de trois liquides sanguins différents sur ses vêtements : son propre sang et celui des deux victimes.

Tout parut limpide aux enquêteurs. Kihara s'était rendu chez son conseiller d'insertion, l'avait assassiné ainsi que sa femme, puis s'était emparé de son argent avant de s'enfuir à moto. Dans sa fuite, il avait loupé un virage, chuté et, ironie du sort, avait été découvert par des parents de ses victimes.

Kihara fut finalement arrêté durant son hospitalisation et inculpé de vol avec meurtre. Une fois rétabli, il fit l'objet de poursuites.

— Voilà, vous savez à peu près tout de l'affaire en elle-même.

L'avocat se tut et sortit une cigarette.

— Les soupçons semblent parfaitement fondés, commenta Jun'ichi. Existe-t-il d'autres éléments susceptibles de prouver son innocence ?

— Pour commencer, dit Sugiura en allumant sa cigarette, la lecture du premier rapport ne fait apparaître aucun point litigieux ni même susceptible de l'être. Kihara a vraiment joué de malchance. Son avocat commis d'office n'a fait montre d'aucun enthousiasme.

Jun'ichi tourna inconsciemment la tête vers Sugiura.

— Que voulez-vous dire ?

— Ce n'est pas chose rare, vous savez, assura l'homme de loi comme si de rien n'était. Un procès n'est qu'une affaire de chance ou de malchance, du début à la fin. L'avocat, le procureur, les juges sur lesquels va tomber l'accusé… Le verdict dépend de la combinaison de ces personnes. Ce n'est probablement qu'une rumeur, mais on dit que, pour peu que l'accusée soit une jeune fille attirante, des juges masculins rendront un verdict plus clément, et qu'à l'inverse des magistrates prononceront une peine plus sévère. « L'intime conviction » sur laquelle est censée se fonder la décision du juge ? Ha ! laissez-moi rire.

Ignorant le sarcasme de Sugiura, Jun'ichi baissa la tête et se plongea dans ses pensées. Qu'en avait-il été de la cour qui l'avait jugé, lui ?

Sugiura reprit :

— Pour revenir à notre affaire, c'est à partir du passage en cour d'appel que sont apparus des doutes sur l'arrêt de mort prononcé en première instance. Le nouvel avocat de Kihara, plus opiniâtre, a fortement insisté sur deux points litigieux. Le premier : le sceau, le livret bancaire des victimes ainsi que l'arme du crime étaient restés introuvables. La police avait bien sûr mené l'enquête juste après l'affaire, avec pour résultat...

L'avocat quitta le chemin débouchant sur la résidence Utsugi et désigna un sentier forestier qui conduisait vers la montagne.

— ... la découverte d'une pelle, à trois cents mètres d'ici, dans cette direction. Elle provenait de la maison des victimes. En d'autres termes, avant de fuir, le coupable s'est enfoncé dans la montagne, pensant pouvoir y enterrer les preuves.

— Est-ce que ce n'est pas bizarre d'enterrer non seulement l'arme du crime, mais aussi le sceau et le livret bancaire ? voulut savoir Jun'ichi.

— C'est précisément là-dessus que l'avocat a insisté. Mais le parquet a riposté en disant que l'accusé avait dû penser que la carte de crédit suffirait de toute façon à retirer des espèces.

Nangô intervint :

— Ce n'est pas vraiment possible, si ?

— J'en doute. Pourtant, les traces de pneus retrouvées non loin de la pelle appartenaient à la moto de Kihara, cela fut avéré.

— Il serait allé enterrer les preuves dans la direction opposée à celle de sa fuite, afin de brouiller les pistes ?

— C'est ce que tout le monde a pensé.

Jun'ichi posa une nouvelle question :

— Alors en fin de compte, le livret bancaire, le sceau et l'arme du crime n'ont jamais été retrouvés ?

— Non. La police a analysé la terre sur la pelle et quadrillé un assez vaste périmètre, mais en vain. Cependant, la terre sur la pelle et la boue accrochée aux roues de la moto provenaient du même endroit. La moto de Kihara a bel et bien roulé là où la pelle a été jetée.

Jun'ichi et Nangô méditèrent un moment sur ces éléments, après quoi Sugiura poursuivit :

— Le second point soulevé par l'avocat fut le fait que le jeune Kihara ne portait pas de casque lorsqu'il a été découvert sur le lieu de son accident. Or, d'après les témoignages de son entourage, à moto, il portait toujours un casque intégral. C'était idéal pour cacher son visage. Alors pourquoi aurait-il omis de le porter justement le jour où il comptait se livrer à un vol avec homicide ?

Nangô réfléchit un instant avant de demander :

— Kihara n'était pas seul ?

— Non. L'avocat a également insisté sur ce point. Au moment de l'accident, deux personnes étaient montées sur la moto. Le passager portait le casque de Kihara à sa place. C'est pourquoi il s'en est sorti sans blessure mortelle.

— Et donc, lui seul aurait réussi à s'enfuir.

— C'est cela. Les alentours du lieu de l'accident sont en pente raide, mais plantés de nombreux arbres. Il est possible de dévaler la pente à pied en s'aidant des troncs.

— La police n'a pas recherché d'empreintes de pas ? demanda Jun'ichi.

— Si. Mais quand bien même il y en aurait eu, la pluie tombée le soir même les aurait toutes effacées. Cependant, voyez-vous, la présence d'un passager sur la moto a été fortement contredite, indiqua Sugiura, gêné. Après le crime, le compte bancaire de la victime n'a pas été débité. En d'autres termes, s'il y avait bien une tierce personne, et que celle-ci s'est enfuie avec le sceau et le livret bancaire, pourquoi ne les a-t-elle pas utilisés ? Alors même qu'elle avait commis un double homicide à cette fin.

Jun'ichi et Nangô demeurèrent muets. C'était comme s'ils voyaient passer devant leurs yeux le film du procès en appel, le violent échange de tirs entre la défense et le procureur au-dessus de la tête du prévenu. Toutefois, le résultat…

— L'appel a été rejeté, puis la Cour suprême a rejeté elle aussi le pourvoi en cassation. Idem pour les demandes ultérieures de révision. Kihara est donc condamné à mort.

— Attendez un instant.

Une question importante était venue, un peu tard, à Jun'ichi.

— À propos de la thèse de la tierce personne : qu'a dit Kihara à ce sujet, après son arrestation ? A-t-il avoué dans son témoignage qu'il avait transporté un passager ?

Après un instant de silence, Sugiura répondit :

— C'est précisément là que cette affaire devient singulière. À cause du choc provoqué par l'accident, l'accusé a oublié tout ce qui s'est passé quelques heures avant et après le crime...

Ryô Kihara avait réchappé à son accident avec une grave éraflure à la joue droite, des contusions aux quatre membres, une fracture du crâne et une contusion cérébrale. Mais l'hématome dans son cerveau put être retiré chirurgicalement, et les fractures crâniennes et faciales guérirent sans complication.

En revanche, les enquêteurs se heurtèrent aux séquelles dont il souffrait. Kihara n'avait plus aucun souvenir de ce qu'il s'était passé entre dix-sept heures et vingt et une heures le jour du crime.

Ils eurent du mal à croire à cette amnésie et soupçonnèrent que Kihara la simulait. La police tenta avec insistance de lui soutirer des aveux, mais il persista à clamer son ignorance.

Son amnésie fut de nouveau sujet à litige lors de l'audience. Si l'on avait pu prouver qu'il jouait la comédie pour se soustraire à sa déposition, le procès aurait pris une tout autre tournure. Cependant, la cour estima, d'après le témoignage du personnel médical, que l'amnésie de l'accusé était authentique. En effet, à la suite d'un traumatisme crânien, il n'est pas rare que survienne ce que l'on appelle une « amnésie rétrograde », c'est-à-dire la perte des souvenirs non seulement du moment du choc, mais aussi des moments le précédant. Cette affection d'ailleurs courante s'observait fréquemment chez les accidentés de la route. Ce témoignage fut retenu comme preuve par les juges.

Or ce diagnostic n'était rien de plus qu'une estimation. Les mécanismes déclencheurs de l'amnésie rétrograde n'étaient pas encore percés à jour, et l'observation des changements organiques du cerveau demeurait rarissime. Personne ne pouvait avancer de preuve matérielle et indubitable de l'amnésie de Ryô Kihara.

— Là est tout le problème, dit Nangô. S'il ne se souvient de rien, il ne peut pas réfuter les faits à charge brandis par le ministère public. On pourrait presque dire qu'il a été condamné à mort du fait de sa seule amnésie.

— Qu'entendez-vous par là ?

— C'est à cause des critères qui influent sur la lourdeur de la peine, expliqua Nangô. Pour un vol avec meurtre, et dans le cas d'une unique victime, la peine de mort a peu de risques d'être appliquée. Le verdict sera plus vraisemblablement la réclusion à perpétuité. Toutefois, à partir de trois victimes, on peut tabler quasiment à coup sûr sur une sentence de mort.

— Ce qui est délicat, c'est un cas comme celui-ci, où les victimes sont au nombre de deux. Il suffit d'un rien pour faire pencher la balance, mais pour l'accusé, ce rien, c'est tout. S'il réussit à éviter la peine capitale et s'en tire avec une peine de perpétuité, la loi lui donne le droit d'accéder à une procédure de réinsertion sociale après dix ans d'incarcération.

Jun'ichi regarda tour à tour ses deux interlocuteurs avant de demander :

— Et donc, quel est le lien avec le fait qu'il ait perdu ou non la mémoire ?

— Le repentir, dit Nangô. En général, la première raison

qui retient les juges de prononcer la peine capitale, c'est le repentir dont fait montre l'accusé.

Jun'ichi en savait bien plus que nécessaire sur le sujet, au point d'en avoir la nausée. Car cet élément était aussi devenu problématique lors de son jugement. Dans son cas en revanche, il ne pouvait impliquer que quelques mois de plus ou de moins dans la détermination de sa peine. On était loin de la ligne de partage des eaux entre la peine de mort et la réclusion à perpétuité.

Jun'ichi posa une question qui le taraudait depuis long-temps :

— Est-il vraiment possible de juger du repentir d'autrui ? Est-ce que quiconque peut savoir si un criminel se repend sincèrement ?

Un léger sourire aux lèvres, Sugiura répondit :

— La jurisprudence montre que les critères de jugement sont nombreux : si les indemnités accordées à la famille de la victime sont importantes ou non, si l'accusé a versé des larmes devant la cour, s'il a monté un autel dans sa cellule et s'il prie devant tous les jours…

— Honorer l'âme de la victime ne la fera jamais revenir. Et puis, si on est jugé sur ce genre de choses, cela veut dire que les riches à la larme facile s'en sortent mieux que les autres, non ?

Jun'ichi s'échauffait et devenait véhément. Nangô trouva cela curieux et le réprimanda doucement :

— Tu exagères. Même si on ne peut pas exclure que les choses se passent parfois comme ça.

— Pour en revenir à Kihara, reprit Sugiura, son amnésie l'empêche d'exprimer le moindre repentir. Il ne se rappelle même pas s'il a commis ou non les faits qui lui sont repro-chés. Ce dont il a pu témoigner avec certitude, c'est que, mis à part les quelques heures qui couvrent sa perte de mémoire, il n'a jamais songé à tuer le couple Utsugi. C'est tout.

— Quelle ironie ! dit Nangô. Mettons qu'il ait été poursuivi pour le même crime, qu'il soit passé aux aveux et se soit repenti : il aurait peut-être pu échapper à la peine de mort.

Jun'ichi songea une fois de plus à la peine dont il avait écopé : moins de deux ans de détention. Pourtant, lui aussi avait pris la vie de quelqu'un. Or, au bout du compte, sa vie à lui n'avait pas été menacée. Vol avec meurtre *versus* coups et blessures ayant entraîné la mort – bien que le résultat soit le même, les peines prononcées dans les deux cas n'avaient rien de comparable.

Sugiura ajouta :

— L'amnésie rétrograde a encore joué des tours à Kihara après la sentence. Les condamnés à mort disposent, comme moyens de salut, du pourvoi en révision et du recours en grâce, mais ils ne peuvent demander le second que lorsqu'ils ont reconnu leur crime : même cela n'est pas possible dans son cas.

— Alors, son seul recours est le pourvoi en révision ?

— Oui. Il en a déjà formulé quatre par le passé, tous rejetés ; il a interjeté appel une quatrième fois, mais on ne s'attend pas non plus à ce que cette démarche aboutisse. Ce que je vous demande, c'est de rassembler des preuves en vue d'un cinquième pourvoi en révision.

Jun'ichi se pencha en avant. Il se sentait désormais réellement motivé pour sauver Ryô Kihara. Si lui-même n'avait pas eu affaire à la justice, songea-t-il, il n'aurait peut-être pas éprouvé autant de compassion pour le condamné à mort.

— En revanche, le temps presse. Pas loin de sept ans se sont écoulés depuis le rendu de la sentence, Kihara peut être exécuté à tout moment. Les choses deviendront encore plus risquées lorsque le pourvoi déposé aura été définitivement rejeté.

— Vous voulez dire que même si nous trouvons des preuves de son innocence, il pourrait être exécuté avant sa cinquième demande de révision ?

— Tout à fait. Je pense que c'est pour ça que mon client a arrêté un délai de trois mois.

— Votre client ? fit Nangô, surpris. Ce n'est donc pas vous qui commanditez cette mission ?

— Ma foi, il est vrai que je n'ai pas encore évoqué ce point avec vous, remarqua Sugiura, les lèvres barrées d'un sourire gêné. Un client m'a demandé de rassembler des preuves afin d'établir l'innocence d'un condamné à mort ; je ne suis qu'un intermédiaire.

— Vous nous déléguez donc la partie pratique de la tâche ?

— C'est cela.

— Je me disais bien que la rémunération était trop élevée pour que vous soyez derrière tout ça, plaisanta Nangô.

Il souriait, mais quelque part, son regard dénotait une légère trace de soupçon envers l'avocat.

— Donc, ce client, qui est-ce, et d'où vient-il ?

— C'est un secret. Tout ce que je peux vous dire, c'est qu'il s'agit d'un bienfaiteur anonyme. Une personne de caractère, opposée à la peine de mort.

Comme Nangô n'était toujours pas convaincu, Sugiura décida de ruser :

— Le montant de votre rémunération vous convient, n'est-ce pas ?

— Oui, acquiesça le surveillant pénitentiaire en hochant la tête, l'air maussade. Vous n'avez rien omis de nous dire ?

— Si, une chose. En ce moment, Ryô Kihara est soutenu par plusieurs groupes d'opposants à la peine de mort. Cependant, il vous faudra éviter tout contact avec eux.

— Que voulez-vous dire ?

— Le gros de ces militants est composé de bénévoles bien intentionnés, mais on trouve aussi quelques extrémistes dans le lot. Si ces derniers venaient à se mêler de la recherche de preuves, l'examen de la demande de révision du procès deviendrait bien plus sévère.

Jun'ichi ne fut pas convaincu par cette explication.

— Peu importe qui les rassemble : des preuves restent des preuves, non ?

— Ce n'est pas aussi simple, vous savez, dans notre société japonaise…

Sugiura tentait d'esquiver la question par une argumentation abstraite.

— Quoi qu'il en soit, veillez à agir dans le plus grand secret.

— Il faudra pourtant que j'en parle à mon conseiller d'insertion et à mon responsable de suivi.

— Cela ne pose aucun problème. Ils sont soumis au secret professionnel. Nous ne devrions pas risquer la moindre fuite de leur côté.

Nangô demanda :

— Et vous, maître, avez-vous déjà soutenu Kihara par le passé ?

— Non, c'est la première fois.

Le surveillant fronça les sourcils. Sugiura se reprit, comme paniqué :

— Enfin, laissez-moi vous expliquer : c'est l'avocat de Kihara qui coordonne toutes les actions de soutien. Cependant, l'un des supporters de ce dernier est venu me voir directement. Je pense qu'il a décidé d'agir seul parce que son opinion diverge de celles des autres activistes.

— Je vois, dit Nangô, avant de lâcher un soupir.

Puis, comme s'il changeait d'humeur, son expression devint plus joviale ; il regarda Jun'ichi et ajouta :

— Bon. Par quoi on commence ?

Son jeune coéquipier apprécia d'être consulté, mais ne sut que répondre.

— Je n'en ai pas la moindre idée.

— Une dernière chose, intervint Sugiura.

Jun'ichi et Nangô se retournèrent vers l'avocat, semblant tous deux agacés. Intimidé, ce dernier poursuivit :

— Il faut que vous sachiez ce qui a poussé mon client à agir. En fait, l'amnésie de Ryô Kihara s'est en partie dissipée récemment.

— En partie ?

— Oui. Il dit se rappeler avoir gravi, à un moment, les marches d'un escalier, pendant les quatre heures de son amnésie.

— Un escalier ? répéta Jun'ichi.

— Oui. Il montait des marches et ressentait l'effroi de la mort.

3

Maître Sugiura remonta dans la berline blanche et repartit. Une fois qu'il eut disparu, Jun'ichi et Nangô restèrent un moment à observer la maison de Kôhei Utsugi.

Il était treize heures, le soleil avait commencé à décliner et, alentour, la végétation printanière se découpait à contre-jour. Trônant dans le clair-obscur, la demeure en bois évoquait un vestige antique abandonné au passage du temps.

Nangô rompit le silence :

— Étrange, cette histoire... C'est une maison de plain-pied, non ?

— Oui. Je parie qu'il n'y a aucun escalier.

— On n'a pas le choix : il va nous falloir demander l'autorisation de la famille pour vérifier l'intérieur.

Nangô balaya les environs du regard. La route qui desservait la maison menait d'un côté au quartier animé du bord de mer, et de l'autre au sentier forestier où les preuves étaient supposément enterrées.

— Bon, quoi qu'il en soit, il faut chercher un bâtiment qui comporte un escalier.

— Je le trouve bien flou, le souvenir de Kihara, remarqua Jun'ichi. La peur de la mort, et lui en train de gravir des marches...

— Tu te demandes s'il ne se souviendrait pas d'autres éléments ?

— Plutôt s'il serait possible de le rencontrer pour lui poser d'autres questions.

— Impossible. Les condamnés à mort sont complètement isolés de la société. Ils ne peuvent voir que leur avocat et une partie de leur famille. Être condamné à la peine capitale, c'est avoir déjà disparu de ce monde.

— Même vous, qui êtes gardien de prison, vous ne pouvez pas obtenir d'entrevue ?

— Non.

Nangô réfléchit un moment puis compléta sa réponse :

— J'aurais pu le voir avant le verdict de la Cour suprême. Quoi qu'il en soit, ça m'est impossible à présent, alors il va falloir nous débrouiller d'une autre façon.

— Vous croyez que Kihara est innocent ?

— C'est une question de probabilité, répondit Nangô avec un sourire gêné. Ce que Sugiura nous a dit tout à l'heure permet de déduire quatre scénarios possibles. Primo, Ryô Kihara a agi seul. Donc le tribunal a vu juste. Deuzio, l'hypothèse de la tierce personne : si Kihara a agi de concert avec elle, alors la peine capitale ne changera pas. Mais, tertio, si le coupable principal est la tierce personne et que Kihara n'est qu'un complice, alors sa peine sera au moins commuée en réclusion à perpétuité.

Ces trois hypothèses tenaient toujours Kihara pour coupable. Jun'ichi, lui, voulait parier sur la quatrième.

— Et dans le dernier scénario, reprit Nangô, le crime a été commis uniquement par la tierce personne. En rendant visite à son conseiller d'insertion, Kihara est tombé sur le voleur. Celui-ci l'a menacé pour qu'il l'aide à détruire les preuves et à s'enfuir. Or, en descendant la route de montagne, ils ont eu un accident.

— L'histoire du casque vient d'ailleurs appuyer cette possibilité, non ? S'ils étaient partis pour assassiner le couple ensemble, ils auraient prévu deux casques.

Nangô acquiesça, avant d'émettre une réserve :

— Mais dans ce cas, pourquoi le voleur n'a-t-il pas tué Kihara sur le lieu de l'accident ? Le malchanceux connaissait pourtant son visage.

— Peut-être qu'il le pensait mourant et n'a pas jugé utile de l'achever. Et puis, avec un cadavre de plus, les choses auraient vraiment empiré pour lui.

— Ça se tient. Ou encore, peut-être que le fils Utsugi et sa femme sont arrivés trop vite après l'accident.

— Et le meurtrier n'aurait pas eu le temps d'achever Kihara ?

— Oui. Et pour lui faire porter le chapeau, il aurait laissé le portefeuille contenant la carte bancaire sur les lieux.

Ce raisonnement finit de convaincre Jun'ichi.

— La seule chose qui me tracasse encore, continua Nangô, c'est la disparition du livret bancaire et du sceau. J'ai beau y réfléchir, je trouve tout de même curieux qu'ils aient été enterrés avec l'arme du crime. Il me semble décidément plus naturel de croire que la tierce personne les a emportés après l'accident… Mais dans ce cas, pourquoi le coupable n'a-t-il pas retiré d'argent ?

— Il craignait les caméras de surveillance ?

Nangô rit.

— S'il était du genre à s'inquiéter de ça, il n'aurait pas volé le livret pour commencer.

— Hum, vous avez raison.

— De toute façon, si l'on table sur le quatrième scénario, il ne nous reste plus qu'à partir à la recherche de cet escalier. J'ai le sentiment que l'arme du crime disparue est cachée non loin. Et, qui sait ? peut-être d'autres preuves aussi.

Jun'ichi était du même avis. Après le crime, le voleur aurait conduit Kihara jusqu'à un endroit muni d'une volée de marches et l'aurait forcé à enterrer les preuves. Si Kihara avait pu expliquer cela à la police après son accident de moto, les enquêteurs auraient sans aucun doute retrouvé les pièces à conviction grâce à ses aveux.

Toutefois, songea Jun'ichi, c'est plus généralement dans un intérieur que l'on rencontre un escalier. Il ne voyait pas quel pouvait être le rapport avec le fait de creuser un trou à la pelle.

— Allez, on rentre à Tokyo, dit Nangô avant de se diriger vers la voiture.

Tout en lui emboîtant le pas, Jun'ichi lui adressa une dernière question :

— Dites, ce Sugiura, est-ce qu'on peut lui faire confiance ?

Nangô répondit en riant :

— C'est bien pour ça que les avocats sont là. Enfin, à ce qu'il paraît...

Nangô ramena Jun'ichi jusque chez ses parents à Ôtsuka. Peut-être voulait-il ainsi renforcer les liens avec son nouveau collaborateur. Ils passèrent en revue les préparatifs pour le lendemain, puis Nangô rentra chez son frère aîné, à Kawasaki.

Durant le dîner, Jun'ichi apprit à ses parents qu'il avait bel et bien été embauché par un cabinet d'avocat. Comme il l'avait espéré, les visages de Toshio et Yukie s'éclairèrent de joie. Le fait qu'il ait été recruté par un cadre du centre de détention en personne ajoutait à leur allégresse et à leur tranquillité d'esprit. En les voyant sourire, Jun'ichi sentit une nouvelle fois la gratitude naître dans son cœur à l'égard de Nangô.

La famille se délectait d'un repas modeste, mais la jovialité ambiante donnait de l'appétit à Jun'ichi. Il n'avait toujours pas touché un mot à ses parents du salaire mirobolant qui lui serait versé : trois millions de yens pour trois mois de travail. Et dix millions supplémentaires s'il parvenait à sauver la vie de Ryô Kihara. Cette somme, il comptait la leur reverser en intégralité.

Pendant les deux jours qui suivirent, le jeune homme fut mobilisé par les préparatifs de sa mission. Il retira les soixante mille yens gagnés à la prison et acheta des articles de toilette et des vêtements de rechange.

Il se rendit ensuite chez le vieux Kubo, son conseiller d'insertion, pour y déposer la « demande d'autorisation de voyage » à l'intention du Bureau d'observation et de protection.

Apparemment, Kubo avait déjà reçu un rapport détaillé de la part de Nangô puisque, le visage radieux, il lui dit :

— Ochiai et moi sommes ravis pour toi. C'est un travail admirable, alors fais de ton mieux.

Jun'ichi acquiesça, tout sourire.

De son côté, Nangô, avec ses allers-retours entre l'étude de maître Sugiura et le district de Nakaminato, était tout aussi débordé.

Il avait prévu de louer un appartement pour deux durant trois mois, dans la limite des frais autorisés par le cabinet, et à cette fin, il avait d'abord songé à se rendre dans une agence immobilière de Nakaminato. Mais il reconsidéra son choix : Mitsuo Samura habitait en effet dans cette ville. Si Jun'ichi venait à tomber sur le père de sa victime, il risquait d'aller au-devant d'importants ennuis.

En fin de compte, Nangô se décida pour une location à Katsuura, la ville voisine située à seulement vingt minutes de route. Après réflexion, il loua un appartement muni de deux chambres, afin que Jun'ichi n'ait pas à dormir dans la même pièce que lui. Offrir un minimum d'intimité à ce jeune homme fraîchement sorti de prison démontrait une affection toute paternelle. Un tel appartement avec salle de bains coûtait cinquante-cinq mille yens par mois. Cela revenait, en comptant le pas-de-porte et les autres charges, quinze mille yens plus cher qu'un studio, tout en restant dans la limite du raisonnable.

Une fois ces formalités réglées, Nangô devait accomplir une dernière chose : se rendre au centre de détention de Tokyo, dans le quartier de Kosuge. Ryô Kihara y était incarcéré dans le quartier des condamnés à mort, au premier étage du nouveau bâtiment numéro 4. Il était bien sûr impossible de le voir. Nangô espérait en fait y retrouver d'anciens collègues rencontrés au fil de ses nombreuses mutations.

Il réussit à trouver l'un d'entre eux : Okazaki, le surveillant-chef, autrefois son subordonné au centre de détention annexe de Fukuoka. Il attendit la fin de son service et l'invita dans un bistrot non loin.

— Je voudrais que tu me préviennes sur-le-champ si quelque chose bouge en ce qui concerne les exécutions, lui demanda discrètement Nangô.

Son ancien subordonné, de sept ans plus jeune que lui, se raidit. Okazaki avait gravi les échelons plus rapidement que Nangô et était devenu chef du traitement et du redressement des détenus dans la section de planification. Si l'ordre d'exécution de Ryô Kihara parvenait au centre de détention, il en serait le premier informé. Okazaki était bien sûr soumis au plus strict secret professionnel, mais Nangô songea qu'il se taisait à présent pour une autre raison.

— Sois assuré que je ne divulguerai l'information à personne. Tout ce que je te demande, c'est de me la transmettre, insista-t-il.

Okazaki regarda subrepticement alentour, puis opina légèrement de la tête.

— Entendu.

— Merci.

Okazaki but son verre d'un seul trait et ajouta :

— C'est bien parce que c'est toi, et que je te suis redevable.

Ce fut au tour de Nangô de se sentir mal à l'aise.

Il quitta son ancien collègue et retourna chez son frère à Kawasaki ; minuit était passé lorsqu'il arriva.

Il emprunta plats, ustensiles de cuisine et literie à son aîné et chargea le tout dans la Honda Civic de location.

Tout était prêt.

Nangô poussa un soupir de soulagement et leva les yeux vers le ciel nocturne, afin de dissiper son cafard. Au sud, les nuages masquaient les étoiles.

La saison des pluies était arrivée.

3

L′enquête

1

Le matin de leur départ pour la péninsule de Bôsô, ils étaient convenus de se retrouver au café de Hatanodai.

Arrivé le premier, Jun'ichi prit son petit-déjeuner en attendant Nangô, puis monta dans la Honda Civic chargée de leur mobilier. Ils prirent la même route que la fois précédente pour se rendre à Nakaminato.

— Le bazar qu'on vient de dépasser, il est à la famille de ta petite amie ?

La question prit Jun'ichi de court. Nangô démontrait-il là encore l'intuition cultivée au fil de sa carrière de surveillant pénitentiaire ?

— Je parle de la boutique Lily.

Jun'ichi n'avait pas réussi à apercevoir Yuri ce matin. L'occasion était bonne de s'ouvrir davantage à son coéquipier.

— Oui. C'est avec elle que j'ai fugué au lycée.

Nangô sembla surpris.

— Tu veux parler de ta fugue dix ans avant ton affaire ?

— C'est ça.

— Vous êtes restés ensemble pendant tout ce temps ?

— Oui, comme amis.

— Elle est mignonne ?

— Je trouve.

Nangô rit.

Jun'ichi changea de sujet.

— Puis-je vous demander pourquoi vous êtes devenu gardien de prison ?

— Pas la peine d'être aussi poli avec moi, tu sais.

Nangô commença son récit tandis qu'il s'engageait sur la voie menant à l'Aqua-Line de la baie de Tokyo.

— Mes parents tenaient une boulangerie. Ils n'ont jamais manqué de rien mais n'étaient pas non plus assez riches pour envoyer deux enfants à l'université. Mon père et ma mère songeaient donc à n'avoir qu'un enfant.

Nangô marqua une pause, avant de poursuivre :

— Or, ma mère a donné naissance à des jumeaux.

Jun'ichi tourna inconsciemment la tête vers son coéquipier.

— Donc, votre grand frère de Kawasaki... ?

— C'est mon vrai jumeau, il me ressemble comme deux gouttes d'eau.

Jun'ichi éclata de rire.

L'air amusé, Nangô reprit :

— Tout le monde rit quand je dis que j'ai un jumeau. Je me demande bien pourquoi...

— Allez savoir !

— Quoi qu'il en soit, mes parents se sont arraché les cheveux pour décider auquel de nous deux ils paieraient des études. Finalement, mon père a décidé que ce serait à celui qui réussirait à entrer dans la meilleure université. Mon frère y est arrivé, et j'ai dû arrêter mes études après le lycée. Pendant un an, j'ai tenté de trouver du travail, sans succès. À cette époque-là, un juge venait acheter son pain chez nous. C'est lui qui, un jour, a suggéré, comme ça, à la légère, que je pourrais devenir gardien de prison.

Le ton sur lequel Nangô racontait son histoire, allié au mouvement de ses sourcils, fins et frétillants, avait quelque chose de désinvolte : on aurait dit qu'il cherchait à amuser son interlocuteur.

— Ce juge m'a appris que l'univers carcéral était plus juste pour les gardiens de prison que je ne l'aurais cru, dans la mesure où le parcours scolaire n'influence pas l'évolution de la carrière. Même les gens qui n'ont pas fait d'études supérieures peuvent arriver à la tête d'une juridiction correctionnelle.

Jun'ichi n'avait jamais eu vent de cela durant son incarcération.

— C'est une bonne chose.

— Oui. Alors moi, j'ai foncé. À l'époque, on pouvait encore y arriver facilement, mais maintenant la concurrence est plus rude, il est devenu quinze fois plus difficile de réussir le concours. Et puis, niveau salaire, nous sommes favorisés par rapport aux autres fonctionnaires.

Dans ce cas, pourquoi Nangô voulait-il démissionner ? Jun'ichi trouvait cela étrange mais n'osa pas lui poser la question.

— Aujourd'hui encore, mon frère s'en veut d'avoir été le seul à fréquenter l'université et, à la moindre occasion, il tente de me payer de retour.

Nangô désigna du menton la literie, l'autocuiseur et le reste du matériel empilé sur la banquette arrière.

— C'est lui qui m'a prêté tout ce barda. J'ai de la chance d'avoir ce grand frère, non ?

Jun'ichi acquiesça. Il faillit ajouter que c'était parce que ce frère ressemblait à Nangô, mais se ravisa, de peur de passer pour un flagorneur.

Le reste du trajet se déroula sans encombre. Saison des pluies oblige, la météo prévoyait un temps diluvien, mais ce matin-là la chape de nuages ne daigna pas déverser ses trombes d'eau.

Lorsque la voiture entra dans la péninsule de Bôsô, Nangô jugea le moment opportun pour prier Jun'ichi de prendre un sac sur la banquette arrière.

– Il y a un téléphone portable et des cartes de visite à l'intérieur. Sors-les.

Jun'ichi s'exécuta. Il trouva le téléphone ainsi qu'une liasse de cartes à son nom. Elles portaient l'inscription « Jun'ichi Mikami – Cabinet d'avocat Sugiura » et, en dessous, l'adresse et le numéro de téléphone du cabinet. Malgré le peu de sympathie que lui inspirait Sugiura, devant ces cartes, le jeune homme se sentit poussé vers l'avant, comme si un vent puissant soufflait dans ses voiles, faisant fi de ses antécédents judiciaires.

Nangô lui indiqua son numéro de portable, afin qu'ils puissent se joindre lorsqu'ils agiraient séparément.

– Il doit aussi y avoir une enveloppe.

Jun'ichi mit la main sur une épaisse enveloppe kraft à l'intérieur du sac.

– Deux cent mille yens. C'est une avance sur salaire. Ce que tu utiliseras pour ton compte sera retiré de ton solde à la fin du mois. Pense à demander un reçu pour les notes de frais.

– Entendu.

Jun'ichi rangea la liasse dans son portefeuille et celui-ci dans la poche arrière de son pantalon.

Après deux heures et demie de route, quelques maisons apparurent enfin le long de la nationale, espacées les unes des autres. Ils étaient entrés dans le district de Nakaminato.

– Cherche-moi ça sur la carte.

Sur le papier que lui tendit Nangô figurait une adresse griffonnée à la va-vite à côté du nom de Keisuke Utsugi. L'homme qui avait découvert le meurtre dix ans auparavant résidait en bord de mer, dans le quartier d'Isobe, le plus animé de Nakaminato.

Pourvue d'un étage, la demeure flambant neuve appartenait au fils des victimes et à sa femme. De par ses dimensions, elle détonnait incontestablement parmi les habitations alentour. Autant la maison de Kôhei Utsugi, théâtre du crime, faisait peine à voir, autant cette splendide construction avait de quoi surprendre.

Une fois descendu de voiture, Nangô demanda :

— Est-ce qu'on a bien l'air d'employés d'un cabinet d'avocat ?

Jun'ichi jaugea leur mise. Nangô ressemblait, comme à son habitude, à un vieux touriste de retour d'Europe ou des États-Unis, un peu occidentalisé, et lui-même, fidèle à son habitude, faisait très « jeune » avec sa chemise et son pantalon décontractés.

— On a pensé à tout sauf à notre tenue, remarqua Nangô en ôtant son chapeau à larges bords qu'il lança dans la voiture.

Jun'ichi lissa les plis de sa chemise, et se dirigea avec Nangô vers la demeure de Keisuke Utsugi.

La porte d'entrée était munie d'un élégant heurtoir en bois et d'un Interphone. Ils pressèrent le bouton, un « Oui » se fit entendre et l'instant d'après une femme, la cinquantaine passée, leur ouvrit la porte.

Nangô demanda :

— Vous êtes Mme Utsugi, je suppose ?

— Elle-même, répondit-elle sans la moindre méfiance.

— Mme Yoshie Utsugi ?

— C'est bien ça.

Nangô étudia du regard la belle-fille des victimes. Accueillir ainsi des étrangers avec le sourire était complètement impensable dans une grande ville.

— Nous venons de Tokyo.

Il sortit une carte de visite, imité sur-le-champ par Jun'ichi.

— Je suis M. Nangô, et voici M. Mikami.

Yoshie lut les cartes, et prit alors un air méfiant.

— Un cabinet d'avocat ?

— C'est exact. Je suis terriblement désolé, mais il se trouve que nous enquêtons sur l'affaire qui a eu lieu il y a dix ans.

Yoshie considéra tour à tour les deux hommes, bouche bée.

— Si cela ne vous dérange pas, nous nous demandions si vous pourriez nous faire visiter la maison de votre beau-père.

— Pourquoi maintenant ? fit Mme Utsugi d'une voix monocorde. L'affaire est pourtant classée.

— Justement…

Nangô ravala de justesse sa phrase, changeant de tactique en cours de route :

— Ce n'est qu'un détail, mais à vrai dire, nous voudrions savoir si la maison en question comporte ou non un escalier.

— Un escalier ?

— Oui. C'est tout ce que nous voulons savoir.

Jun'ichi regardait, impuissant, Nangô marcher sur des œufs. Celui-ci ne pouvait révéler qu'ils agissaient en vue de prouver l'innocence de Ryô Kihara sans risquer de provoquer inutilement les victimes. Toutefois, Yoshie éluda cette question en apparence anodine.

— Attendez, dit-elle avant de s'éloigner vers le fond de la demeure.

— Ça s'annonce mal…, chuchota Nangô.

Au bout d'un moment, Mme Utsugi revint accompagnée d'un homme de grande taille : Keisuke Utsugi, le fils des victimes. Le regard qu'il braqua sur eux débordait déjà de suspicion.

— Je suis le propriétaire des lieux, que voulez-vous ?

— Vous ne travaillez pas aujourd'hui ?

— C'est mon jour de repos. J'enseigne au lycée, je travaille chez moi un jour par semaine.

Nangô réitéra les présentations, mais Keisuke l'interrompit :

— Ma femme m'a déjà dit qui vous étiez. Pourquoi cherchez-vous à déterrer l'affaire ?

— Ce n'est pas notre intention, nous procédons seulement à une petite enquête. Nous voulions juste savoir si la maison de feu votre père était pourvue d'un escalier.

— Un escalier ?

— En effet. C'est une construction de plain-pied, mais nous nous demandions s'il n'y avait pas, par exemple, une volée de marches menant au sous-sol, ou bien…

— Une minute. Je répète ma question : pour quelle raison venez-vous ici déterrer cette affaire ?

Sans attendre la réponse de Nangô, l'homme alla au cœur du sujet :

— Est-ce que cela a à voir avec le pourvoi en révision du coupable ?

À son corps défendant, Nangô hocha la tête.

— Oui.

— Dans ce cas, je refuse de vous aider.

— Nous comprenons tout à fait votre position, et nous ne pouvons bien évidemment pas vous forcer.

Nangô n'avait plus qu'à biaiser en restant aussi poli que possible.

— N'allez pas croire que nous sommes en train de protéger le coupable… Seulement, nous nourrissons quelques doutes raisonnablement fondés sur la décision de justice.

— Il n'y a aucun doute à avoir.

Keisuke fixait ses visiteurs avec mépris, comme pour les intimider.

— Cette vermine de Kihara a tué mes parents. Il a assassiné mon père et ma mère, pour leur argent.

— Êtes-vous au courant du déroulement du procès ? Par exemple…

— Ça suffit ! explosa soudain Keisuke. C'est quoi, vos « doutes raisonnablement fondés » ? Le sang de mes parents a giclé sur les habits de ce sale bandit, et on a retrouvé le portefeuille de mon père sur lui, oui ou non ? Il faut quoi de plus pour vous convaincre ?

Nangô et Jun'ichi restèrent silencieux, immobiles, sous la morsure du regard du couple Utsugi. Émettre des doutes sur le bien-fondé de la condamnation à mort revenait à souiller les sentiments des victimes. Il n'y avait en elles aucune place pour le raisonnement.

— Vos parents à vous ont-ils été assassinés ? Vous pouvez imaginer ce que c'est de voir la scène du crime, cette scène odieuse, de vos propres yeux ?

Les larmes montaient aux yeux de Kôhei Utsugi. Des larmes de rage et de tristesse mêlées. Soudain, il baissa la tête et dit d'une voix faible :

— Quand je l'ai trouvé, mon père avait la cervelle qui lui sortait du front.

Pendant un moment, personne ne parla. On n'entendait plus que le bruit des vagues, au loin.

Les yeux baissés, la voix chargée de compassion, Nangô finit par dire :

— Toutes mes condoléances. Jugez-vous avoir été assez indemnisés ? L'État verse une somme aux victimes de meurtre…

Keisuke secoua faiblement la tête.

— Ce système est vraiment stupide. Il ne nous a été d'aucune aide. Le temps de faire la demande de dommages et intérêts à l'accusé, il y avait prescription.

— Prescription ?

— Oui. Après deux ans, il devient impossible de faire la demande. Mais personne ne nous avait prévenus.

Nangô hocha légèrement la tête, puis dit :

— Veuillez nous excuser d'être venus à l'improviste, et de vous avoir interrogés sans égard pour vos sentiments.

— J'aimerais que vous me compreniez. Quoi qu'il en soit, mon seul regret est d'avoir appelé une ambulance pour l'accident de moto. Si je ne l'avais pas fait, j'aurais pu condamner le coupable à mort sur les lieux mêmes de son crime.

Le puissant désir de vengeance affiché par le fils des victimes était insoutenable à Jun'ichi. Il revit en esprit Mitsuo Samura. Qu'avait bien pu ressentir cet homme dont il avait tué le fils, lors de sa visite ? Une soif de représailles pareille à celle de Keisuke Utsugi ? Mitsuo n'avait même pas effleuré Jun'ichi. Cela avait dû requérir de sa part un effort de volonté immense.

Keisuke Utsugi reprit, d'une voix basse et comme s'il soliloquait :

— La cour l'a condamné à mort, fort heureusement. Cela ne ramènera pas mes parents, mais c'est toujours mieux que s'il restait en vie. Enfin, vous ne pouvez peut-être pas comprendre…

— Si, répondit laconiquement Nangô, les yeux toujours baissés.

— Excusez-moi de m'être emporté. Restons-en là.

Keisuke fit un léger salut de la tête et disparut à l'intérieur de la maison.

Restée seule avec les visiteurs, Yoshie dit :

— Il s'est montré trop véhément, pardonnez-lui, mais comprenez simplement une chose : nous avons vécu un véritable enfer depuis ce meurtre. Entre les auditions au commissariat si fréquentes qu'elles nous empêchaient de préparer correctement les funérailles, les visites incessantes des journalistes, dès le petit matin… Ceux qui prétendent agir au nom de la liberté de l'information nous ont martyrisés aussi sûrement que le meurtrier. Mon mari et moi sommes tombés malades, nous avons dû être hospitalisés, et bien sûr, les frais médicaux sont restés à notre charge. Alors que pour sa blessure à la tête le tueur, lui, a été opéré aux frais de l'État.

Jun'ichi se détourna afin de ne pas voir couler les larmes au bord de ses yeux.

— Excusez-moi, je m'égare. Mais comprenez-nous. Dans ce pays, lorsqu'on est victime d'un crime atroce, la société entière se change en agresseur. Et les victimes ont beau être persécutées à longueur de temps, personne ne viendra s'excuser, ni prendre ses responsabilités.

L'aversion se lisait sur le visage de Yoshie, qui les fixait sans se radoucir.

— Finalement, en tant que famille des victimes, tout ce que nous pouvons faire, c'est réclamer que le coupable assume les conséquences de ses actes. Pardonnez-moi, mais j'espère que son pourvoi en révision sera rejeté.

Elle tendit alors la main et referma doucement la porte.

Jun'ichi fixa le battant de bois, un arrière-goût amer dans la bouche. Il se rappela le regard avenant de Yoshie quelques minutes plus tôt. Les Utsugi avaient vécu avec ce lourd souvenir enfoui dans un coin de leur mémoire, ils avaient occupé leurs journées, en surface, comme si tout était normal. Or cette visite venait de rompre la quiétude précaire à laquelle le couple se raccrochait désespérément.

— On s'y est pris comme des manches, jugea Nangô.

Jun'ichi hocha la tête.

— Ça ne présage rien de bon pour la suite, ajouta son compagnon.

Le jeune homme ne put que hocher à nouveau la tête.

Jun'ichi et Nangô passèrent l'après-midi à Katsuura. Ils meublèrent l'appartement qui allait devenir leur quartier général au premier étage de la « Villa Katsuura », ouvrirent la ligne de gaz, passèrent saluer le propriétaire, qui habitait une maison contiguë à la leur, et réglèrent les dernières formalités d'emménagement.

L'appartement disposait d'une cuisine et d'une salle de bains de six mètres carrés, ainsi que de deux chambres de neuf mètres carrés chacune.

Jun'ichi fut agréablement surpris : l'endroit dépassait de loin ses attentes. Il s'était en effet imaginé un studio exigu où Nangô et lui seraient forcés de dormir serrés comme des sardines. D'ailleurs, par beau temps, Jun'ichi apercevrait même la mer depuis la fenêtre de sa chambre. Il s'en voulut tout à coup d'avoir laissé son acolyte s'occuper seul de la recherche d'appartement.

— Tu sais cuisiner ?

— Je sais faire le riz cantonnais, répondit le jeune homme, sincère.

— Je vois. Il vaudra peut-être mieux que je m'y colle, alors, jugea Nangô en riant. Répartissons-nous les tâches : toi, tu te chargeras de la lessive et du ménage.

Ils sortirent ensuite acheter des victuailles et des ustensiles de cuisine, et Nangô s'attela à la préparation du dîner à dix-sept heures passées.

Assis sur les tatamis, Jun'ichi demanda à son coéquipier qui s'affairait aux fourneaux :

— Je peux vous poser une question ?

— Vas-y.

— C'est au sujet de la somme versée par l'État aux victimes de meurtre… Que s'est-il passé dans mon cas ?

— Tu veux savoir si Mitsuo Samura l'a perçue ?

— Oui.

— La réponse est non. Parce que tes parents l'ont indemnisé à la place de l'État. À vrai dire…

Nangô réfléchit un instant avant de poursuivre :

— Voilà comment les choses marchent. Si les indemnités allouées aux victimes dépassent le seuil d'allocations fixé par l'État, celui-ci ne verse pas un yen.

Jun'ichi s'assura qu'il avait bien compris, avant de demander :

— Et à combien s'élève le seuil fixé par l'État ?

— Environ dix millions de yens. Voilà le prix d'une vie humaine, selon la loi. Dérisoire.

Jun'ichi hocha la tête. Il savait à quel point ses parents avaient souffert ; aussi ne saisissait-il pas bien la nature de ses sentiments à l'égard de Mitsuo Samura, qui avait obtenu la somme de soixante-dix millions de yens. Pour les victimes, réclamer une telle somme peut sembler naturel. D'ailleurs, si l'on songeait à la colère du couple Utsugi, le comportement qu'avait adopté Mitsuo vis-à-vis de Jun'ichi pouvait même passer pour de la mansuétude. Maintenant certain d'avoir été absous par Mitsuo, Jun'ichi sentit dans son cœur une profonde affliction.

Il avait encore beaucoup à apprendre. Soudain, il prit conscience d'une chose et fixa le dos de Nangô. La visite aux Utsugi lui apparaissait à présent totalement insensée. Avait-elle vraiment été le fruit de l'imprudence de Nangô ? Ou bien recouvrait-elle une visée pédagogique justifiant qu'il emmène exprès Jun'ichi ?

Nangô le sortit de ses pensées.

— Le dossier du procès est dans ma chambre. C'est un gros pavé, mais jettes-y un œil.

Jun'ichi obéit et entra dans la chambre de Nangô. Il y trouva, emballée dans un carré de tissu, une liasse de documents d'une quinzaine de centimètres d'épaisseur.

— Et ce n'est qu'un extrait, ajouta le gardien en riant.

Ne sachant par où commencer, Jun'ichi feuilleta au hasard. Vers le milieu, il tomba sur l'énoncé du jugement de première instance.

« DISPOSITIF

La cour condamne à mort l'accusé Ryô Kihara.

Elle lui confisque son motocycle 125 cm^3 (immatriculé en 1991, pièce n° 9-1852), une chemise pour homme blanche (pièce n° 10), un pantalon pour homme bleu (pièce n° 11), une paire de chaussures de sport pour homme noires (pièce n° 12), à présent sous saisie.

Elle déclare que les sommes de vingt mille yens en liquide (deux billets de dix mille yens) (pièce n° 1), de deux mille yens en liquide (deux billets de mille yens) (pièce n° 2) et de quarante yens en liquide (quatre pièces de dix yens) (pièce n° 3), le permis de conduire (pièce n° 4) et la carte bancaire au nom de la victime Kôhei Utsugi (pièce n° 5) ainsi que le portefeuille de cuir noir (pièce n° 6), à présent sous saisie, seront tous restitués aux héritiers de la victime Kôhei Utsugi à titre de remboursement. »

C'était là tout l'énoncé du jugement qu'avait reçu Ryô Kihara.

Jun'ichi tenta d'imaginer quels sentiments ce dernier avait éprouvés à la lecture de ce texte. Il avait dû être envahi par la peur, une peur sans commune mesure avec celle de Jun'ichi lors du rendu de son propre verdict. Les mots de « condamnation à mort » avaient sans doute résonné dans la tête de Kihara, empêchant le reste du texte de pénétrer jusqu'à son cerveau.

À la suite du « Dispositif » étaient développés les « Motifs du jugement », énoncés dans un document d'une vingtaine de pages au format B5 rédigées verticalement. À l'intérieur, la rubrique intitulée « Motifs de la dureté de la peine » comportait un texte sur l'état de l'accusé :

« Même si la cour tient compte de ce que l'accusé présente les symptômes d'un épisode amnésique rétrograde dû à un trauma-tisme crânien, il résulte que l'accident qui en fut la cause s'est produit tandis que l'accusé tentait de fuir le lieu du crime. Par ailleurs, devant son incapacité à indemniser la famille des victimes ou à lui présenter ses excuses, force est de constater que l'accusé n'éprouve aucun repentir.

En outre, s'il est avéré que l'accusé n'a pas connu une exis-tence facile, en revanche, son passé de délinquant juvénile et la subséquente affaire de vol à laquelle il a été mêlé, tout comme la chance de s'amender qu'il n'a pas saisie, incitent à ne pas considérer son passé comme une circonstance atténuante. »

À la lecture du mot « passé », Jun'ichi se rendit compte qu'il ne savait toujours rien de la personne qu'était Ryô Kihara. Il feuilleta à nouveau et, à la section « Chefs d'incul-pation », trouva mention de son enfance.

Ryô Kihara était né en 1969 dans la municipalité de Chiba, de père inconnu. Lorsqu'il eut cinq ans, sa mère fut arrêtée pour prostitution et il fut placé chez des parents dans la ville de Kamogawa. À la fin du collège, les relations avec la famille qui l'avait accueilli s'étaient tendues, et comme il s'adonnait au chantage et au vol à l'étalage, il fut placé sous suivi judiciaire. Une fois majeur, il enchaîna les petits boulots à Chiba, jusqu'au jour où il fut arrêté pour avoir volé dans la caisse du fast-food qui l'employait. Reconnu coupable, il écopa d'une peine avec sursis et fut placé une deuxième fois sous suivi judiciaire. À ce moment-là, il déménagea à Nakaminato pour se rapprocher de son référent, un ancien instituteur de primaire. À la même époque, Kôhei Utsugi fut choisi pour être son conseiller d'insertion.

Un an plus tard, Kihara était arrêté pour le meurtre dudit conseiller d'insertion et de sa femme.

Jun'ichi nota que le condamné à mort était de la même génération que lui. Plus vieux de quatre ans, il était donc âgé de vingt-deux ans à l'époque des faits.

Jun'ichi eut un sentiment étrange. On supposait encore, faute de l'avoir découverte, que l'arme du crime était soit une hache, soit une serpe – en tout cas une arme blanche de grande taille. Or, un jeune homme d'une vingtaine d'années serait-il porté à utiliser un instrument de ce type ? À sa place, Jun'ichi aurait employé un couteau.

En parcourant les minutes de l'audience à la recherche d'autres points suspects, il trouva les documents en lien avec les pièces à conviction.

Son regard s'arrêta d'abord sur l'empreinte du sceau de M. Utsugi dérobé sur le lieu du crime. À en juger par la police de caractères, il s'agissait vraisemblablement de la photocopie du sceau qu'il employait à la banque, et non pas de son sceau officiel enregistré en mairie.

Sur la page suivante figurait un document intitulé « Procès-verbal de l'enquête (verso) » : en d'autres termes, le rapport de la perquisition, signé et marqué du sceau des policiers du commissariat de Katsuura. La description de l'emplacement de la demeure Utsugi et de ses alentours était suivie d'une section intitulée « Disposition des lieux », qui offrait un exposé précis de l'architecture intérieure de la maison. Le texte ne mentionnait pas explicitement la présence d'un escalier. Toutefois, un court passage faisait état d'un « espace de rangement sous le sol de la cuisine », laissant planer la possibilité de son existence. Sur le plan joint à la fin du procès-verbal, Jun'ichi repéra dans la cuisine, à droite de l'entrée, un carré comportant l'inscription « rangement ». Mais là encore, nulle mention de marches.

Il feuilletait plus avant à la recherche de précisions quand, soudain, une photographie totalement inattendue lui sauta aux yeux.

Le cliché du corps sans vie de Kôhei Utsugi baignant dans une mare de sang.

Jun'ichi détourna la tête, mais la scène épouvantable s'était déjà imprimée sur sa rétine.

« Quand je l'ai trouvé, mon père avait la cervelle qui lui sortait du front… »

Tout en reprenant son souffle, le jeune homme songea qu'il était de son devoir de regarder. Il reposa les yeux sur le cliché de la scène du crime.

Une impression couleur d'excellente qualité. Le liquide cérébral brun clair, le sang frais écarlate, le crâne bien blanc. En y songeant à présent, Jun'ichi estima que le fils de la victime était resté assez mesuré dans ses propos. Puis il comprit également pourquoi il n'avait pas mentionné l'état horrible dans lequel avait été retrouvée sa mère : la photo de Yasuko Utsugi, collée sur la page suivante, montrait des yeux qui, à cause d'un choc d'une violence extrême à l'occiput…

Jun'ichi poussa un léger grognement. Dans la cuisine, Nangô semblait s'être immobilisé ; il ne prononça pas un mot.

Inconsciemment, le jeune homme mit la main devant sa bouche et, oubliant son propre crime, maudit celui qui avait commis ce meurtre, quel qu'il fût.

Cela n'avait rien d'humain.

C'était un acte atroce dont l'auteur méritait amplement la peine capitale.

Trois hommes siégeaient dans la vaste salle de réunion du Bureau correctionnel du ministère de la Justice. La moitié des néons étaient éteints afin de n'éclairer qu'eux, laissant le reste de la pièce dans le noir.

— J'ai reçu le rapport du directeur du centre de détention, dit le conseiller.

Il adressa un regard au directeur du bureau puis au responsable des affaires générales avant de reprendre :

— La copie du dossier de suivi arrivera demain au plus tard.

Ses deux interlocuteurs, l'air morose, baissèrent les yeux sur la table. Peu importait le nombre de répétitions, on ne se faisait pas à cette tâche, songea le conseiller.

Le responsable des affaires générales demanda :

— Et il n'y a rien à redire, concernant ce rapport ?

— Non, si l'on excepte le fait qu'il ne s'est pas entretenu avec l'aumônier.

— L'aumônier ?

— Oui. À cause de son fameux problème d'amnésie.

Le responsable acquiesça.

— Il n'a donc pas conscience… de l'avoir fait.

Le conseiller demanda :

— L'amnésie ne constitue-t-elle pas un motif suffisant pour suspendre une exécution ?

— Vous voulez dire qu'il conviendrait d'attendre qu'il recouvre la mémoire ?

— Je veux dire qu'il faudrait peut-être au moins procéder à une expertise.

Le directeur du bureau intervint :

— À mon sens, il ne convient pas de suspendre l'exécution. Seul l'intéressé sait si l'amnésie a réellement existé, ou s'il a recouvré la mémoire depuis. Dans le cas où il continuerait à jouer la comédie, nous ne pourrions jamais l'exécuter.

— Vous pensez donc qu'il simule.

— Oui.

Le conseiller s'assombrit. Il revint au rapport.

— Hormis cela, il n'est fait mention d'aucun nouveau déséquilibre mental.

— Parfait, dit le directeur.

Le responsable et lui se turent, la mine obscurcie.

En attendant que l'un des deux brise le silence, le conseiller se prit à souhaiter que le condamné à mort soit frappé de démence. S'il perdait la raison, son exécution serait en effet suspendue. Et si dans la foulée sa démence était jugée incurable, son cas serait statistiquement considéré comme « classé », et l'on cocherait la case « impossibilité d'exécution ».

Cela serait certes triste pour lui, mais toujours préférable au fait d'être exécuté sans avoir conscience de son crime. Et au-delà de son intérêt propre, il y avait celui des treize qui participaient à valider sa condamnation à mort.

Comment les condamnés à mort faisaient-ils pour ne pas devenir fous ? se demanda le conseiller dans le long silence qui enveloppait la salle de réunion. Cette question le taraudait depuis longtemps. La peur, chaque matin, de la venue des gardiens. Aucun avenir, et des journées entières à vivre avec une bombe à retardement dans les bras. Pourtant, à la connaissance du conseiller, les exemples de condamnés sombrant dans la démence s'avéraient extrêmement rares. Parmi ceux-là, le cas d'une femme condamnée à mort en 1951 l'avait particulièrement marqué.

S'étant enlisée dans une misère noire, la pauvresse fut poursuivie pour avoir assassiné une de ses voisines âgées, avant de lui voler son maigre pécule. Lorsque la sentence de mort fut prononcée, elle éprouva un tel déchirement à l'idée d'être séparée de son enfant qu'elle en perdit la raison. Elle se mit à parler et à agir de manière insensée, s'aspergeant d'eau bouillante lors des bains, notamment. Elle échappa de la sorte à la peine de mort. Toutefois, la nouvelle de son salut ne suffit pas à lui faire recouvrer la raison. Elle finit sa vie dans un centre de soins, atteinte de démence perpétuelle.

Repenser à cette affaire plongeait chaque fois le conseiller dans un état de tristesse et d'abattement rares. Le cas de cette femme était d'autant plus insupportable que son seul mobile avait probablement été la volonté d'offrir un repas décent à sa famille.

Les comptes rendus d'examens médicaux de l'époque rapportent ses monologues sans queue ni tête : « Votre Majesté, monsieur Eisenhower, général MacArthur… vous êtes tous mes bienfaiteurs… Je vous suis reconnaissante de bénir mon enfant et mon mari. »

Qui plus est, ce vol avec meurtre n'avait fait qu'une victime. Si l'affaire avait eu lieu de nos jours, l'accusée n'aurait certainement pas été condamnée à mort. Et que dire alors du cas de cet homme qui avait aveuglément ôté la vie à douze personnes dans l'attentat commis au nom d'une secte terroriste, avant de se livrer de lui-même à la police, et qui n'avait écopé que de la réclusion à perpétuité[1] ? Une telle indulgence constituait un fait nouveau dans les annales. Pourquoi celui-ci n'avait-il pas été condamné à mort à l'instar de celle-là, cinquante ans plus tôt ? La justice, que le droit pénal prétend maintenir à l'aide de ses moyens de coercition, ne serait-elle pas en réalité inique ? Pour le conseiller, une chose était sûre : le mot de justice

_____

1. Ikuo Hayashi, médecin et membre de la secte Aum qui a perpétré, avec la complicité de Tomomitsu Niimi, l'attentat au gaz sarin du métro de Tokyo, le 20 mars 1995.

sur lequel l'homme s'appuie pour juger ses semblables ne repose sur aucun critère universel.

— S'il n'a pas conscience de son acte, cela le prive également d'effectuer une demande de grâce.

Le directeur du bureau avait enfin brisé le silence.

Le conseiller délaissa son habit de citoyen indigné pour celui du professionnel.

— Oui, en effet, confirma-t-il.

— Et la proposition ?

— La voici.

Le conseiller lui tendit la « proposition d'exécution » délivrée quelques instants plus tôt par le Bureau des affaires criminelles. Ce document épais de deux bons centimètres avait déjà été validé par le conseiller du Bureau des affaires criminelles, le responsable des affaires pénales ainsi que le directeur du bureau : tous trois avaient apposé leur sceau sur la page de garde.

— Veuillez examiner ce document en attendant le dossier de suivi de Ryô Kihara, ordonna le directeur du bureau. Ensuite, lorsque je le lirai à mon tour, je veux que vous me teniez informé de toute nouvelle information de la part du directeur du centre de détention.

— Entendu, répondit le conseiller.

2

La voiture roulait en direction de Katsuura et, au volant, Nangô réprima un bâillement. Il n'avait pas bien dormi la nuit passée. Dans la chambre d'à côté, Jun'ichi n'avait cessé de cauchemarder – soit à cause des clichés de la scène du crime découverts dans le dossier du procès, soit à cause de son propre crime, qu'il n'arrivait toujours pas à s'ôter de la tête.

Nangô jeta un coup d'œil à son coéquipier et le vit lui aussi fatigué. Souriant sans raison, il ouvrit la fenêtre pour se réveiller puis demanda à Jun'ichi :

– J'ai fait du bruit ?

– Comment ça ?

– Ma femme dit que je fais des cauchemars toutes les nuits.

– Je confirme, répondit Jun'ichi en rigolant. J'imagine que moi aussi ?

– Oui.

Décidément, Nangô avait été bien inspiré de choisir un appartement aux chambres séparées. Sans cela, les deux hommes auraient passé la nuit à se réveiller l'un l'autre avec leurs gémissements.

– En ce qui me concerne, ça ne date pas d'hier, et je n'arrive pas à m'en défaire.

— Pareil pour moi, répondit Jun'ichi sans pour autant évoquer la raison de ses cauchemars. Vous avez donc une femme ?

— Oui, et un enfant. Nous sommes toujours mariés, mais nous vivons séparés.

— Séparés ?

Jun'ichi dut se sentir gêné d'avoir prononcé ce mot, car il se tut aussitôt.

Nangô daigna satisfaire la curiosité de son interlocuteur.

— Nous sommes sur le point de divorcer. Elle n'était pas faite pour vivre avec un gardien de prison.

— C'est-à-dire ?

— Eh bien, un gardien, ça occupe un logement de fonction dans l'enceinte de son établissement.

— C'était le cas à Matsuyama aussi ?

— Oui. Du coup, sans trop comprendre pourquoi, on finit par avoir l'impression de vivre nous aussi derrière les barreaux. Et puis, nos voisins sont aussi nos collègues, alors notre monde rétrécit encore. Il y a ceux qui s'y habituent immédiatement, et ceux qui ne s'y font jamais.

Jun'ichi hocha la tête.

— Et je n'y peux rien si je fais un métier stressant.

— C'est pour cette raison que vous démissionnez ? Par égard pour votre femme ?

— Pas seulement, même si bien sûr cela joue pour beaucoup. Je ne veux pas divorcer. Je suis trop attaché à sa présence à mes côtés.

Nangô capta le sourire attendri de Jun'ichi et s'empressa d'ajouter :

— Je ne suis pas en train de dire que je l'aime ou que je suis fou d'elle, attention. C'est juste que nous avons toujours vécu ensemble, avec notre enfant au milieu.

— Et lui ?

— C'est un garçon. Il va avoir seize ans.

Jun'ichi prit un air pensif. Repensait-il à sa fugue lycéenne ?

Il finit par ouvrir lui aussi sa fenêtre, laissant le vent de la péninsule de Bôsô emplir l'habitacle.

— Vous démissionnez de votre poste de surveillant pénitentiaire, mais une fois cette mission terminée, quels seront vos projets ?

— Je vais ouvrir une boulangerie.

— Une boulangerie ?

Jun'ichi parut étonné.

— Tu as oublié ? Mes parents sont boulangers, dit Nangô en riant. Mais je ferai aussi des pâtisseries, des flans... Tout ce dont les enfants raffolent.

Jun'ichi rit à son tour de bon cœur.

— Et comment l'appellerez-vous ?

— Bakery Nangô.

— Ça ne sonne pas un peu austère ?

— Tu trouves ?

Nangô réfléchit et, sentant le vent marin sur ses joues, demanda :

— Comment dit-on « vent du sud » en anglais, déjà ?

— *South wind.*

— Eh bien voilà. Ce sera la South Wind Bakery.

— Bien trouvé.

Tout en riant de concert avec Jun'ichi, Nangô ajouta :

— Récupérer ma famille et ouvrir une boulangerie, voilà mon modeste rêve, à présent.

Nangô gara la Civic dans le parking du commissariat de Katsuura, situé juste à côté du port de pêche, et en descendit seul. Pour s'entretenir avec l'inspecteur, mieux valait se présenter en tant que surveillant pénitentiaire que comme employé du cabinet d'avocat. Jun'ichi se rangea à cet avis et attendit sagement sur le siège passager.

Nangô entra et demanda à la policière postée à l'accueil si l'inspecteur en chef était présent. Sans chercher à savoir ce qui l'amenait, celle-ci lui indiqua aussitôt l'étage.

La salle qui abritait les affaires criminelles était assez vaste pour contenir une quinzaine de tables de travail alignées. À un bout se trouvaient les affaires générales et les transports ; plus loin, une plaque portant l'inscription « affaires criminelles » pendait du plafond. Les enquêteurs étaient-ils tous de sortie ? Il n'en voyait que trois.

Nangô approcha du bureau du chef de section, près des fenêtres au fond de la salle. Vêtu d'une chemise à manches courtes, ce dernier était en pleine conversation avec un autre homme assis à côté de lui.

Nangô les salua du regard et attendit qu'ils en aient terminé. Le visiteur n'avait pas quarante ans ; il portait à son col l'insigne du ministère public. En tant que surveillant pénitentiaire, Nangô était plus habitué à fréquenter des procureurs que des policiers, aussi éprouva-t-il un soulagement.

L'inspecteur leva enfin les yeux et s'adressa à lui :

— C'est pour ?

— Pardon de vous interrompre. Laissez-moi me présenter.

Nangô inclina la tête devant l'inspecteur, qui semblait avoir le même âge que lui, et lui tendit sa carte de visite.

— Je m'appelle Shôji Nangô, et je viens de Matsuyama, dans le Shikoku.

— De Matsuyama ? répéta l'inspecteur étonné en fixant le morceau de carton.

Incapable de dissimuler sa curiosité, le jeune procureur leva lui aussi les yeux vers l'inconnu.

Le policier offrit à son tour sa carte à Nangô.

— Inspecteur en chef Funakoshi. Qu'est-ce qui vous amène ici ?

Nangô avait prévu d'attaquer en prêchant à la fois le vrai et le faux.

— À vrai dire, j'aimerais m'entretenir avec vous d'une affaire vieille de dix ans. L'affaire Ryô Kihara.

À ce nom, l'expression des deux hommes changea. Avant que l'effet de surprise ne retombe, Nangô dévoila tout d'une traite : qu'il était surveillant pénitentiaire, sur le point de démissionner, qu'il avait connu Ryô Kihara lorsqu'il travaillait au centre de détention de Tokyo, et enfin, qu'il s'interrogeait encore « personnellement » sur un point de l'enquête.

— Et quel est ce point ? voulut savoir Funakoshi.

— La présence ou non d'un escalier sur le lieu du crime, ou à proximité.

— Un escalier ? Non, il n'y en a pas, répondit Funakoshi, avant de demander poliment confirmation au procureur pourtant plus jeune que lui. Je ne crois pas me tromper, n'est-ce pas ?

— Non, le rassura le magistrat.

Celui-ci se leva et tendit sa carte à Nangô avec un sourire amical.

— Nakamori, de la section locale de Tateyama, rattachée au parquet de Chiba. C'est moi qui avais pris en main cette affaire, très peu de temps après mon affectation.

— Ah oui ?

Nangô songea qu'il était vraiment en veine.

— Mais pouvons-nous savoir pourquoi vous vous interrogez sur la présence d'un escalier ?

Nangô leur parla du souvenir qui avait surgi dans la mémoire du condamné à mort. L'inspecteur et le procureur échangèrent un regard.

— Dans le procès-verbal de l'enquête, il est fait mention d'une trappe de rangement dans la maison des victimes : n'y avait-il pas non plus de marches à cet endroit-là ?

— Maintenant que vous le dites, j'avoue ne pas me le rappeler avec précision.

Nangô hocha la tête, puis posa sur-le-champ sa question suivante. Il voulait régler les passages difficiles en une seule fois et le plus vite possible.

— Dans ce cas, parmi les preuves qui n'ont pas été exhibées au procès, n'y avait-il rien qui aurait pu laisser entrevoir l'existence d'une tierce personne sur les lieux du crime ?

Les deux hommes s'immobilisèrent.

— Même quelque chose qui pouvait à première vue paraître anecdotique, ajouta Nangô avec retenue.

Funakoshi et Nakamori étaient visiblement incapables de parler. La question frôlait en effet la fausse accusation ou l'extorsion d'aveux. Au Japon, lors d'un procès, il est permis de ne pas exploiter toutes les preuves assemblées par les enquêteurs. Il serait même possible, pour quelqu'un de malintentionné, de cacher des preuves de l'innocence de l'accusé.

— Je vous trouve plutôt zélé, remarqua Funakoshi en souriant. Pourquoi faites-vous cela, monsieur Nangô ?

— De toute ma carrière, il n'y a qu'une chose qui me reste en travers de la gorge. Jusqu'à aujourd'hui, j'ai vu plusieurs dizaines de milliers de criminels s'amender. Or, dans le lot, Ryô Kihara est le seul dont le cas soit spécial.

— À cause de son amnésie ? demanda Nakamori.

— Oui. Il a été jugé pour un meurtre qu'il n'a pas conscience d'avoir commis. Il est donc impossible d'exiger de lui le repentir. De plus, j'aimerais personnellement comprendre une chose. Le crime de Kihara méritait-il réellement la peine capitale ?

Tout en parlant, Nangô fixait Nakamori. En effet, ce ne sont pas les policiers mais bien les procureurs qui réclament les peines contre les criminels. Y compris les sentences de mort.

— Je comprends votre sentiment, dit Nakamori, l'air embarrassé.

Il tourna le regard en direction de l'inspecteur en chef. Ce dernier ne souriait plus du tout.

— Nous ne cachons aucune preuve, vous savez. Et aucune erreur n'a été commise dans l'enquête sur l'affaire Ryô Kihara.

— Comment puis-je en être sûr ?

— Comment puis-je être sûr, monsieur Nangô, que vous venez bien de Matsuyama ? demanda Funakoshi en baissant les yeux sur sa carte de visite. Vous me permettez de vérifier ?

— Allez-y.

Il avait déposé une demande de congés et un préavis de sortie en bonne et due forme. Il avait inscrit pour motif ce qui lui passait par la tête, mais même en cas de blâme pour fausse déclaration, il ne risquait au pire qu'une réduction sur sa prime de départ.

— Pardonnez-moi de vous avoir dérangés, s'excusa-t-il simplement avant de quitter les lieux.

De retour au parking, Nangô trouva un agent de police en uniforme près de la Civic, côté passager, en pleine discussion avec Jun'ichi. Leur reprochait-on de s'être garés sans autorisation ? Jun'ichi ne semblait pas du tout dans son assiette, le visage livide, une main posée sur sa bouche comme s'il tentait de réprimer un vomissement.

Nangô pressa le pas jusqu'à la voiture.

— Ça va ? demanda le policier âgé, avant de se retourner en sentant la présence de Nangô.

— Que s'est-il passé ?

— On dirait qu'il a la nausée, répondit l'agent, inquiet. Vous êtes ensemble ?

— Oui. Je suis son tuteur.

— Ah bon ? À vrai dire, je le connais depuis longtemps, le jeune Mikami.

Nangô regarda tour à tour le policier et Jun'ichi, perplexe.

— On s'est rencontrés une fois, il y a dix ans de ça. À l'époque, j'étais en poste pas loin d'ici, à Nakaminato.

Nangô avait saisi. Ce policier devait faire partie de l'équipe qui avait retrouvé Jun'ichi et sa petite amie en fugue.

— J'ai été bien surpris de le revoir, ça ne nous rajeunit pas, tout ça, dit le policier en rigolant.

Pour lui, le simple fait de récupérer deux jeunes fugueurs de Tokyo devait constituer en soi une affaire importante. Or cela ne suffisait pas à expliquer pourquoi Jun'ichi était devenu blanc comme un linge.

— Il a le mal des transports, on dirait.

— Désolé s'il vous a causé du souci. Je vais m'occuper de lui, le rassura Nangô.

L'agent hocha la tête et dit à l'intention du jeune homme :

— Il faut continuer à rester sérieux, hein ?

Puis il retourna au commissariat.

Une fois derrière le volant, Nangô demanda :

— Ça va ?

— Oui.

Jun'ichi retenait son souffle.

— C'est le mal des transports ?

— Je ne sais pas, ça m'a pris d'un coup.

— En voyant cet agent ?

Pas de réponse. Soupçonneux, Nangô tâta le terrain :

— Il t'a rappelé des moments tristes avec ton ex-petite amie ?

Jun'ichi tourna vers lui un regard étonné.

— C'est lui qui s'est occupé de vous, il y a dix ans ?

— Je crois, oui.

— Tu crois ?

— Je ne m'en souviens pas bien. C'est un peu le brouillard dans ma tête.

— Tu as perdu la mémoire, comme Kihara ?

Nangô ne croyait pas Jun'ichi. Il sentait qu'il lui cachait quelque chose, mais savait qu'il n'obtiendrait aucune réponse pour le moment. Serait-ce des souvenirs intimes propres à la puberté qui avaient rendu le jeune homme nauséeux à ce point ? Mais on ne se met pas dans de tels états pour si peu…

Jun'ichi s'était un peu remis, car il demanda :

— Votre incursion, ça a donné quoi ?

— J'ai manqué mon coup.

Nangô entreprit alors de raconter son entretien avec l'inspecteur en chef Funakoshi et le procureur Nakamori. Il tentait ainsi de gagner du temps.

Une fois son récit achevé, comme il n'allumait toujours pas le contact, Jun'ichi sentit qu'il y avait anguille sous roche et voulut savoir :

— On attend quelqu'un ?

— Oui.

Au même instant, Nakamori sortit du commissariat.

— Si ce n'est pas de la télépathie, dit Nangô en riant, avant de déverrouiller les portières arrière.

Le procureur sonda les alentours du regard sans tourner la tête, et repéra instantanément la Civic. Tout en continuant à marcher, il désigna le bord de la route d'un geste discret de la main.

Nangô démarra, dépassa Nakamori et s'éloigna du commissariat.

Le procureur rattrapa la Civic garée un peu plus loin et se glissa sur la banquette arrière. Il attendit que Nangô remette le contact pour demander :

— Qui est la personne sur le siège passager ?

— Mikami, mon collaborateur. Il sait garder un secret.

Nakamori hocha la tête puis reprit :

— Je présume que ce n'est pas le seul intérêt que vous portez à cette affaire qui vous pousse à agir ?

— Je peux difficilement vous donner tort, louvoya Nangô.

— Après tout, peu importe.

Le procureur entra sans plus attendre dans le vif du sujet, sur un ton administratif :

— Pour revenir à ce dont nous parlions tout à l'heure, il existe bien une preuve que nous n'avons pas utilisée durant le procès : un morceau de textile noir prélevé sur le lieu de l'accident de moto de Ryô Kihara.

— Du textile noir ?

— Oui. Du coton, matière que Kihara ne portait pas le jour du drame. Néanmoins, nous n'avons pas non plus de preuve évidente que sa présence à cet endroit soit liée à l'accident de moto.

— Vous voulez dire qu'on ignore quand le tissu est tombé là-bas ?

— En effet. Bien sûr, nous avons exploré à fond la possibilité qu'il y ait eu un complice. Cela nous a aussi amenés à trouver des fibres de tissu noir au sol, sur les lieux du double meurtre.

— Et est-ce que les deux échantillons correspondaient ?

— Difficile à dire. Tout d'abord, l'analyse des fibres retrouvées sur le lieu de l'accident a révélé qu'elles appartenaient à un modèle de polo de marque. Or seuls les revers et les ourlets du modèle en question sont en synthétique. La fibre prélevée sur la scène du crime est elle aussi en synthétique, mais elle est utilisée à la fois pour le tissage des polos et des chaussettes ou des gants.

— Donc les deux échantillons ne correspondaient pas parfaitement.

— Non. Par acquit de conscience, nous avons aussi passé scrupuleusement en revue le réseau de vente des polos de cette marque, mais celui-ci s'étendait sur toute la région du Kantô – résultat, nous n'avons pas été en mesure d'identifier le magasin qui l'a vendu. C'est pourquoi le morceau de textile problématique a dû être retiré de la liste des preuves à présenter durant l'audience. Cela n'est nullement dû à une malveillance des enquêteurs.

— J'ai bien compris. Cependant, n'y avait-il aucune trace de sang ou autre, sur ce morceau de textile ?

— De sang, non, mais de sueur. La personne qui portait ce polo est de groupe sanguin B.

Nakamori se tut un instant. Il semblait fouiller sa mémoire pour être sûr de n'avoir rien oublié.

— En ce qui concerne les preuves non présentées aux juges, vous savez tout.

— Même si elles étaient présentées aujourd'hui, elles ne seraient pas suffisantes pour ouvrir une procédure de révision, n'est-ce pas ?

— Non. Elles n'auraient pas assez de poids pour prouver l'innocence du condamné.

— Je vois. Merci beaucoup.

— Déposez-moi où cela vous arrange.

Nangô continua tout droit et s'arrêta en bordure du rond-point situé devant la gare de Katsuura.

— Ici, c'est parfait, dit Nakamori en inclinant légèrement la tête pour remercier.

Nangô s'empressa de lui remettre sa carte de visite du cabinet d'avocat.

— S'il y a quoi que ce soit, merci de m'appeler sur mon téléphone portable.

Nakamori sembla hésiter un instant, mais accepta finalement la carte. Il descendit de voiture et conclut :

— Je prie pour que l'hypothèse de l'erreur judiciaire se révèle fausse.

Puis il referma la portière et se dirigea vers l'escalier de la gare.

— C'est Nakamori, le procureur que j'ai rencontré dans le bureau de l'inspecteur, expliqua enfin Nangô.

Jun'ichi, méfiant, demanda :

— Qu'est-ce qui a bien pu le pousser à collaborer avec nous ?

— C'est lui qui s'est chargé de cette affaire, dit Nangô à présent d'humeur sombre. Et qui a requis la peine de mort à l'encontre de Kihara.

Jun'ichi regarda Nakamori gravir les marches, l'air surpris.

— Il est le premier à avoir demandé son exécution ?

— Exact. Et ça, il ne l'oubliera jamais de sa vie.

Nangô connaissait bien le lourd fardeau qui lestait les épaules du procureur.

Durant tout le trajet jusqu'à Nakaminato, Jun'ichi demeura muet comme une carpe. Il pensait au magistrat, qui lui avait laissé l'impression d'un homme fringant.

Nakamori paraissait avoir moins de quarante ans. Il devait donc être âgé d'un peu plus de vingt-cinq ans à l'époque où il avait requis la peine de mort contre Kihara. Au même âge que Jun'ichi à présent, il avait fait face à un homme accusé dans une affaire sordide et braqué sur lui une sentence de mort.

Pour avoir été lui-même jugé, Jun'ichi n'avait pas beaucoup de sympathie pour les procureurs. Leur réussite au concours national de la magistrature faisait d'eux l'élite de la nation. Ils agissaient au nom de la justice, avec la loi pour seule arme, sans aucune place pour les sentiments. Toutefois, une indéniable souffrance perçait dans la manière dont Nakamori avait prié pour que Ryô Kihara ne fût pas victime d'une erreur judiciaire. Si cet homme n'était pas procureur, peut-être ferait-il même partie des opposants à la peine de mort, songea Jun'ichi.

Le ciel était couvert aux abords de Nakaminato, et il se mit à pleuvoir tandis qu'ils traversaient le quartier d'Isobe.

Nangô enclencha les essuie-glaces. Jun'ichi demanda :

— Que va-t-on faire à présent ?

— Chercher l'escalier.

La Civic s'engagea sur la route de montagne qui menait à la résidence de Kôhei Utsugi.

— Tu as le permis ?

Jun'ichi tira son portefeuille de sa poche arrière et en sortit son permis, mais en regardant de plus près, il fut surpris de ce qu'il y trouva inscrit :

— Dessus, je suis domicilié au centre de détention de Matsuyama.

— Tout comme moi, s'amusa Nangô. Tu as deux semaines pour le modifier sans aucun problème. Je te posais la question parce que je veux que tu conduises.

— Vous êtes sûr ?

— Oui, répondit Nangô en jetant à Jun'ichi un regard en coin. Je sais. Tu es angoissé.

— C'est ça.

Le moindre excès de vitesse ou stationnement interdit renverrait aussitôt Jun'ichi en prison.

— Mais on n'a pas d'autre solution. Je vais commettre une violation de domicile en pénétrant dans la baraque.

Stupéfait, Jun'ichi scruta le visage de Nangô.

— Tant qu'on n'a pas vérifié si oui ou non il y a un escalier à l'intérieur, on restera au point mort.

— Ce n'est pas trop risqué ?

— On n'a pas le choix, assura Nangô en riant. C'est pour ça qu'il vaut mieux que tu te trouves le plus loin possible, pour le cas où on me prendrait sur le fait. Tu serais mon complice, et ça te mettrait dedans jusqu'au cou. Sans parler du fait que la voiture attirera l'attention en restant garée près de la maison. Donc tu l'éloigneras dès que je serai descendu. D'accord ?

Impossible de ne pas obéir.

— Et comment ferez-vous pour rentrer ? demanda Jun'ichi.

— Je t'appellerai sur ton portable une fois que j'aurai fini. Tu viendras me prendre au niveau de l'accident de moto.

Jun'ichi hocha la tête.

Nangô soupira, l'air guère enchanté par ce qu'il allait faire. Comme pour soulager sa conscience, il dit :

— Entre pénétrer par effraction dans une maison abandonnée et condamner à mort un innocent, quel est le plus grave ?

*

124

Comme la fois précédente, l'allée devant la demeure était déserte. L'époque où cette route servait encore d'accès privilégié vers l'intérieur des terres avait pris fin avec le développement d'autres voies de communication.

Nangô descendit du véhicule sous le crachin et sortit du coffre un parapluie, une pelle pliante, une lampe torche et de quoi écrire. Après un instant de réflexion, il prit aussi des gants de travail.

Il ouvrit le parapluie et se tourna vers la bâtisse en bois : sous ce temps maussade, son côté lugubre ressortait particulièrement. L'eau qui dégouttait de l'auvent faisait penser que la maison pleurait des larmes ou perdait du sang.

Jun'ichi ajusta le siège conducteur, légèrement stressé.

— Ça ira ?

Nangô eut l'impression que sa voix était aspirée par la bâtisse derrière lui et fit inconsciemment volte-face.

— Oui, je devrais y arriver, répondit le jeune homme sans grande confiance.

Il appuya sur l'accélérateur, avança et recula plusieurs fois en petits à-coups avant d'effectuer son demi-tour.

— Tu te débrouilles bien.

— Bon, à tout à l'heure, dit Jun'ichi avant de redescendre le chemin.

Nangô fit face à la maison. Un funeste pressentiment s'insinuait en lui. Il le balaya, et se remémora le plan des lieux inclus dans le procès-verbal de l'enquête.

D'abord la porte de la cuisine. Nangô se fraya un chemin dans les mauvaises herbes jusqu'à l'arrière de l'habitation.

Là, il tomba sur quelque chose qui tenait plus du simple panneau que de la porte. Le procès-verbal mentionnait la présence d'une « bâcle en bois verrouillant la porte de l'intérieur ».

Nangô posa son parapluie contre le mur, étira le manche de la pelle et donna un coup sur le panneau de bois. Celui-ci, complètement enfoncé, n'opposa aucune résistance.

C'était donc ouvert depuis le début. Calme-toi. C'est pas le moment de s'affoler.

Il jeta un coup d'œil à l'intérieur et, malgré l'obscurité, identifia la cuisine, d'environ neuf mètres carrés. Il alluma sa lampe torche, entra et referma le panneau derrière lui. Au même instant, une discrète mais désagréable odeur métallique vint lui piquer les narines. Malgré un mauvais pressentiment, il se déchaussa sur le seuil de la cuisine et avança.

Le sol était recouvert de poussière. Quitte à laisser des traces de pas, Nangô se rechaussa avant d'arpenter la cuisine. Il trouva immédiatement la trappe de rangement, carrée et assez grande, percée devant un placard.

Il tira sur la poignée. La poussière virevolta comme autant de grains de lumière dans le rayon de sa lampe torche.

Pas d'escalier ici. Profond d'une cinquantaine de centimètres, le rangement ne renfermait que des ustensiles de cuisine, des flacons d'épices et des cadavres de cafards racornis.

Par précaution, il tapa le fond et les flancs de la cavité, mais celle-ci était consolidée par du béton, rendant impossible d'y dissimuler des preuves.

Nangô se releva et posa le regard sur la porte coulissante au fond de la pièce. Il n'avait pas l'intention de s'en aller tout de suite. Il voulait voir la scène du crime de ses propres yeux.

Il ouvrit la porte et s'engagea dans le couloir. À sa gauche, plongée dans les ténèbres, l'entrée de la maison. Sur le meuble à chaussures trônait encore le téléphone dont Keisuke Utsugi s'était servi pour appeler les ambulances.

La puanteur, plus forte, fit grimacer Nangô. Il ne pouvait cependant plus reculer. Résolu, il fit alors coulisser la porte du salon.

Toutes les parois de la pièce étaient complètement noirâtres. Laissée à l'abandon, la maison avait eu le temps d'absorber les litres de sang des deux victimes. L'odeur même de la mort semblait encore emplir l'espace comme au premier jour.

Malgré tout, éclairé par le faisceau de sa lampe torche, Nangô pénétra sur les lieux du crime.

Une fois au pied de la montagne, Jun'ichi entra dans le quartier d'Isobe à la recherche d'un parking. Continuer à conduire s'avérait trop risqué, il valait mieux tuer le temps jusqu'à ce que Nangô l'appelle.

Tout en traversant la large avenue, il tenta de se remémorer sa précédente visite avec Yuri, dix ans auparavant, mais dut vite arrêter, soudain gagné par un nouvel accès nauséeux.

Jun'ichi se gara sur le parking d'un salon de thé non loin de la gare.

Il entra et commanda un café glacé. Là, il parvint à se détendre, puis se sentit coupable d'être en train de se reposer. En ce moment même, Nangô fouillait seul l'intérieur d'une demeure abandonnée aux allures de manoir hanté.

Il réfléchit à la manière de se rendre utile, retourna à la Civic et sortit de la boîte à gants la carte du district de Nakaminato.

Si jamais la maison ne comportait pas d'escalier, il faudrait inspecter les alentours. De retour devant son verre, Jun'ichi examina la carte à l'affût d'endroits à sonder.

Depuis le quartier d'Isobe jusqu'à la résidence Utsugi, la route formait une ligne droite. On mettait environ dix minutes d'un point à l'autre. Le sentier boisé devant la résidence serpentait avant de se diviser en trois, environ trois kilomètres plus loin dans les terres. À droite, le chemin menait à la ville de Katsuura, à gauche, vers le district d'Awa, et tout droit, il traversait la péninsule de Bôsô dans toute sa longueur pour rejoindre une route longeant le fleuve Yôrô.

La pelle qui, pensait-on, avait servi à enterrer les preuves avait été découverte par la police à trois cents mètres de la résidence Utsugi. On pouvait supposer que les preuves étaient enfouies non loin. Or, d'après les courbes de niveau de la carte, il semblait peu probable que les environs abritent une maison. Auquel cas, où pouvait bien se trouver l'escalier surgi dans le souvenir de Ryô Kihara ?

Jun'ichi se repassa le film des événements. Les victimes étaient mortes à environ dix-neuf heures. Kihara avait été retrouvé sur le lieu de l'accident de moto à vingt heures trente. Il avait donc disposé d'une heure trente pour gravir son escalier.

Qui que fût le meurtrier, il ne faisait aucun doute qu'il s'était déplacé sur la moto de Kihara. Ainsi, les marches se situaient dans un périmètre accessible en trois quarts d'heure à moto. Cependant, il fallait soustraire le temps nécessaire pour ensevelir les preuves, ce qui rétrécissait encore la zone concernée. Même en calculant large, il restait tout au plus un périmètre de trente-cinq minutes, seulement pour l'aller.

Il fallait compter dix minutes de voiture entre Isobe et la résidence Utsugi, bien qu'à vol d'oiseau la distance fût équivalente à un kilomètre environ. Compte tenu du déni-velé abrupt du chemin forestier, on pouvait supposer que le coupable avait parcouru une distance de trois kilomètres. Si escalier il y avait, c'est dans ce périmètre-là qu'il se trouvait.

Jun'ichi leva les yeux de la carte, songeant qu'il devrait faire un saut à la mairie pour se renseigner, quand bientôt il remarqua la présence, à l'extérieur, d'un individu qu'il ne s'attendait pas à voir ici.

Mitsuo Samura.

Jun'ichi se raidit. De l'autre côté de l'intersection, Mitsuo, vêtu d'un bleu de travail, sortait de la banque Shinkin. Il ne semblait pas l'avoir repéré. Dans sa main, une pochette renfermant sans doute factures ou espèces. Il adressa un salut souriant à un vieillard qu'il croisait, puis monta dans un van portant le logo « Fabrique Samura ».

Cette scène des plus innocentes ébranla violemment Jun'ichi.

Un père qui poursuivait sa vie malgré la mort de son fils. Qui mangeait trois fois par jour, faisait ses besoins, dormait. Il devait saluer les gens qu'il croisait avec le sourire, travailler pour s'assurer un revenu. Il continuait de la sorte à vivre dans ce monde. Le couple Utsugi dans sa maison en bord de mer, les parents de Jun'ichi, tous avaient bel et bien repris leurs occupations quotidiennes. Parfois, assaillis par des souvenirs douloureux, ils s'arrêtaient et baissaient la tête, prenant garde à ce que personne ne les remarque.

Jun'ichi éprouva du chagrin.

Malgré tout, il regrettait de n'avoir pu présenter d'excuses plus sincères à Mitsuo Samura.

Le crime ne détruisait rien qui fût visible pour les yeux. Il envahissait le cœur des gens pour le saper à la base.

Pourtant... La pensée qui l'avait tourmenté pendant des lustres traversa une nouvelle fois son esprit.

Ce jour-là, comment aurait-il pu agir autrement ?

N'avait-il pas eu d'autre choix que de prendre la vie de Kyôsuke Samura ?

Des tatamis imprégnés de sang s'élevait une pugnace odeur de fer et de moisi.

Un mouchoir sur le nez, Nangô avait inspecté tous les recoins de la maison pour s'assurer qu'elle ne comportait pas de marches. Il avait découvert quelques traces laissées par des morceaux de plancher arraché. Les policiers avaient dû s'acharner sur les lattes, à la recherche de preuves enfouies.

Quoi qu'il en soit, Nangô avait accompli sa tâche ; il mit alors la dernière main à son exploration en s'approchant d'une liasse d'enveloppes jetées en vrac sur la table basse du salon. Ces enveloppes grand format étaient de celles que les enquêteurs emploient pour la saisie des pièces à conviction. N'ayant probablement pas servi au tribunal, elles avaient dû être restituées à Keisuke Utsugi, l'héritier des victimes, qui les avait ensuite rapportées ici.

Toutes étaient ouvertes. En examinant leur contenu, Nangô tomba vite sur un carnet d'adresses. Un document d'une importance cruciale, capable de faire la lumière sur les relations des victimes.

Il songea à l'emporter mais se ravisa, ne voulant pas commettre de vol. Il sortit calepin et stylo puis, à la lumière de la lampe torche posée sur la table basse, commença à recopier noms, adresses et numéros de téléphone. Ces informations pourraient devenir utiles si Jun'ichi et lui échouaient à trouver un escalier dans les environs.

Recopier lui prit un temps fou. Ses gants de travail le gênaient à la fois pour écrire et pour tourner les pages du carnet.

Agacé, il les ôta et se rendit alors compte d'une chose.

Lorsqu'il s'était emparé du livret bancaire, le coupable l'avait sans doute ouvert pour en vérifier le contenu. À ce moment-là, ne s'était-il pas lui aussi débarrassé de ses gants ?

Nangô en eut la certitude. Des gants couverts de sang l'auraient non seulement empêché de feuilleter le livret, mais auraient risqué aussi de le salir. Le coupable aurait attiré l'attention en voulant retirer de l'argent avec un livret bancaire maculé de sang. C'était certain : il l'avait feuilleté à mains nues.

Nangô avait compulsé des milliers de comptes rendus de crimes, et il savait combien il était difficile d'effacer complètement toute trace d'empreintes digitales. Si le coupable avait ôté ses gants sur le lieu des meurtres, il restait forcément des empreintes latentes quelque part. Celles-ci sont invisibles à l'œil nu, et personne ne peut se rappeler ce sur quoi il a posé les doigts – il arrivait forcément que l'on oublie d'en faire disparaître a posteriori. C'est pourquoi découvrir le livret bancaire ainsi que le sceau disparus permettrait à coup sûr d'obtenir les empreintes du coupable.

Nangô leva les yeux du carnet d'adresses et regarda les deux extrémités du salon, où les corps de Kôhei et Yasuko Utsugi avaient été abandonnés par le meurtrier. Des taches noirâtres subsistaient sur les tatamis. Elles dessinaient les contours des corps des victimes. Nangô s'adressa à ces deux silhouettes imprécises : « Il se peut que nous retrouvions votre véritable meurtrier. »

Puis il se remit à copier. Un coup d'œil à sa montre lui apprit qu'il s'était déjà écoulé une heure depuis son entrée dans la maison.

Tandis qu'il faisait courir son stylo en silence, il fut surpris par la découverte de deux noms dans le carnet.

Mitsuo et Kyôsuke Samura.

Le jeune homme auquel Jun'ichi avait ôté la vie et son père connaissaient donc le couple de victimes.

Après l'appel de Nangô, Jun'ichi se mit en route vers le lieu de l'accident de moto.

Il gravit prudemment le chemin en lacets et aperçut son acolyte qui l'attendait à l'abri sous son parapluie.

Jun'ichi éprouva un soulagement. Son coéquipier était parvenu jusqu'ici sain et sauf, et sans déboires avec la police.

Il se gara et lui céda aussitôt le volant, avant de demander :

— Alors ?

Nangô lui annonça que les noms du père et du fils Samura figuraient dans le carnet d'adresses des victimes.

— Mitsuo et Kyôsuke Samura ? répéta Jun'ichi, ébahi.

— Moi aussi j'ai trouvé cela curieux au début, mais en y repensant, ça ne l'est pas tant que ça. Tu te rappelles quelle activité exerçait Kôhei Utsugi avant d'être tué ?

— Il était conseiller d'insertion ?

— Avant.

Jun'ichi se remémora les explications de l'avocat Sugiura.

— Il n'était pas principal d'un collège ?

— Si. Kyôsuke Samura comptait sûrement parmi ses élèves.

Cela suffit à convaincre Jun'ichi.

— En outre, aucune trace d'un escalier dans la maison. Donc, la suite du programme, pour nous, c'est les travaux des champs. Il va nous falloir arpenter la montagne en long, en large et en travers.

— Je me suis fait une raison, dit Jun'ichi en sortant la carte avec une grimace.

Il fit part à Nangô de sa conclusion sur l'étendue de terrain à couvrir.

Ce dernier sembla découragé avant même d'avoir commencé.

— Trois kilomètres à la ronde ? s'exclama-t-il.

— Oui, mais plus on va loin sur la route, moins on a le temps d'avancer dans la forêt ; du coup, la zone à explorer se change en triangle.

— Comment ça ?

— Eh bien, mettons que trois kilomètres soit la distance maximale qu'on puisse parcourir dans le temps imparti. Plus on va loin, plus il faut rentrer vite. Même si le coupable s'est aventuré dans la forêt pour enfouir les preuves, il n'a pas pu s'enfoncer bien loin : je dirais même qu'il a dû rester en bordure du chemin.

— Ah ! j'ai compris. Moins il s'est éloigné de la maison des Utsugi, plus il a eu le temps de s'enfoncer dans la forêt. Et à l'inverse, plus il s'en est éloigné, plus les preuves sont enterrées près de la route.

— Voilà. D'après mes calculs, en prenant en compte la difficulté à avancer dans la forêt, la base du triangle doit faire un kilomètre, et les autres côtés, trois – fouiller ce périmètre devrait suffire, non ?

Nangô rit.

— Vous les scientifiques, vous m'impressionnerez toujours.

— Encore une chose. Je suis allé à la mairie : on m'a dit qu'il n'y avait pas de maison dans ce coin-là. En revanche, il se peut qu'il reste d'anciennes installations construites dans les années cinquante ou soixante par une entreprise de gestion des eaux et forêts.

— Bon, quoi qu'il en soit, c'est ça qu'il faut chercher, dit Nangô en allumant le contact de la Civic.

Les recherches débutèrent dès le début d'après-midi.

Après être rentrés à Katsuura pour acheter tout l'équipement nécessaire – chaussures de randonnée, chaussettes épaisses, corde et imperméables –, les deux hommes retournèrent dans la montagne du district de Nakaminato, laissèrent leur véhicule sur le bas-côté du chemin et pénétrèrent dans la forêt.

D'emblée, l'investigation s'avéra bien plus terrible qu'ils ne l'avaient imaginé. Leurs pieds s'enfonçaient dans le sol boueux et détrempé, et les racines à nu cognaient leurs tibias sans pitié. Qui plus est, Nangô et Jun'ichi fatiguaient à une vitesse incroyable, le premier du fait de son âge, le second à cause du régime alimentaire de la prison.

À bout de souffle après moins de quinze minutes de marche, le jeune homme fit remarquer :

— Nous avons oublié d'acheter des gourdes.

— On fait une sacrée équipe, hein !

Tout haletant, Nangô semblait rire de leur inconséquence.

— En plus, sans boussole, on va avoir du mal, ajouta-t-il.

— Personne ne viendra nous chercher si on a un accident ici.

— Bon sang… De combien on a avancé ?

Jun'ichi, qui tenait la carte, répondit :

— Deux cents mètres, je pense.

Nangô s'esclaffa :

— On n'est pas sortis de l'auberge.

Dès le lendemain, ils se retrouvèrent avec une somme de travail colossale sur les bras. Chaque jour au réveil, Nangô préparait les gourdes et les boîtes-repas pour deux, comme une mère qui envoie ses enfants en excursion. Le soir, à la fin de leurs recherches, Jun'ichi devait quant à lui courir à la laverie pour nettoyer leurs tenues couvertes de boue.

En outre, le calcul des notes de frais, la lecture du dossier du procès et les rapports à maître Sugiura ne leur laissaient pas le temps de souffler.

Le périmètre qu'ils couvraient s'étendait de jour en jour. Petit à petit, les jambes des deux hommes finirent par se fortifier, sans pour autant que les recherches passent pour une balade de santé. Nangô et Jun'ichi pouvaient tomber à tout moment sur un sanglier, animal chassé l'hiver dans les parages. De plus, le jeune homme, en bon citadin, avait une peur panique des serpents, mille-pattes et autres sangsues.

Un jour, en se souvenant que la police avait déjà fouillé la montagne à la recherche des pièces à conviction disparues, Jun'ichi feuilleta le dossier du procès. Il découvrit alors que, en plus des inspecteurs et de l'Identité judiciaire, soixante-dix agents des forces motorisées avaient été mobilisés, et qu'au total cent vingt enquêteurs avaient, pendant dix jours, passé au peigne fin une zone de quatre kilomètres carrés. La police japonaise était rompue aux tactiques de ratissage systématique. De plus, à la différence de Jun'ichi et Nangô qui cherchaient des marches, les enquêteurs tentaient, eux, de mettre la main sur l'arme du crime ensevelie : ils avaient été à l'affût de traces de terre retournée, bêchant eux-mêmes le sol là où celui-ci leur paraissait suspect, et quadrillant la zone entière à l'aide de détecteurs de métaux. Malgré l'ampleur des moyens déployés, ni l'arme du crime – une arme blanche de grande taille –, ni le livret bancaire, ni le sceau de la victime n'avaient été retrouvés.

134

Jun'ichi espérait que le dossier du procès ferait état d'un refuge de montagne avec un escalier, mais il n'en lut mention nulle part.

Au bout d'une dizaine de jours de recherches en montagne, alors que la moitié du triangle au sommet de la carte avait été entièrement colorié, les deux hommes découvrirent, non loin d'un ruisseau, une cabane en bois.

En l'apercevant, Jun'ichi poussa malgré lui un cri :

— Nangô, j'ai trouvé !

Se croyant peut-être libéré des travaux forcés, les yeux brillants, celui-ci cria à son tour :

— Allons-y !

Les deux hommes se précipitèrent jusqu'à la cabane. Elle mesurait une dizaine de mètres carrés, mais elle avait un étage : l'intérieur était étroit, tout en longueur. Un panneau battu par les éléments pendait à côté de la porte. On y déchiffrait encore avec peine l'inscription « Service des forêts ». Un cadenas rouillé en verrouillait la porte, mais le fermoir sauta lorsqu'ils tirèrent dessus fortement.

— C'est notre deuxième effraction.

À ces mots, Jun'ichi se ressaisit et ne put s'empêcher de balayer les alentours du regard.

— Tu crois que quelqu'un va nous voir ? s'amusa Nangô avant d'ouvrir la porte à toute volée.

Un coup d'œil à l'intérieur suffit pour leur faire perdre tout espoir. La cabane était bel et bien munie d'un étage, mais on n'y accédait pas par un escalier.

— Une échelle ?

Nangô entra et leva la tête. À sa suite, Jun'ichi inspecta la surface exiguë. Des verres brisés, du bois équarri, un futon couvert de sable y étaient dispersés. Cette cabane servait vraisemblablement de lieu de repos aux employés du service des forêts.

Refusant de s'avouer vaincus, les deux acolytes fouillèrent non seulement l'intérieur de la cabane, mais examinèrent aussi le plancher, à la recherche d'une volée de marches et des pièces à conviction. En vain.

Bredouilles, Nangô et Jun'ichi restaient stupéfaits ; la déception les clouait sur place. Passer la porte et ressortir dans la forêt leur paraissait aussi déchirant que de s'extraire de sa couette un matin d'hiver glacial.

Nangô finit par s'affaler sur le plancher. Il décida :

— Reposons-nous un peu.

— Très bien.

Jun'ichi s'assit et s'adossa au mur.

Après quelques rasades de boisson énergétique, Jun'ichi eut la sensation que ses jambes étaient plus légères. Tout en écoutant le chant des oiseaux sauvages, il dit :

— J'ai un peu réfléchi.

— À quoi ? demanda Nangô, éreinté, sans tourner la tête.

— À l'hypothèse de la tierce personne. On suppose que le voleur a menacé Kihara, puis qu'il est rentré dans la forêt avec lui, n'est-ce pas ?

— Oui, pour enterrer les preuves.

— Et qu'à ce moment-là Kihara a gravi un escalier.

— En effet.

— C'est là que le bât blesse. Était-ce un hasard s'il y avait un escalier à l'endroit où ils ont enfoui les preuves ?

— Ha... Tu veux dire que le coupable projetait depuis le début de se rendre là-bas. En somme, qu'il connaissait les lieux.

— C'est mon idée.

— Et si c'était un employé du service des forêts ? plaisanta Nangô.

Sa blague touchait pourtant un point sensible, qui invalidait le raisonnement de Jun'ichi. Celui-ci s'en rendit compte et dit :

— Tiens... C'est vrai que n'importe qui d'autre, même une personne du coin, ne connaîtrait probablement pas la forêt comme sa poche.

— En effet. Cependant, plus j'y réfléchis, plus cette histoire de marches me paraît étrange. Est-ce que Kihara a vraiment gravi un escalier ?

— Vous pensez qu'il aurait rêvé, ou halluciné ?

— Je ne sais pas, répondit Nangô, perplexe.

Il se plongea un moment dans ces pensées, puis se releva, comme s'il avait recouvré toutes ses forces. Alors, il haussa ses fins sourcils et, un sourire avenant aux lèvres, demanda :

— J'ai une bonne et une mauvaise nouvelle. Laquelle tu veux entendre en premier ?

— La bonne.

— On a abattu la moitié du travail.

— Et la mauvaise ?

— Ben, il nous reste l'autre moitié.

3

La « proposition d'exécution » parvint au Bureau de réhabilitation du ministère de la Justice un vendredi, à l'approche du mois de juillet.

Le conseiller se rendit aussitôt auprès du chef du service des amnisties, afin de savoir si Ryô Kihara avait ou non adressé un recours en grâce. Il se vit répondre :

— Pas la moindre demande de commutation de peine n'a été faite — nous avons même vérifié auprès de la commission centrale d'examen de réinsertion et de réhabilitation des détenus. Le condamné affirme n'avoir aucun souvenir du moment du crime.

— Justement, l'amnésie ne constitue-t-elle pas un motif de suspension de l'exécution ?

— Ce n'est pas à nous de réfléchir à cela. Il s'agit d'un problème d'ordre psychologique, et l'examen de la Direction de l'administration pénitentiaire est terminé.

Le conseiller fixa les trois sceaux d'approbation apposés par trois personnages hiérarchiquement inférieurs au directeur du Bureau correctionnel. Ils avaient donné le feu vert à l'exécution de Ryô Kihara, le condamné amnésique. Contester la conclusion de la Direction de l'administration pénitentiaire n'entrait pas dans les attributions du Bureau de réhabilitation, uniquement chargé d'examiner les motifs susceptibles de faire gracier le condamné.

En prenant congé du chef de service, le conseiller commença à parcourir la proposition d'application. Du moment que ce document se trouvait dans ses mains, il savait l'exécution inéluctable, mais voulait satisfaire sa conscience professionnelle. Il ne pouvait se résoudre à envoyer quelqu'un à l'échafaud sans en connaître précisément les raisons.

Pourtant, à mesure qu'il avançait dans sa lecture, le conseiller fut gagné par le même dégoût que chaque fois qu'il s'était demandé si le système de grâce fonctionnait réellement comme il le fallait. Celui-ci autorisait le pouvoir exécutif à modifier le verdict pénal rendu par le pouvoir judiciaire : en l'appliquant, le gouvernement décidait ainsi de commuer ou d'effacer la peine du criminel. Critiqué par certains comme allant à l'encontre de la séparation des pouvoirs, ce système était toutefois maintenu, et soutenu par d'autres, car il incarnait un principe noble : celui de secours à quiconque aurait été victime d'un verdict trop procédurier et, partant, inapproprié, ou d'assistance en cas d'erreur des tribunaux, lorsque toute voie de recours avait été épuisée.

Or, dans les faits, seuls sautaient aux yeux les côtés négatifs du système.

Il existait grosso modo deux types de grâces : la grâce par décret et la grâce individuelle. La première était prononcée uniformément au bénéfice de tous les condamnés en cas d'événement heureux ou malheureux au sein de la famille impériale ou de l'État.

En 1988, an 63 de l'ère Shôwa, lorsque se répandit la nouvelle de l'aggravation de l'état de santé de l'empereur, toutes les procédures relatives à la peine de mort furent interrompues. Sachant qu'une grâce par décret serait appliquée au décès de l'empereur et considérant qu'elle inclurait les condamnés à la peine capitale, les exécutions furent ajournées. Si, au premier abord, cela put passer pour une forme d'indulgence de la part de l'exécutif, il en résulta par la suite une incroyable tragédie. En effet, plusieurs accusés condamnés à mort en première instance avaient entamé des procédures devant les tribunaux afin d'obtenir une commutation de leur peine : ceux-ci abandonnèrent d'eux-mêmes toute tentative d'appel ou de pourvoi, et scellèrent du même coup leur condamnation à mort.

Cette tragédie eut lieu parce que la grâce ne s'applique qu'aux condamnés dont la sentence de mort est définitivement prononcée. Si le procès est toujours en cours à la publication du décret de grâce, il est impossible d'en bénéficier. Or, plutôt que de porter leur cas en dernière instance pour faire casser la condamnation à mort, les accusés avaient parié sur la possibilité d'une commutation de peine au moyen du décret de grâce.

Finalement, le décret fut bel et bien appliqué, mais au seul bénéfice des petits criminels, excluant de fait les plus dangereux, purgeant des peines de réclusion à perpétuité ou sous le coup de condamnations à mort. Ainsi, ceux qui avaient retiré leur demande d'appel ou de pourvoi en cassation n'avaient fait que hâter le moment de leur exécution.

Comment cela avait-il pu se produire ? La cause était claire : les critères d'application de la grâce étaient bien trop vagues. En effet, les détenteurs du pouvoir exécutif pouvaient l'appliquer de manière arbitraire, quand et comme bon leur semblait. Il suffisait de regarder les statistiques passées pour s'en convaincre. Les personnes libérées ou ayant recouvré leurs droits civiques par l'effet d'une grâce sont, dans leur écrasante majorité, des condamnés pour violation de la loi électorale. Ceux qui se sont sali les mains pour aider des hommes politiques à remporter des élections en bénéficient donc en priorité.

En revanche, pas un seul condamné à mort n'avait été gracié dans les vingt-cinq dernières années. Cela s'expliquait aussi par une plus grande indulgence des tribunaux. Du moment que le crime commis n'est pas foncièrement inhumain, les risques d'une condamnation à mort sont aujourd'hui nulles. Parmi les quelque mille trois cents coupables d'homicides incarcérés chaque année au Japon, seul un faible nombre – moins de 0,5 % – écope de la peine capitale, soit la proportion prodigieusement basse d'un condamné à mort pour plusieurs dizaines de millions de Japonais. Cette poignée de personnes se compose d'assassins cruels « pour lesquels seule la peine capitale est envisageable », et qu'il apparaîtrait excessif de gracier.

Nonobstant cet état de fait, le conseiller en voulait à la loi de ne pas définir clairement les critères d'application des grâces. Celles-ci s'appliquaient en effet « en fonction de chaque crime, après verdict définitif de la cour ». Cette formulation n'avait aucun sens ! Le directeur du centre de détention avait-il saisi avec justesse le caractère du condamné ? Le conseiller n'arrivait pas à s'ôter de la tête que, en voulant se référer au principe de base du système de grâce, on avait peut-être permis l'exécution d'individus qui méritaient réellement d'être sauvés.

Il avait terminé la lecture de la « proposition d'exécution » de Ryô Kihara. Du moment que les sceaux y étaient apposés, personne ne devrait y trouver à redire.

Le conseiller fit un rapide retour sur sa carrière. En entrant au ministère de la Justice, il avait été à mille lieues de penser qu'il prendrait un jour part à une décision d'exécution.

J'aurais dû y réfléchir à deux fois, songea-t-il en apposant son sceau sur la proposition.

– Ça mérite des hourras, ça, ou non ? dit Nangô une fois qu'ils eurent sondé l'ultime parcelle de terrain.

Trois semaines après le début des recherches dans la montagne, juste avant la fin de la saison des pluies, Jun'ichi et son acolyte avaient achevé la fouille de la zone qu'ils avaient délimitée.

En trois semaines, l'ex-détenu ne s'était absenté qu'une demi-journée, pour se présenter au Bureau d'observation et de protection à Tokyo. Or, bien qu'ils eussent quadrillé chaque mètre carré de terre sous la pluie quotidienne, ignorant la fatigue et les courbatures, ils n'avaient pas trouvé d'escalier.

Jun'ichi s'assit devant la Civic garée en bordure de route. Il était couvert de boue jusqu'à la ceinture, et la pluie gouttait de la capuche de son imperméable.

— Qu'est-ce que ça signifie ? dit-il, le souffle court. Il les aurait rêvées, ses marches ?

— Je ne vois que ça, répondit Nangô en passant une serviette sous son vêtement pour essuyer son corps en sueur. On n'a rien trouvé, malgré tous nos efforts.

— Impossible de prouver l'innocence de Kihara. Je suppose que notre mission se solde par un échec ?

— Non, nous ne sommes pas encore à bout de ressources. Nous allons demander conseil à maître Sugiura, il doit venir ce soir.

Jun'ichi se remémora le visage de l'avocat aux sourires artificiels. Sugiura se déplacerait jusqu'à Katsuura pour entendre un rapport détaillé de la première étape de leurs recherches.

Ils avaient encore du temps. Trois mois leur étaient impartis, se rappela Jun'ichi. Il leur en restait un peu plus de deux.

— Il est encore trop tôt pour baisser les bras, affirma-t-il.

Nangô tourna la tête vers le jeune homme, comme avec admiration. Aussi ce dernier s'empressa-t-il d'ajouter :

— Bien sûr, je veux sauver la vie de Kihara… mais il y a aussi la rémunération.

— C'est vrai. Tu veux soulager tes parents.

— Oui, répondit franchement Jun'ichi.

— Moi, j'utiliserai la prime pour ouvrir ma South Wind Bakery, plaisanta Nangô. Il n'y a rien de mal à être motivé par l'argent. Surtout lorsqu'il sauve des vies.

— Vous avez raison.

Jun'ichi et Nangô se relevèrent avec peine et montèrent dans la Civic. En redescendant le chemin, ils passèrent devant la maison Utsugi. Ayant achevé leurs investigations peu après midi, soit quatre heures plus tôt que d'habitude, ils furent de retour à l'appartement de Katsuura sur le coup de quinze heures.

Ils eurent le temps de se doucher et de faire la lessive avant que Sugiura n'arrive de Tokyo.

— Vous n'avez même pas la télévision ? remarqua avec surprise l'homme de loi, debout dans l'entrée, les bras ballants.

Ses yeux balayaient les deux pièces de neuf mètres carrés, vides à l'exception des futons étendus.

Nangô sembla se rendre compte seulement alors à quel point leur logis était triste et dépouillé. Il eut un rire forcé et dit :

— Vous savez, on a passé tout notre temps à crapahuter dans la montagne, on ne rentrait ici que pour dormir.

— Vous devez être épuisés. Mais ce n'est pas sans bénéfice pour la santé.

Jun'ichi, qui avait vu la bedaine de quarantenaire de Nangô fondre de jour en jour, apprécia la plaisanterie.

— Mais nous n'avons pas trouvé d'escalier, dit le gardien de prison.

À ces mots, l'avocat reprit tout son sérieux.

— Sortons dîner quelque part, si vous le voulez bien. Il faut réfléchir à une nouvelle stratégie.

À l'invitation de Sugiura, les trois hommes quittèrent l'appartement pour se rendre au restaurant de sushis d'un hôtel situé devant la gare. Ils furent immédiatement guidés vers leur table et les deux acolytes comprirent que l'avocat avait dû réserver à l'avance. Était-ce là une façon de les récompenser de leur peine ?

143

Confortablement installés sur des coussins, ils commandèrent de la bière et, avant toute chose, trinquèrent. Ils bavardèrent ensuite de choses sans importance. Tout en se délectant de sushis, après n'en avoir plus mangé depuis des années, Jun'ichi songea qu'il adorerait pouvoir en faire goûter à ses parents.

À la moitié du repas, Nangô entra enfin dans le vif du sujet.

— Donc, à propos de notre affaire…

— Un instant, l'interrompit Sugiura. Je voudrais d'abord vous dire une chose.

— Je vous écoute.

L'avocat regarda tour à tour Nangô et Jun'ichi, hésitant manifestement à aborder un point délicat.

— Un léger problème est survenu…

— De quel genre ?

— Aucun intérêt particulier n'est en jeu, alors je peux vous le dire ouvertement. Cela concerne l'enquête sur le terrain. Mon client souhaite que vous, monsieur Nangô, vous en chargiez seul.

— Seul ? répéta le gardien de prison en jetant un coup d'œil à Jun'ichi, comme inquiet de son sort.

— J'avoue ne pas connaître la raison de son choix, mais quoi qu'il en soit, c'est ce qu'il veut.

Jun'ichi reposa ses baguettes. Les sushis si délicieux l'instant d'avant ne passaient soudain plus. Lui savait pourquoi on l'évinçait de cette affaire.

— C'est à cause de ses antécédents judiciaires ? demanda Nangô en tentant de dompter la colère dans sa voix. Il pense que les preuves ne passeront pas à l'examen de la révision si elles sont rassemblées par un repris de justice ?

— J'ignore ce qui a motivé mon client à formuler cette demande, mais…

— Pas la peine d'essayer de le justifier. Vous l'avez informé des antécédents de Mikami, je suppose ?

144

— En effet, reconnut franchement l'avocat.

Nangô détourna le regard, puis dit, comme en aparté :

— Bordel de merde...

Jun'ichi voyait Nangô sortir de ses gonds pour la première fois. Ce fut une réelle surprise. Personne ne s'était mis en colère pour lui depuis le début de sa détention.

L'atmosphère était devenue oppressante. Cependant, Nangô retrouva d'un coup le sourire, resservit de la bière à Sugiura et lui dit :

— Vous et moi, nous sommes dans de beaux draps.

— Expliquez-vous.

— Eh bien, par exemple, si Jun'ichi ne m'avait pas aidé, la recherche de cet escalier m'aurait pris deux fois plus de temps. Et c'est pareil à partir de maintenant. Me forcer à agir seul va réduire de moitié les chances de prouver l'innocence de Kihara.

— Vous avez raison...

— Et puis, en ce qui concerne la rémunération : ce n'est pas comme si nous avions réclamé le double de la récompense. J'avais prévu dès le début de partager ma part avec Mikami.

Cette fois-ci, Jun'ichi tomba carrément des nues. Nangô avait donc été embauché seul, puis avait accepté de diminuer de moitié sa récompense pour l'engager de son propre chef...

— Qui plus est, poursuivit le gardien, les lèvres barrées d'un grand sourire ironique, votre rémunération à vous aussi est contractuelle et soumise à réussite, je me trompe ?

Mal à l'aise, Sugiura étouffa un rire.

— Qu'avez-vous à redire ? J'ai reçu seul votre offre. Après, j'ai embauché une aide sans vous consulter. Je ne vois vraiment pas en quoi cela vous concerne.

— Ma foi..., dit l'avocat en penchant la tête.

— Il n'y a rien de mal à ça. Tout ce que nous voulons, vous comme nous, c'est maximiser nos chances de toucher la récompense. Et puis, enchaîna Nangô en prenant un visage grave, si Mikami doit se retirer de la course, alors moi aussi. Vous n'aurez qu'à vous trouver de nouveaux enquêteurs.

— Attendez, vous êtes sérieux ?

— On ne peut plus sérieux. Alors, que choisissez-vous ?

— Voilà, j'en étais sûr. C'est bien ce que je pensais, j'en étais sûr, sûr..., s'apitoya Sugiura pour gagner du temps.

Sourire aux lèvres, Nangô attendit patiemment la réponse.

— Entendu, dit Sugiura. En ce qui me concerne, je n'ai embauché que vous. Le reste ne me regarde pas.

— Tant mieux, répondit Nangô, l'air jovial.

Puis il s'adressa à Jun'ichi qui était sur le point d'intervenir :

— Tu n'as aucun souci à te faire.

Le jeune homme resta muet et baissa la tête.

— Désolé pour tout, s'excusa Sugiura auprès de Jun'ichi, avant d'essuyer la sauce de soja au coin de sa bouche avec une serviette chaude. Bon, parlons de la suite des recherches. S'il n'y a d'escalier nulle part, alors nous partons du principe que le souvenir de Kihara n'est pas fiable. Dans ce cas, il vaut mieux changer de tactique.

— Je suis du même avis, approuva Nangô.

— Ainsi, il s'agit de rechercher l'identité du véritable coupable.

Nangô acquiesça. Jun'ichi, nerveux, hasarda :

— Avons-nous des chances d'y arriver ?

— Tant qu'on n'essaie pas, on n'est sûr de rien, répondit Nangô.

Le gardien réfléchit un instant, puis demanda à l'avocat :

— Dites-moi, vous êtes bien spécialisé en affaires criminelles ?

— Oui, c'est d'ailleurs pour ça que je suis pauvre.

— Savez-vous s'il est possible de prélever des empreintes vieilles de dix ans ?

— Tout dépend de l'état de conservation de la pièce à conviction, mais cela doit être possible.

— On utilise pour ça de la poudre d'alumine ?

— Dans le cas d'empreintes latentes et récentes.

— Si c'est de la poudre d'aluminium qu'il nous faut, mon père en a dans son atelier, glissa Jun'ichi.

Sugiura hocha la tête et précisa :

— Toutefois, il se peut que ce soit impossible, vu leur ancienneté. Auquel cas, il faudra utiliser du gaz en spray ou des rayons laser.

— Je vois…

— Pourquoi me demandez-vous cela ?

— Juste à titre de renseignement.

Sugiura opina du chef, se rassit correctement à genoux sur le coussin et reprit :

— J'ai encore une chose à vous dire, à propos du temps qui nous est imparti.

— Trois mois, c'est bien ça ?

— Oui. Sauf que, avant-hier, l'appel de Ryô Kihara a été rejeté. Un recours spécial a immédiatement suivi, mais s'il subit le même sort, je ne pourrai plus répondre de rien… Son quatrième pourvoi en révision sera alors définitivement rejeté.

Après quelques secondes, Nangô demanda :

— Il va être exécuté ?

— Oui. Nous sommes au bord du gouffre. Il ne nous reste certainement pas plus d'un mois de répit.

— Ensuite de quoi, l'exécution pourra avoir lieu à n'importe quel moment ?

— Vous avez compris.

Jun'ichi et Nangô raccompagnèrent Sugiura à la gare puis rentrèrent à pied. Il était plus de vingt et une heures lorsqu'ils arrivèrent dans leur modeste logis, triste et dépouillé. À peine eurent-ils refermé la porte qu'une averse éclata. Visiblement le premier orage annonciateur de la fin de la saison des pluies.

Jun'ichi sortit deux canettes de bière du mini-frigo et entra dans la chambre de Nangô.

Celui-ci, assis en tailleur sous la lampe halogène, l'air sombre, murmura :

— On n'a pas assez de temps.

Son acolyte prit place en face de lui, ouvrit sa canette et demanda :

— Les dates d'exécution ne sont donc pas fixées à l'avance ?

— La loi stipule que, passé le rendu définitif du verdict, le ministre de la Justice dispose de six mois pour donner l'ordre. Le centre de détention doit alors procéder à l'exécution dans les cinq jours qui suivent.

— En réalité, le délai est donc de six mois et cinq jours.

— Oui. Mais il faut ajouter le temps nécessaire aux demandes de révision ainsi qu'aux demandes de grâce. Mettons qu'une demande de révision prenne deux ans : le délai sera alors de deux ans, six mois et cinq jours.

— Où en est Ryô Kihara, déjà ?

Jun'ichi n'eut pas besoin d'aller chercher le dossier du procès dans sa chambre.

— Son délai est dépassé, indiqua Nangô. Un peu moins de sept ans se sont écoulés depuis le verdict définitif. Même en soustrayant les périodes de demande de révision, le délai est dépassé de onze mois.

— Alors comment se fait-il qu'il n'ait pas encore été exécuté ?

— Parce que le ministre de la Justice ne respecte pas la loi, dit Nangô en riant. Il fait un peu comme il veut. De ce point de vue, aujourd'hui, presque toutes les exécutions sont illégales.

— Mais comment est-ce possible ?

— Eh bien, personne ne vient s'en plaindre. Pour les condamnés à mort, vivre ne serait-ce qu'un jour de plus, c'est toujours ça de pris. Et ceux qui procèdent à l'exécution veulent aussi gagner du temps, jusqu'à ce que le condamné recouvre son calme.

Jun'ichi hocha la tête. Il restait cependant une chose qu'il ne comprenait pas.

— Si tout est à ce point équivoque, tout devrait bien se passer pour Kihara, non ? On peut penser qu'il ne sera pas exécuté dans l'immédiat.

— Mais les statistiques des délais moyens avant une exécution montrent que, justement, sept ans est le moment le plus critique.

Jun'ichi ouvrit enfin les yeux. Il comprenait maintenant pourquoi Sugiura et Nangô s'étaient mis dans tous leurs états.

Nangô sirota sa bière tout en se rafraîchissant avec un éventail puis s'allongea sur place. Trouvant soudain l'atmosphère étouffante, Jun'ichi alla ouvrir la fenêtre de la cuisine. Peu importait que la pluie pénètre dans la pièce par le treillis de la moustiquaire, c'était le seul moyen de rafraîchir l'appartement dépourvu de climatisation.

De retour dans la chambre, il demanda :

— Je repensais à ce dont on parlait au restaurant. Vous croyez qu'il reste des empreintes digitales sur l'arme du crime ? Elle est tout de même vieille de dix ans.

— Non, pas sur l'arme, mais plutôt sur le livret bancaire et le sceau. Seulement, la police n'a rien retrouvé de tout ça malgré ses recherches intensives. Donc, pour nous c'est à la fois une bonne et une mauvaise nouvelle.

— Quelle est la bonne nouvelle ?

— L'arme du crime, le livret et le sceau dorment toujours quelque part dans la montagne. Le périmètre que l'on a sondé est le meilleur endroit pour les cacher.

— Et la mauvaise ?

— On aura beau chercher, on ne les trouvera pas.

Jun'ichi eut un faible sourire. Après tout, même les efforts de cent vingt agents de police n'avaient rien donné.

— Par ailleurs, tu te rappelles que le procureur Nakamori nous a parlé d'un morceau de textile imprégné de sueur, découvert sur les lieux de l'accident de moto ? Son propriétaire est du groupe B. J'ai le sentiment qu'il s'agit du tueur.

— Moi aussi.

Nangô semblait avoir repris du poil de la bête, car il se redressa pour dire :

— Quoi qu'il en soit, à partir de maintenant, il faut se demander si le coupable avait déjà vu le couple Utsugi ou non.

— Vous croyez que c'est le cas ?

Jun'ichi n'aurait su dire pourquoi, mais il n'était pas de cet avis.

— Le problème, c'est l'emplacement de la maison. Est-ce qu'un cambrioleur en maraude irait jusqu'à dévaliser cette baraque perdue ? Ou bien au contraire, est-ce qu'il l'a prise pour cible précisément parce qu'elle est isolée ? Après, il faut se demander s'il est probable que Kihara ait été visé dès le début.

— Vous voulez dire, si le coupable avait dès le départ l'intention de lui faire porter le chapeau ?

— Oui.

Nangô alla chercher son calepin dans son sac couvert de boue rangé dans un coin de la pièce.

— J'ai recopié le carnet d'adresses des victimes. Si l'assassin connaissait le couple, alors son nom figure là-dedans.

Jun'ichi feuilleta le calepin et tomba sur le nom de Mitsuo Samura. Y avait-il une chance qu'il soit le coupable ? Tout en pensant cela, il sentit que quelque chose clochait.

Un malaise s'empara de lui, comme s'il venait de prendre conscience, alors qu'il était sûr de suivre le bon chemin, qu'il se trouvait sur une voie complètement différente.

Il leva la tête. Le malaise changea de forme, revêtant une apparence terrible qui évoquait l'attaque surprise d'une bête sauvage.

— Qu'est-ce qui t'arrive ? demanda Nangô.

— Attendez un instant, dit Jun'ichi en tentant de remettre de l'ordre dans le chaos de ses idées. Si jamais on perçait à jour l'identité du véritable coupable, et qu'il était traduit en justice… quel serait le verdict ?

— La peine de mort.

— Même s'il existe des circonstances atténuantes, dans son enfance par exemple ? Même si son mobile n'a rien à voir avec celui de Kihara ?

— Oui. Car les chefs d'accusation, eux, demeureraient les mêmes. Peu importent les circonstances, le tribunal devrait coller à la décision précédente.

— Mais on marche sur la tête, dit Jun'ichi sur un ton désespéré. J'ai accepté cette mission parce qu'elle consistait à innocenter un condamné à mort. On devait sauver la vie d'un être humain. Et là, vous me dites que si jamais on trouve le véritable coupable, c'est finalement lui qui sera envoyé à l'échafaud ?

— Oui. Dans les pays où la peine de mort est en vigueur, livrer les meurtriers sanguinaires à la justice revient à les tuer. Si nous mettons la main sur le véritable coupable de notre affaire, tu peux être sûr qu'il sera exécuté.

— Est-ce qu'on a vraiment le droit de le faire tout en étant conscients de ça ?

— Parce que tu crois qu'on a le choix ? rétorqua Nangô d'une voix forte. Tu as une autre solution ? Si on ne fait rien, c'est un innocent qui sera exécuté.

— Mais…

— Écoute-moi. Nous avons le choix. En ce moment même, deux hommes sont en train de se noyer devant nos yeux. L'un est un condamné à mort innocent, l'autre, un voleur et un meurtrier. Si on ne devait en sauver qu'un, lequel ce serait ?

Jun'ichi répondit mentalement à la question, avant de se rendre compte d'une chose. Si la valeur de la vie d'un criminel est inversement proportionnelle à la gravité de son crime, dans ce cas... Un frisson lui parcourut l'échine. Dans ce cas, sa vie à lui, qui s'était rendu coupable de coups et blessures ayant entraîné la mort, était-elle à ce point dénuée de valeur ?

Nangô affirma sur un ton sans appel :

— En ce qui me concerne, j'abandonnerais le meurtrier.

À ce mot, Jun'ichi eut un mouvement de répulsion.

— Mais auriez-vous pour autant raison de le faire ? Moi, je ne pourrais pas. J'ai tué un homme par le passé. Je suis moi-même un meurtrier.

Nangô ne tiqua même pas.

— Ôter de nouveau la vie à quelqu'un...

Pendant une poignée de secondes, seul le bruit de la pluie résonna dans l'appartement.

— Il n'y a pas que toi qui aies tué quelqu'un, dit Nangô. Moi aussi j'ai tué. Deux personnes.

Jun'ichi n'en crut pas ses oreilles. Il dévisagea Nangô.

— Pardon ?

— J'ai tué deux personnes, de mes propres mains.

Jun'ichi ne comprenait pas. Il songea à une blague, mais l'expression dure et le regard éteint de son interlocuteur suggéraient tout le contraire. En voyant ces yeux sombres et immobiles, il repensa aux gémissements de Nangô, tourmenté chaque nuit par ses cauchemars.

— Que voulez-vous dire ?

— En exécutant des condamnés, dit Nangô, les yeux baissés. C'est ça, le travail d'un gardien de prison.

Jun'ichi fixa Nangô, muet.

4

Le passé

1

Shôji Nangô était âgé de dix-neuf ans, en 1973, lorsqu'il aperçut une affiche de recrutement de gardiens de prison. Nulle part cette annonce ne mentionnait que cela impliquait d'exécuter des condamnés à mort.

Un métier motivant. Corriger les criminels, les guider dans leur réinsertion sociale. Surveiller les parloirs et empêcher ainsi la destruction de preuves, tout en assurant un procès équitable aux prévenus...

Une fois reçu au concours de gardien de prison, Nangô fut affecté au centre de détention de Chiba. Cet établissement de redressement accueillait des condamnés pour leur première incarcération. Or ces hommes n'étaient autres que des criminels de classe LA, condamnés à des peines longues de huit ans ou plus.

Intégré au service de sûreté, Nangô passa un temps à accomplir de menues besognes avant de suivre une formation pour débutants de soixante-dix jours dans un centre de formation au redressement ; quand il en sortit, il était enfin devenu titulaire. Il avait appris le droit carcéral et s'était formé aux techniques de self-défense dans l'intention de devenir un gardien de prison digne de ce nom.

Toutefois, de retour à Chiba, il fut frappé de plein fouet par l'écart entre ses espérances et la réalité. À l'époque, le désordre régnait en maître dans toutes les prisons du pays.

Non seulement les condamnés ne montraient absolument aucune volonté de s'amender, mais ceux qui les surveillaient ne cherchaient pas non plus à faire d'eux des citoyens honnêtes, prêts pour la réinsertion sociale.

Il y avait d'un côté les gardiens poursuivis pour traitements abusifs sur les détenus, et de l'autre ceux qui témoignaient dans ces affaires. Les seconds étaient tôt ou tard manipulés par les détenus, et recevaient des sanctions disciplinaires. Les prisons n'avaient plus rien d'éducatif : elles étaient devenues le théâtre des pires vicissitudes de l'âme humaine.

Afin de mettre un terme à ce chaos, on appliqua une nouvelle méthode de « gestion de l'administration des peines ». Employée pour la première fois à Ôsaka, cette méthode transforma de A à Z l'administration pénitentiaire à travers tout le pays. Ses principes étaient destinés à mater les condamnés une bonne fois pour toutes : du jour au lendemain, on institua des défilés dans le style militaire, on mit sous contrôle chacun de leurs regards ou bavardages. On munit tous les surveillants d'un « carnet de pénalités » constitué de petits formulaires préremplis, afin qu'ils inscrivent et rapportent la plus infime infraction au règlement.

L'année où Nangô fut nommé surveillant pénitentiaire marqua précisément un tournant majeur dans le système japonais d'administration des peines.

Tout en remplissant ses fonctions, le jeune homme ne cessait de se demander ce que, au fond, il était en train de faire.

Devoir punir les prisonniers pour un regard dans la mauvaise direction lorsqu'ils étaient en rang. Travailler avec des collègues qui passaient leur temps à les insulter en les surnommant « écrou », et ne pensaient qu'à atteindre leur quota de pénalités.

Nangô sentait que bon nombre de ses camarades désapprouvaient la nouvelle tendance. Ceux-ci voulaient pouvoir être fiers de leur métier. Ramener un détenu dans le droit chemin, paver pour lui la voie de la réinsertion sociale, jusqu'à éliminer la menace qu'il représentait pour la société… Où étaient donc passés les nobles idéaux de la peine éducative ? Il faut dire aussi que de leur côté les détenus profitaient aussitôt du moindre relâchement dans la sévérité de la réglementation. Par exemple, avant l'introduction du système de « gestion de l'administration des peines », il arrivait qu'un prisonnier yakuza oblige un surveillant à aller lui chercher un plat de nouilles à la baraque du coin.

Comment traiter les criminels au quotidien ? Tel était le dilemme qui se posait en permanence aux surveillants, en première ligne de l'administration pénitentiaire.

Après cinq ans de carrière, un changement se produisit en Nangô, lors de la fête du sport organisée dans l'enceinte de la prison. Les détenus attendaient avec impatience cet événement – le seul jour de l'année où ils pouvaient oublier les relations tendues avec les gardiens et s'ébattre, notamment pour les courses de vitesse.

Tandis qu'il surveillait la fête sur le terrain de sport, Nangô se rendit soudain compte d'une chose. Ici, plus de trois cents meurtriers étaient incarcérés. Trois cents meurtriers par la faute desquels autant d'individus avaient disparu de ce monde.

À cette pensée, Nangô porta un regard radicalement différent sur le spectacle qui s'offrait à ses yeux. Celui des assassins mis en joie par la distribution exceptionnelle de *manjû*, se jetant sur les brioches à la pâte de haricots rouges. Pourquoi faudrait-il leur faire plaisir ? Ce n'était pas comme ça qu'ils allaient repenser à leurs victimes, songea Nangô, sous le choc.

À la même période, le jeune gardien avait l'ambition de décrocher l'examen académique de niveau intermédiaire, premier prérequis pour sa promotion, et s'était mis à étudier d'arrache-pied. À cette occasion, il découvrit les différents débats qui avaient jalonné l'histoire du droit pénal, et l'un d'eux lui revint en mémoire. Sur le continent européen, berceau du droit pénal moderne, l'utilité de la punition avait donné lieu à d'âpres discussions.

Il y avait d'un côté les tenants de la justice rétributive, pour qui le châtiment pénal est une manière de vengeance envers le criminel, et de l'autre les partisans de la justice réhabilitative, qui affirment que celle-ci a pour fonction d'éduquer et d'améliorer le criminel afin d'éradiquer la menace sociale qu'il constitue. Au terme de longs débats, on aboutit à une synthèse des avantages des deux systèmes de pensée, sur laquelle se fonde le système pénal actuel.

Bien sûr, chaque État fait prévaloir dans sa législation l'une ou l'autre théorie. Nombre de pays occidentaux se sont rangés du côté de la justice rétributive, tandis que le Japon a, lui, penché du côté de la justice réhabilitative.

Cette donnée permit à Nangô de comprendre enfin la nature du malaise qu'il ressentait. Si, en surface, le rigoureux système de « gestion de l'administration des peines » défendait la fonction éducative de la peine, dans les faits, il ne servait qu'à serrer davantage la bride aux détenus : tout ça n'était rien d'autre qu'une politique schizophrène.

À la même époque, Nangô considéra le nombre d'âmes en peine incapables de monter au ciel à cause de l'absence de repentir chez leurs assassins, et prit nettement conscience du chemin qu'il devait suivre. Son travail était de punir et corriger les criminels. Si l'on pensait aux victimes, alors l'école de la justice rétributive incarnait certainement l'absolu de la justice.

Dès lors, Nangô accomplit sa fonction en appliquant scrupuleusement le système de gestion de l'administration des peines. Il réussit l'examen de niveau intermédiaire et, à l'issue de sa période de formation, passa surveillant-chef adjoint. De plus en plus apprécié par ses supérieurs, il fut bientôt affecté au centre de détention de Tokyo, dans le quartier de Kosuge.

C'est alors qu'il exécuta son premier condamné à mort.

À vingt-cinq ans, exalté, Nangô n'avait qu'une idée en tête : grimper les échelons. Il avait compris que le monde de la surveillance carcérale était une société de classes où soumission et obéissance absolue au supérieur étaient de mise. À moins d'occuper le haut de l'échelle, on était impuissant. C'est pourquoi il fit le premier pas en ce sens.

C'est précisément lui qui fut chargé de promouvoir le système de gestion de l'administration des peines. De plus, son nouveau lieu d'affectation renfermait des condamnés en attente d'exécution, qui n'avaient aucune possibilité de s'améliorer.

Les condamnés à mort ne sont pas enfermés dans les prisons, mais dans les centres de détention, où ils purgent leur unique peine – ils sont d'ailleurs « en attente de peine ». Tous concentrés au même endroit, ils se voient attribuer un matricule se terminant par un zéro et font l'objet d'une surveillance drastique. Le premier étage du centre de détention de Tokyo, soit le quartier des condamnés à mort, est aussi appelé « district zéro ».

Durant ses six premières années en tant que gardien, Nangô n'avait jamais réfléchi profondément à la peine capitale. À l'instar de la plupart des gens, il ne se sentait pas du tout concerné. Même lorsqu'il inspecta pour la première fois le « district zéro », guidé par un collègue de la Sûreté, ce sujet ne recouvrait pas de réalité pour lui.

Cependant, il fut marqué par le fait que son collègue parlait d'une voix étouffée dans le couloir, et par ses recommandations :

– Faites en sorte de marcher le plus silencieusement possible. Et aussi de ne jamais vous arrêter devant les portes.

– Pourquoi ça ?

— Les condamnés croiront que vous venez pour eux et seront pris de panique.

La visite du premier étage terminée, Nangô eut droit à une anecdote épouvantable. Un surveillant s'était dirigé vers la cellule d'un condamné à mort en vue d'une démarche administrative. En toute inconséquence, il le fit entre neuf et dix heures du matin, l'heure habituelle à laquelle les condamnés sont sortis pour être exécutés. Il appela le prisonnier à travers la porte métallique de sa cellule mais n'obtint pas de réponse. Trouvant cela étrange, il jeta un œil par le judas. Le condamné en question s'était fait dessus, et se trouvait au bord de l'évanouissement. Quelques jours plus tard, un appel fut émis depuis cette même cellule au moyen de « l'avertisseur ». Il s'agit d'un système dont disposent les condamnés pour communiquer avec les gardiens : dans leur cellule, un levier permet de soulever une plaque de bois dans le couloir afin de signaler leur appel. Le surveillant ainsi appelé se rendit immédiatement à la cellule, et jeta à nouveau un coup d'œil par le judas. C'est alors qu'un doigt jaillit et lui creva un œil.

— Les condamnés à mort vivent dans des conditions véritablement extrêmes. Si on ne comprend pas ça, on ne peut pas les traiter de façon appropriée.

Nangô hocha la tête. Cependant, les visages des détenus en train de se régaler de *manjû* lors de la journée sportive demeuraient gravés dans son esprit. Ces hommes-là n'avaient écopé que de quinze ans de réclusion, alors même qu'ils avaient commis un meurtre. Le quartier des condamnés à mort abritait des criminels plus odieux encore, aux crimes incomparablement plus atroces. Comment pouvait-on seulement compatir à leur sort ? se demanda sincèrement Nangô.

Une semaine s'était écoulée lorsque cela se produisit. Il marchait avec le même collègue dans l'enceinte du centre de détention lorsqu'ils tombèrent sur une petite construction de couleur ivoire qui se dressait au milieu d'un bosquet. Elle avait le charme d'une maison de gardien dans un parc forestier.

— Qu'est-ce que c'est que ce bâtiment ? demanda innocemment Nangô.

— Le lieu d'exécution.

Malgré lui, Nangô s'immobilisa. C'était donc là qu'on pendait les condamnés. La solide porte métallique détonnait par rapport à l'extérieur coquet, et l'ensemble évoquait un conte pour enfants cruel. Nangô sentit une vague angoisse lui étreindre la poitrine. L'obligerait-on un jour à participer à une exécution ? Et à ce moment-là, que se passerait-il de l'autre côté de cette porte ?

Depuis, une fois rentré du travail, il s'informait sur le traitement des condamnés à mort. Bien que faisant partie du système, il n'avait d'autre choix que d'apprendre par lui-même, car les réponses de ses collègues plus anciens ne le satisfaisaient nullement. Tous se refusaient aux confidences, comme s'ils voulaient cacher un sombre secret. Sans compter que ceux qui avaient pris part à des exécutions s'avéraient extrêmement peu nombreux.

Un seul s'était livré, un surveillant déjà âgé que Nangô avait rencontré à la prison de Chiba, et dont les paroles résonnaient encore dans sa tête : « Les types viennent forcément à la tombée de la nuit. Les émissaires de la Mort. Si une voiture toute noire se gare un jour devant le siège, ça ne présage rien de bon. »

Sur le coup, Nangô n'avait pas compris de quoi il voulait parler, mais à présent, il devinait qu'il s'agissait là d'une information cruciale sur les exécutions.

En débutant ses recherches sur le traitement des condamnés à la peine capitale, il se heurta à un problème de gestion du système. La loi prescrivait que les condamnés à mort devaient être traités de la même façon que les prévenus des affaires pénales. En d'autres termes, selon la législation, quiconque attendait un verdict définitif était un prisonnier ordinaire. Mais dans les faits, les choses étaient différentes. Sur la base d'une circulaire du ministère de la Justice datant de 1963, la quasi-totalité des condamnés à mort s'était vu interdire tout contact avec le monde extérieur, et les conversations avec les voisins de cellule n'étaient plus autorisées. Pire encore : depuis qu'il appartenait au directeur du centre de détention de réglementer la gestion du courrier, les prisonniers ne bénéficiaient même plus d'un traitement impartial en matière de correspondance.

Même pour Nangô, selon qui les crimes atroces méritaient la plus grande sévérité, cette façon de faire s'avérait problématique. Qu'une circulaire ministérielle puisse à ce point contrarier la suprématie de la loi était impardonnable dans un État de droit. Ce paradoxe agit sur le jeune gardien comme une puissante motivation : s'il réussissait l'examen de passage vers la catégorie supérieure, il serait au sommet. Après cela, s'il parvenait à prendre la tête d'une juridiction correctionnelle, même lui qui n'avait pas fait d'études supérieures pourrait faire jeu égal avec des bureaucrates du ministère de la Justice.

Alors qu'il s'était jeté à corps perdu dans l'étude, Nangô croisa soudain le chemin de la Mort.

Un soir, comme l'en avait averti le vieux surveillant, un véhicule officiel noir se gara dans le centre de détention, sous le porche du bâtiment principal. Un homme d'environ trente-cinq ans, en costume sombre, en descendit avec un paquet emmailloté dans un tissu.

En voyant l'insigne argenté qui brillait sur sa poitrine, Nangô reconnut le vrai visage de la Faucheuse. Le procureur du ministère public de la cour d'appel de Tokyo était venu au centre de détention avec dans ses mains un « ordre d'exécution de la peine de mort ». Le badge sur sa poitrine, symbole du ministère public, possédait un nom : « l'insigne de la gelée automnale et du soleil ardent ». Il reflétait l'inflexible sévérité du ministère dans l'exécution des peines en la comparant au gel mordant de l'automne et à la chaleur torride du soleil d'été.

Nangô eut la certitude qu'une exécution était imminente. Il n'avait cependant aucun moyen de savoir lequel des dix condamnés actuels allait être exécuté.

Deux jours plus tard, aucun remous n'était encore venu troubler l'ordinaire. Nangô remarqua seulement que ses supérieurs du service de sûreté et les gardiens les plus anciens montraient un visage plus grave que d'habitude.

Puis, au soir du troisième jour, il fut convoqué par le directeur de la Sûreté. Dans la salle de réunion, celui-ci arborait une mine sombre et sévère.

— Demain aura lieu l'exécution du numéro 470.

Le visage du condamné passa en un éclair dans l'esprit de Nangô. Un homme d'environ vingt-cinq ans, coupable de deux affaires de viol et d'homicide.

Le chef marqua un silence tout en continuant à fixer Nangô.

— Après avoir bien pesé toutes sortes de considérations, j'ai décidé de te recommander pour prendre part à l'exécution.

Ça y est, fut la première pensée de Nangô. Dans sa tête, curieusement, ressuscita un souvenir qui datait de l'école primaire. Celui de l'angoisse ressentie dans la salle d'attente du dentiste. De la tension lorsque l'assistante l'avait appelé, et de son envie de fuir.

Le chef poursuivit, détaillant ouvertement les raisons de son choix. Il fallait quelqu'un qui mît un soin exceptionnel à accomplir sa tâche quotidienne. Quelqu'un qui ne souffrait d'aucune maladie chronique, et ne comptait aucun malade parmi les membres de sa famille. Quelqu'un qui n'était pas sur le point de devenir père. Qui ne serait pas non plus en deuil… Seuls sept surveillants remplissaient l'intégralité de ces conditions.

— Mais ceci n'est pas un ordre absolu, modéra le chef. Si jamais de quelconques motifs te poussent à décliner, je veux que tu me le dises en toute franchise.

Nangô perçut dans sa voix un réel souci de ses subalternes. S'il refusait, le chef en prendrait probablement son parti. Cependant, lorsqu'il songea à ses six camarades, le jeune homme comprit qu'il ne pouvait pas se dédire.

— C'est bon, accepta-t-il.

— D'accord, répondit le chef en hochant la tête, l'air reconnaissant pour ce pénible choix. Merci, ajouta-t-il.

Une heure plus tard, les sept chargés d'exécution étaient rassemblés dans le bureau du directeur, qui leur assigna formellement leur devoir. Puis ils reçurent un texte écrit à la main par le directeur de la Sûreté et intitulé « Déroulement ». Y étaient notées, précisément et en détail, les tâches qui leur incomberaient durant les prochaines vingt-quatre heures : contrôle du lieu de l'exécution, placement des personnes présentes le jour même, prononcé de la sentence et procédure de transfert du condamné, rôle attribué à chacun des préposés à l'exécution, traitement du corps après la mort et, enfin, attitude à adopter face aux médias.

Suivant ces directives, Nangô et les autres se dirigèrent vers le bâtiment aux allures de pavillon de garde forestier, en vue de préparer les lieux et de répéter le moment de l'exécution.

Ils déverrouillèrent la porte métallique et, lorsqu'ils la poussèrent, un bruit sourd résonna faiblement dans le bosquet endormi. Le doyen du groupe, le surveillant-chef âgé de quarante ans, appuya sur l'interrupteur qui allumait les ampoules halogènes.

L'intérieur était uniformément beige, le sol tendu de moquette. À première vue, l'endroit pouvait passer pour une maison élégante. Mais cette structure différait assez d'une habitation ordinaire. Le rez-de-chaussée, par où Nangô et les autres étaient entrés, ne comportait qu'un vestibule et un couloir. Sur la gauche, un escalier montait vers un entresol tandis qu'à droite une autre volée de marches descendait à une profondeur équivalente. Nangô et les autres étaient entrés au niveau intermédiaire de la construction.

Les sept préposés à l'exécution, toujours muets, gravirent le court escalier menant à l'entresol.

Ils virent en premier trois boutons encastrés dans la paroi du couloir. Appelés boutons d'exécution, ceux-ci servaient d'interrupteurs pour ouvrir la trappe du gibet. Ils étaient au nombre de trois pour que, des trois responsables qui les presseraient simultanément, aucun ne sache lequel aurait fait passer le condamné de vie à trépas.

Les trois surveillants préposés aux boutons restèrent dans le couloir tandis que les quatre autres, dont Nangô, pénétrèrent dans la pièce de l'autre côté du mur, appelée salle de l'autel.

Cet espace tendu de rideaux plissés mesurait environ neuf mètres carrés. En face, un autel, et au centre de la pièce, une table avec six chaises. Là, l'aumônier lirait des soutras et le condamné prendrait son dernier repas.

Deux des quatre bourreaux accompliraient leur travail ici. Lorsque viendrait enfin le moment de l'exécution, l'un d'eux banderait les yeux du condamné pendant que l'autre lui attacherait les mains derrière le dos.

En guise d'exercice préparatoire, Nangô ouvrit les rideaux au fond de la pièce et avança de l'autre côté.

Toutefois, au moment où ses yeux se posèrent sur la trappe, il recula malgré lui d'un pas.

Celle-ci se trouvait à moins d'un mètre des rideaux, et mesurait environ un mètre carré. Elle était elle aussi recouverte de moquette, afin que le condamné, dont les yeux seraient bandés, ignore quand on l'y placerait.

Au-dessus pendait une corde de chanvre de deux centimètres d'épaisseur. Elle devait bien mesurer en tout huit mètres de longueur. Nouée à son extrémité au mur d'à côté, elle passait par une poulie fixée au plafond avant de retomber au-dessus de la trappe.

La mission de Nangô était de mettre cette corde autour du cou du condamné. Un instant durant, il resta paralysé devant les rideaux. Ses six collègues se tenaient prêts, silencieux. Il voulut déglutir, mais il n'avait plus une goutte de salive dans la bouche. N'ayant plus le choix, il poussa un soupir semblable à un râle, avança vers le gibet et saisit l'extrémité de la corde enroulée.

Un morceau de cuir noir gainait la partie qui entrerait en contact avec le cou du condamné. En la voyant briller d'un éclat aussi vif, Nangô eut l'impression d'inhaler l'odeur même de la mort. À la naissance de la boucle se trouvait une plaque de fer de forme ovale, munie de deux orifices. La corde passait par le premier orifice, formait une boucle, puis repassait par l'autre. De la sorte, il suffisait d'appuyer sur la petite plaque métallique pour bloquer la corde autour du cou du condamné.

En revoyant mentalement le déroulé de cette procédure, Nangô fut pris de nausée. Mais qu'il le voulût ou non, c'était là sa tâche. Tant que la peine de mort était maintenue dans le droit japonais, il fallait que quelqu'un l'accomplisse.

Il se remémora les instructions – ajuster la corde pour que, après la chute du condamné, ses pieds se trouvent à trente centimètres du sol –, et se mit au travail. Même la taille du condamné numéro 470 était inscrite sur le document.

Une fois la longueur de la corde réglée, les répétitions débutèrent sous la direction du surveillant-chef. Le cadet des trois surveillants restés dans le couloir fut choisi pour figurer le condamné à mort. Il eut les mains menottées, les yeux bandés, puis on ouvrit le rideau. On l'amena jusqu'au gibet et on le fit se tenir debout sur la trappe. À côté de lui, le chef d'équipe lui lia les jambes et Nangô lui mit la corde au cou. Puis ils reculèrent d'un pas. Lors de la véritable exécution, le directeur de la Sûreté devrait envoyer un signal aux trois gardiens dans le couloir. Ceux-ci presseraient alors en même temps les boutons, et le corps du condamné chuterait dans le demi-sous-sol, profond de deux mètres soixante-dix.

Ils répétèrent cette procédure de nombreuses fois, toujours plus rapidement. Nangô fut étonné de voir à quel point tout s'enchaînait vite. Entre le moment où le numéro 470 passerait les rideaux et celui où la trappe s'ouvrirait, il ne devrait même pas s'écouler plus de dix secondes. À présent, Nangô était rodé pour mettre la corde autour du cou du prisonnier.

La répétition s'acheva à vingt-deux heures passées. Les sept bourreaux retournèrent à pied jusqu'à leur caserne, où ils se séparèrent. Deux d'entre eux rentrèrent directement chez eux, quatre autres se rendirent dans un lieu de détente pour gardiens appelé « Le Club ».

Nangô, quant à lui, retourna à la prison. Il négocia avec le chef du personnel de garde et obtint l'autorisation de consulter le dossier du numéro 470. Préalablement à l'exécution, il voulait connaître le crime du condamné qu'il allait tuer.

Seul dans la salle de réunion, il s'assit et feuilleta le dossier en silence. Le numéro 470 avait été reconnu coupable de deux meurtres avec viol. Âgé de vingt et un ans à l'époque des faits, il était étudiant en troisième année d'université à Tokyo. Ses victimes étaient au nombre de deux : des fillettes âgées de cinq et sept ans.

À mesure qu'il avançait dans sa lecture, Nangô ressentait tout de même un léger soulagement. Sa haine à l'égard du condamné à mort s'était mise à bouillir naturellement en lui, sans effort de volonté de sa part. Il aimait depuis toujours les enfants, et les crimes qu'ils subissaient avaient le don de décupler son indignation. Il repensa à sa nièce. Celle-ci s'ébattait joyeusement lorsqu'il rendait visite à son frère jumeau de Kawasaki, et criait que « tonton qui avait le même visage que papa » était venu. Le simple fait de songer qu'elle puisse être victime d'une telle chose lui laissa imaginer le sentiment de révolte qui submergerait sa famille, ainsi que la société tout entière.

Qui plus est, durant son audience, le numéro 470 s'était attiré les foudres du président du tribunal, tantôt en simulant des problèmes mentaux, tantôt en prétendant que les victimes l'avaient provoqué sexuellement. Le verdict, qui faisait état de « l'impossibilité manifeste de faire revenir l'accusé dans le droit chemin », fut la condamnation à mort, naturellement.

Le dernier souci de Nangô fut alors de s'assurer que les preuves avaient bien été réunies. Que le numéro 470 n'avait fait l'objet d'aucune fausse accusation. Que l'on n'allait pas tuer un innocent.

D'après les minutes du procès attachées au dossier, il ne semblait pas y avoir d'inquiétude à se faire sur ce point. Le liquide séminal resté dans le corps des fillettes correspondait à l'ADN et au groupe sanguin de l'accusé, et ses sous-vêtements, saisis au moment de l'enquête, comportaient des sécrétions vaginales des victimes mêlées de sang. En plus de ces pièces à conviction établissant les viols, on avait découvert, accrochés au pull en laine du prévenu, des éclats de la pierre qui lui avait servi à achever ses victimes.

Nangô ferma les yeux par réflexe en visualisant la scène suggérée par ces preuves matérielles.

Deux petites filles avaient eu le crâne fracassé à coups de pierre, après avoir été violées.

Un être humain ne pouvait commettre un tel crime. Même une bête sauvage ne ferait pas cela.

Ce que Nangô s'apprêtait à exécuter valait moins qu'un animal.

Cette nuit-là pourtant, il n'arriva pas à dormir. Et il allait comprendre plus tard que ce sommeil agité n'était encore rien comparé à celui des nuits futures.

Le lendemain matin, les sept bourreaux et leur supérieur hiérarchique au visage livide étaient présents à l'appel pour l'attribution exceptionnelle des postes. Pas un n'avait réussi à dormir d'un sommeil profond.

L'appel fini, les sept se dirigèrent vers le lieu d'exécution. Après une ultime répétition, ils brûlèrent de l'encens sur l'autel bouddhique. Tous prièrent, Nangô le premier. Les mains jointes devant l'autel, ils ne pouvaient cacher leur gêne. Ils étaient en train de rendre hommage non pas à un mort, mais à un vivant. Une fois cela terminé, ils s'assirent et attendirent l'heure de l'exécution.

Neuf heures trente-cinq : la porte métallique du rez-de-chaussée s'ouvrit. Nangô, qui patientait dans la salle de l'autel, entendit la voix de l'aumônier psalmodier des soutras. Un cortège gravit l'escalier – l'aumônier, le numéro 470, cinq cadres du centre pénitencier, le procureur, des fonctionnaires administratifs de la police, et, en tête, le surveillant-chef – et entra dans la pièce bouddhique.

Nangô voyait le 470 de près pour la première fois. L'odieux violeur et meurtrier de deux fillettes avait un visage mince et un corps frêle. La maigreur de ses bras suggérait qu'il ne pouvait maîtriser que de très jeunes enfants.

Après avoir été sorti de sa cellule, il avait été conduit dans l'auditoire pour recevoir sa sentence de mort. À présent sur le point d'être pendu, il pleurait, les mains menottées devant le corps. Sa bouche se tordait en un rictus, un ruisseau de larmes coulait sous ses sourcils grimaçants.

— Nous t'avons préparé plein de bonnes choses à manger, dit le directeur de la Sûreté d'une voix douce, tout en défaisant ses menottes. Sers-toi autant que tu veux.

Le 470 posa les yeux sur les plats. Des légumes, de la viande, du riz blanc et des fruits. On avait aussi pris soin de préparer des desserts sucrés : pâtisseries japonaises et occidentales, biscuits et chocolat.

Le condamné, en pleurs, tendit une main et essaya de prendre une bouchée de *manjû*. Mais il la recracha aussitôt avec un petit gémissement nauséeux, se précipita pour tenter de ramasser la brioche tombée au sol, puis soudain il s'immobilisa et leva le visage vers les hommes qui l'entouraient.

Son regard s'arrêta sur Nangô, qui se crispa. Le gardien sentit la sueur imprégner les gants blancs neufs qu'il avait revêtus pour l'exécution.

Les yeux toujours rivés sur Nangô, le 470 implora avec peine, d'une voix entrecoupée de sanglots :

— Au secours. Ne me tuez pas.

Nangô tenta désespérément d'invoquer la haine qu'il avait ressentie à l'égard du jeune homme à présent livide.

Le 470 repoussa la main du surveillant-chef qui essayait de l'arrêter, puis se prosterna devant Nangô, front au sol.

— Aidez-moi ! Je vous en supplie ! Ne me tuez pas !

Le gardien, paralysé, baissa les yeux sur le condamné. Ce qu'il avait devant lui n'était rien d'autre qu'un homme minuscule et misérable. Alors, toute la haine éprouvée depuis la veille au soir s'abattit sur le 470, qui implorait sans relâche pour sa vie.

« Quel plaisir tu as ressenti quand tu as violé la chair et pris la vie des fillettes ? »

Et ce plaisir, est-ce qu'il égale la peur de la mort que tu goûtes à présent ?

Le surveillant-chef releva le condamné. Les hommes dans la pièce échangèrent quelques regards, et tous comprirent qu'il allait falloir hâter les derniers instants du 470. Le fait qu'ils s'apprêtaient à tuer un homme faisait naître entre eux une sorte d'esprit de corps.

— As-tu une dernière chose à dire avant de partir ? fit tout de même l'effort de demander, de sa voix douce, le directeur de la Sûreté. Tu peux aussi écrire, si tu veux.

170

Au même instant, la voix qui n'avait cessé de psalmodier les soutras s'interrompit. L'aumônier se taisait pour rendre audibles les derniers mots du condamné.

Dans le brusque silence, le 470 ouvrit la bouche pour dire :

— Ce n'est pas moi.

La vingtaine d'hommes présents dans la pièce bouddhique se figèrent.

— Je vous le jure, ce n'est pas moi qui ai fait ça.

— Tu n'as plus rien d'autre à dire ? s'enquit le directeur de la Sûreté. C'est bien tout ?

— C'est pas moi ! Au secours !

Le 470 s'agita, mais trois gardes plongèrent sur lui. En même temps, le directeur du centre donna un ordre bref :

— Qu'on l'exécute !

Une mêlée de pas confus se fit entendre. L'aumônier reprit sa psalmodie d'une voix remarquablement puissante.

On plaça une cagoule sur la tête du 470. Nangô, qui observait la scène, ouvrit les rideaux et se précipita sur le gibet.

Face à lui pendait la corde, réglée à la bonne longueur.

Il jeta malgré lui un coup d'œil par-dessus son épaule. Ses collègues avaient maîtrisé au sol le 470 et tentaient de lui menotter les mains dans le dos.

Cette corde, il fallait la lui faire passer autour du cou. À cette pensée, Nangô blêmit. La psalmodie qui emplissait la pièce ne fit que l'ébranler un peu plus. Ce soutra, une prière pour le repos de l'âme des morts, n'apaisait pas le cœur. Celui à qui il était destiné était vivant. L'oraison avait pour seul effet, occulte, de réveiller la curiosité morbide présente en chaque homme.

— Aidez-moi ! Aidez-moi ! hurlait le 470 maintenu immobile.

Le directeur lança :

— Tu vas te sectionner la langue si tu parles !

Mais cela ne suffit pas à le faire taire. Le 470 continua à pousser des cris en se débattant désespérément contre les gardes qui lui enserraient les bras et le traînaient jusqu'à la trappe.

Nangô tenta de saisir aussi vite que possible la boucle de la corde. Mais ses mains semblèrent bouger au ralenti.

Les pieds du 470 s'arrêtèrent pile devant la trappe. Nangô chercha à fermer son esprit à la voix qui psalmodiait et aux cris du condamné. À ce stade, il ne pouvait que se raccrocher aux mots de Kant, qui soutenait la théorie de la justice rétributive.

Seule une parfaite égalité des peines est justice...

Les pieds du 470 se posèrent sur la trappe.

Seule une parfaite égalité des peines peut fonder la sentence pénale...

Nangô leva la corde de chanvre dans ses mains tout en se répétant ces phrases.

Même si la société civile devait se dissoudre...

Il passa la boucle gainée de cuir noir autour du cou du 470.

Le dernier meurtrier devrait au préalable être exécuté...

— C'est pas moi.

Nangô entendait la voix du 470 sous la cagoule qui l'aveuglait.

— Au secours...

Il poussa la pièce métallique ovale sur la nuque du condamné. Puis il recula d'un pas.

L'instant d'après, un choc emplit la pièce entière, comme un grondement de la terre, et la trappe s'ouvrit, reliant le lieu de l'exécution aux abîmes. Le corps du 470 disparut, comme avalé par le trou qui venait d'apparaître. La corde se tendit et, au même moment, il y eut un bruit de respiration qui cesse, d'os qui se fracturent et de corde qui grince.

La corde de chanvre minutieusement ajustée par Nangô se balançait de gauche à droite devant ses yeux, comme preuve du devoir parfaitement accompli.

— Nous pouvons descendre.

C'était la voix du directeur, guidant le procureur et les fonctionnaires administratifs. Le groupe se rendit au demi-sous-sol pour constater le décès du numéro 470.

Nangô resta debout sur place. Il s'efforçait de tenir à distance l'oraison qui continuait. Au bout d'un moment, le balancement de la corde cessa. Les trois surveillants qui avaient appuyé sur les boutons étaient descendus à leur tour et avaient immobilisé le corps convulsé du 470. À présent, à l'étage du dessous, un médecin pénitentiaire devait être en train d'apposer son stéthoscope sur la poitrine et d'attendre l'arrêt du cœur.

Seize minutes plus tard, l'arrêt cardiaque du 470 fut confirmé. La loi carcérale exigeait que le corps du condamné à mort reste pendu cinq minutes supplémentaires.

Il était dix heures pile lorsque Nangô et les autres descendirent au demi-sous-sol pour se charger du cadavre. En quinze minutes environ, celui-ci fut désinfecté à l'alcool et recouvert d'un linceul. Il fut ensuite mis en bière et transporté dans la chambre mortuaire attenante au lieu d'exécution, après quoi Nangô et ses collègues eurent fini leur tâche. On leur versa, en guise de traitement spécial, la somme de vingt mille yens en liquide, on leur intima l'ordre de ne dévoiler sous aucun prétexte ce qui s'était produit dans ces lieux, et après quelques rasades d'alcool pour se nettoyer l'esprit, ils allèrent se laver aux bains du « Club » situé dans la caserne.

Nangô eut l'impression de vivre cette suite d'actions à travers les yeux de quelqu'un d'autre.

Les sept gardiens ayant pris part à l'exécution sortirent en même temps du centre de détention. Il était seulement midi. Après une balade presque silencieuse en ville, ne supportant plus de rester ensemble, ils se séparèrent. Seul dans le quartier des restaurants et des bars, Nangô chercha un endroit ouvert à cette heure-là pour boire.

173

Lorsqu'il reprit conscience, il faisait nuit et il était dans la rue. À quatre pattes sur le bitume en train de vomir tripes et boyaux.

Il devait avoir trop forcé sur la boisson. Il fouilla sa conscience embrumée à la recherche des quelques minutes précédentes. N'était-il pas en train de se saouler au whisky au comptoir d'un bar ?

Il continua à vomir un moment, et se rappela enfin comment il avait attrapé la nausée. Tandis qu'il buvait, dans sa tête avait soudain ressuscité la scène du traitement du corps. Lorsqu'il avait retiré la cagoule du 470 toujours pendu à la corde, afin de s'assurer de la mort, un bout de langue sectionné était tombé à ses pieds.

J'ai tué quelqu'un.

Les yeux exorbités et le cou allongé d'une quinzaine de centimètres à cause de la chute.

La justice en laquelle Nangô pensait croire n'avait pu apporter aucune réponse à cette réalité atroce.

Tout en répandant ses sucs gastriques sur le trottoir, le gardien fondit en larmes. Le sentiment d'avoir commis un acte irréparable lui serra la poitrine, un profond repentir l'assaillit, des souvenirs de repas avec sa famille lorsqu'il était adolescent lui revinrent subitement et il se demanda, encore et encore, comment il avait pu en arriver là. Peut-être que s'il avait réussi l'examen d'entrée dans une meilleure université que son frère, il n'en serait jamais venu à tuer un homme. Ou peut-être était-ce là son destin, scellé dès sa naissance et auquel il ne pouvait se soustraire. Était-il venu au monde pour devenir un meurtrier ?

Loin de se tarir, ses larmes coulèrent avec une force redoublée. À quatre pattes par terre, vomissant, il se trouva encore plus lamentable, et poussa de bruyants sanglots.

Puis, pendant une semaine, le travail recommença comme avant. Le huitième jour, n'en pouvant plus, Nangô prit un jour de repos, alla chez le médecin et se fit prescrire des somnifères.

En allant chercher sa prescription, il remarqua un petit pendentif en croix qui brillait sur la poitrine de la pharmacienne. Lorsqu'il lui demanda si elle était chrétienne, la jeune fille lui sourit timidement et fit non de la tête. Il s'agissait seulement d'un accessoire, lui expliqua-t-elle. Pour Nangô toutefois, cet événement prit des airs de révélation.

Chaque soir, après avoir avalé ses somnifères, il employait le temps qu'il mettait à s'endormir à lire tous les textes religieux existants. La parole de Dieu transcrite dans ces livres était sublime, pleine de miséricorde, et parfois stimulante. Finalement, après y avoir puisé un extraordinaire sentiment de bien-être, Nangô jeta tous ses textes sacrés.

Se raccrocher à Dieu lui semblait lâche.

C'est l'Homme qui avait tout fait – aussi bien les crimes atroces sur les fillettes que la condamnation de celui qui les avait perpétrés. Le crime et le châtiment avaient été engendrés par la main de l'Homme. N'était-ce pas à l'Homme d'apporter une réponse aux actions de ses semblables ?

Le gardien mit sept ans pour répondre à cette question.

Nangô épousa la jeune femme au pendentif en croix. Cinq bonnes années s'étaient écoulées entre leur rencontre et leur mariage. Après leur première nuit ensemble, elle lui avait avoué qu'il avait fait des cauchemars jusqu'au réveil. Nangô n'était soudain plus très sûr de vouloir lui demander sa main. Il n'avait parlé de l'exécution à personne. Il se demandait s'il pouvait vraiment s'unir à cette femme tout en continuant à lui cacher son expérience de bourreau. Toutefois, ne voulant pour rien au monde perdre la sérénité qu'elle lui procurait, il prit la décision de se marier.

Deux ans après s'être mis en ménage, ils eurent un petit garçon.

Cet adorable poupon faisait fondre son père. Devant le visage endormi du bébé, Nangô retrouva sa motivation pour passer l'examen de catégorie supérieure qu'il avait abandonné. Il en arrivait également à penser que ce qu'il avait fait sept ans plus tôt était juste.

Si jamais son propre enfant avait été tué, et que son meurtrier se trouvât devant ses yeux, il lui réserverait à coup sûr le même sort. Cependant, autoriser à rendre justice soi-même plongerait la société dans le chaos. C'est pourquoi l'État se posait en tiers entre les parties et s'arrogeait le droit de punir, d'infliger les peines à leur place. Le cœur humain était en proie au sentiment de vengeance, un sentiment né de l'amour porté à la personne décédée. Ainsi, la loi étant faite par les Hommes et pour les Hommes, la justice rétributive et l'idée de peine de mort qu'elle implique n'étaient-elles pas naturelles ?

Depuis l'exécution du numéro 470, Nangô avait commencé à douter du bien-fondé de la peine capitale. Mais il prit conscience qu'il se fourvoyait : ses doutes provenaient du dégoût d'avoir eu à tuer quelqu'un de ses propres mains. L'instant qui avait précédé l'exécution, il soutenait encore la peine de mort.

Il repensa aux sept années écoulées, et se projeta de nouveau à ce moment-là. Le moment où il avait baissé les yeux sur le numéro 470 agenouillé et implorant pour sa vie, le moment où tout son cœur débordait de haine.

Aussi, lorsque pour la seconde fois de sa vie il reçut l'ordre de procéder à une exécution, Nangô réussit une nouvelle fois à maîtriser son émoi. En prenant sur lui, il arriverait forcément à dépasser sa répulsion physiologique à tuer un être humain. Quand bien même il en perdrait le sommeil pour les quarante prochaines années, justice devait être faite.

Nangô reçut cet ordre après sa mutation dans une annexe du centre de détention de Fukuoka. Il devait encore gravir les échelons de la hiérarchie s'il voulait arrêter de changer aussi fréquemment d'affectation.

Le soir précédant l'exécution, il se rendit au « Club », où il rencontra un jeune surveillant en train de boire, le visage livide. C'était son subordonné, Okazaki. Lui aussi avait été sélectionné comme bourreau. Okazaki, Nangô et un troisième surveillant seraient chargés de presser simultanément les boutons qui ouvriraient la trappe sous les pieds du condamné.

Se revoyant quelques années plus tôt à la place d'Okazaki, Nangô s'assit à son côté. Ce fut le jeune homme qui parla le premier du traitement des condamnés à mort d'un point de vue très général, afin d'éviter d'aborder directement l'exécution du lendemain. Le jeune surveillant nourrissait les mêmes doutes que Nangô autrefois, se demandant comment il était possible que la circulaire du ministère de la Justice écrase d'un total mépris les règles du droit carcéral.

— J'ai beaucoup réfléchi à cette question, dit Nangô. Le ministère souhaite probablement réviser la loi carcérale. Mais comme les politiciens ne bougent pas, il en est incapable. Il a donc dû émettre cette circulaire en désespoir de cause.

— Vous voulez dire que les mauvais dans l'histoire, ce sont les politiciens qui refusent de modifier la loi ?

— En apparence, du moins. Mais il faut aussi se demander pourquoi ces parlementaires ne lèvent pas le petit doigt. En fait, ces démagos ont peur que leur image publique ne soit ternie dès qu'ils parleront de réformer le traitement des détenus, et particulièrement celui des condamnés à mort. Ça ferait chuter leur popularité.

— Donc c'est bien la faute des politiques, non ?

— Est-ce que tu sais au moins ce que disent les sondages sur la peine de mort ?

— Plus de la moitié des citoyens sont pour, je crois.

— C'est ça, dit Nangô. D'un côté, les Japonais veulent punir de mort les criminels foncièrement inhumains, de l'autre, ils voient d'un œil mauvais ceux qui parlent ouvertement de le faire. C'est ça qui est sournois chez ce peuple qui cloisonne autant ce qu'il pense et ce qu'il montre aux autres.

Okazaki, comme s'il s'était rappelé quelque chose, finit par hocher la tête.

— C'est vrai qu'à la télé personne ne soutient ouvertement la peine de mort.

— Exact. Et puis, il n'y a pas que les politiques qui soient mal vus. Il y a nous aussi. On a beau agir conformément au désir du peuple, on est tout de même montrés du doigt. Personne ne nous remercie de débarrasser la société de ses pires pourritures, résuma Nangô en poussant un soupir. Il faut pourtant bien que quelqu'un s'en charge.

— Dans ce cas...

Okazaki balaya la pièce du regard, puis demanda, en baissant la voix :

— Vous aussi, vous êtes pour la peine de mort ?

— Oui.

— Et vous soutenez aussi l'exécution du numéro 160 de demain ?

Nangô fixa son collègue. Celui-ci sembla soudain nerveux, il attendait véritablement une réponse.

— Pourquoi ? Son cas a quelque chose de spécial ?

Okazaki ne répondit pas.

Le gardien eut un pressentiment désagréable.

— Ne me dis pas qu'il serait innocent...

— Non. Il n'y a pas de problème concernant les preuves. Mais...

Le jeune surveillant ravala ses mots, réfléchit un instant puis dit :

— Lisez son dossier. À la dernière page.

Nangô se rendit dans le bâtiment des condamnés à mort. Il pensait déjà tout savoir sur le numéro 160. Cet homme de presque soixante ans s'était porté caution solidaire pour le prêt de l'une de ses connaissances et avait fini criblé de dettes. Après avoir sérieusement hésité entre se suicider avec toute sa famille et commettre un braquage, il avait choisi la seconde option. Le braquage avait fait trois victimes : un couple de bourgeois âgé et leur fils. S'il avait opté pour le suicide et tué sa femme et ses deux enfants, non seulement il n'aurait pas été condamné à mort, mais il aurait même aussi échappé à la perpétuité.

Nangô reçut l'autorisation de consulter le dossier de suivi du condamné, emporta l'épais classeur dans la salle de réunion, déserte la nuit, et, ainsi qu'il l'avait fait sept ans plus tôt, se mit à lire.

Avant d'aller à la dernière page, comme le lui avait enjoint Okazaki, il tomba sur un document relatif aux croyances religieuses du numéro 160 :

« Juste après son arrestation, il reconnaît les faits qui lui sont reprochés et, durant sa première audience, se convertit au catholicisme. »

Nangô suivit le texte du doigt.

« Le condamné n'est pas pour ainsi dire un "croyant opportuniste" qui embrasse plusieurs religions à la fois : il suit les recommandations de son aumônier et prie tous les jours pour ses victimes. »

Nangô se demanda si Okazaki avait fait allusion à ce passage. La question se posait en effet : était-il réellement nécessaire d'exécuter un condamné ostensiblement repentant ?

Mais il avait déjà sa propre réponse. Il avait mené un examen comparatif entre les nombreux condamnés à mort et à perpétuité rencontrés durant sa carrière, et avait abouti à la conclusion suivante.

Peu importait l'atrocité de l'acte commis, une proportion non négligeable des condamnés à perpétuité ne montrait aucun repentir. Leur cœur était rempli de prétextes qui les excusaient, et ils n'étaient pas rares, ceux qui en voulaient même à leurs victimes pour s'être trouvées au mauvais endroit, au mauvais moment. On pouvait parier que ces derniers se tenaient à carreau dans le seul but d'obtenir une remise en liberté conditionnelle pour bonne conduite.

À l'inverse, certains se repentaient sincèrement. Ils constituaient d'ailleurs la majorité. Néanmoins, leur attitude différait de la contrition, née d'une espèce de passion, que manifestait une partie des condamnés à mort. Ce repentir fervent, qui confinait à l'extase religieuse, ne se retrouverait-il donc que chez ces derniers ?

Au terme de ces observations, Nangô finit par conclure que, après tout, la repentance des condamnés à mort n'était peut-être rien d'autre que le fruit de la sentence prononcée à leur encontre. Un phénomène ironique était à l'œuvre : la sentence de mort, soutenue par la théorie rétributive de la peine criminelle, déclenchait le sentiment de contrition, or c'était là le but recherché par la théorie de la justice réhabilitative.

La conversion du numéro 160 apparut à Nangô comme une forme d'ironie supplémentaire. L'attitude des condamnés vis-à-vis du prêche de l'aumônier carcéral servait de critère d'évaluation de leur équilibre émotionnel et, partant, de facteur pour déterminer la période à laquelle on les exécuterait. Plus ils suivaient les enseignements de l'aumônier et avaient gagné la sérénité du cœur, plus tôt ils passeraient à l'échafaud.

C'était sûrement l'aspect paradoxal du système qui mettait Okazaki à ce point mal à l'aise, songea Nangô en feuilletant le dossier jusqu'à la dernière page.

Il trouva là la photocopie d'une missive. Rédigée à la main sur du papier à lettres de bonne qualité par la fille du couple assassiné par le numéro 160, et destinée au président du tribunal de première instance de Fukuoka.

Lorsqu'il lut la phrase « *Je m'oppose à cette condamnation à mort* », Nangô n'en crut pas ses yeux.

Il tomba des nues. Pour lui, qui aurait appliqué la loi du talion si son propre enfant avait été tué, cette phrase était aussi incompréhensible que choquante.

« *L'accusé a déjà fait suffisamment en guise de consolation.* » Nangô tourna les pages du dossier à toute vitesse. Cela signifiait certainement que la femme avait reçu une compensation financière satisfaisante. Or le numéro 160 avait tué à cause de problèmes de dettes, il était loin d'avoir les moyens de s'acquitter de lourds dommages-intérêts. En onze ans de travaux volontaires, il avait envoyé à la famille de ses victimes la maigre somme de deux cent mille yens.

Nangô retourna à la lettre adressée au président du tribunal. Son auteure y dévoilait son ressenti :

« *J'ai d'abord éprouvé, moi aussi, un puissant et inextinguible sentiment de haine à l'égard de l'accusé. Puis j'ai songé à son enfance dans une famille défavorisée, aux épreuves qu'il a dû traverser sans le secours d'une éducation, et au fait qu'il ait contracté des dettes à cause de la confiance accordée à un ami : c'est pourquoi j'hésite aujourd'hui à souhaiter sa condamnation à mort. Si ma vie avait été semblable à la sienne, qui sait si je n'aurais pas fini par faire, à d'autres, la chose qu'il a faite à ma famille ? Pour autant, je ne vous demande pas d'acquitter l'accusé. Je veux qu'il continue à vivre, comme maintenant, en prison, où il continuera à prier pour l'âme de mes parents et de mon frère.* »

Cette missive était bien plus puissante que n'importe quel brûlot théorique contre la peine de mort. Mais pour puissante qu'elle fût, Nangô la trouvait irritante. *Alors qu'on se torture l'esprit à la veille de l'exécution, pourquoi faut-il que je lise ce genre de…*

Il se rendit compte qu'il éprouvait de la haine envers son auteure, et se reprit.

Il lut le verdict de la première instance. Le président, destinataire de la lettre, avait prononcé la réclusion à perpétuité. Cependant, le parquet avait fait appel et, en deuxième instance, le premier verdict avait été brisé, et la peine capitale prononcée, au motif suivant :

« *La cour reconnaît à la fois que l'accusé a manifesté un repentir constant durant l'intégralité de l'enquête et de l'audience, et que la famille des victimes a demandé une réduction de peine. Ce nonobstant, il demeure que l'accusé a commis un crime effroyable et inhumain, dont l'impact sur la société est des plus graves, qu'il ne bénéficie d'absolument aucune circonstance atténuante, et que même la peine capitale, en étant prononcée, ne suffira pas à rendre la justice de manière notable.* »

Par la suite, la Cour suprême avait rejeté le pourvoi en cassation de l'accusé mais aussi sa demande de rectification du verdict, et confirmé la sentence de mort.

La conclusion à laquelle était arrivée la cour n'était pas justice – ainsi le ressentait Nangô. Sept ans auparavant, il avait pu soutenir la peine de mort et légitimer l'exécution à laquelle il avait participé en se raccrochant au sentiment de vengeance éprouvé par les victimes. Ce sentiment désormais effondré, il ne pouvait plus s'appuyer que sur des principes de droit, bâtis par des juristes. Ainsi, le numéro 160 serait exécuté pour avoir porté atteinte aux intérêts et principes protégés par la loi.

Mais était-ce une bonne chose pour autant ? Le système de grâce, mesure salutaire visant à corriger ce genre de verdict standard, n'avait pas fonctionné pour le numéro 160.

Nangô revint à la lettre de la parente des victimes. Cette femme ne souhaitait pas l'exécution du meurtrier de sa famille. Ce paramètre posait un problème entièrement nouveau pour lui.

Pour qui aurait lieu l'exécution du lendemain ? Nangô et Okazaki avaient-ils une raison de tuer le numéro 160 ? Lui infliger la peine suprême malgré la volonté de cette parente n'allait-il pas outrager davantage encore les victimes du crime ?

Nangô ne ferma pas l'œil de la nuit. Il songeait à donner sa démission. Il faisait les cent pas dans son trois-pièces de fonction, venant de temps en temps contempler sa femme et son fils endormis.

Il avait un foyer à protéger.

Après avoir retourné la question dans tous les sens, il mit de côté ses états d'âme et renonça à démissionner. Il avait tranché, et choisi de faire passer sa famille bien avant la vie du condamné à mort.

Le lendemain matin, une fois les répétitions terminées, Nangô attendit l'arrivée du numéro 160 sur le lieu d'exécution. Dans son esprit émergea le souvenir de sa première mise à mort, sept ans plus tôt.

« C'est pas moi… »

Passer la corde au cou du numéro 470 implorant pour sa vie avait été juste, croyait Nangô. Quid du numéro 160 ? Si la lettre de la parente des victimes montrait bien une chose, c'était que le cœur humain est trop complexe pour que justice soit rendue au moyen d'un système de loi uniforme.

La porte du lieu d'exécution s'ouvrit. Guidé par un prêtre en soutane, le numéro 160 gravit la volée de marches courte et étroite. Un homme de presque soixante ans coupable d'un triple meurtre. Visage émacié, yeux tombants, la fermeté de son expression dénotait pourtant une certaine vigueur. C'est d'un pas assuré qu'il entra dans la pièce bouddhique.

Nangô s'inquiétait pour Okazaki. Le jeune surveillant debout à côté de lui tremblotait, comme s'il n'arrivait déjà plus à endurer la souffrance.

Démenotté, le condamné fixa durant un moment la croix installée sur l'autel. Finalement, le responsable de la planification l'invita à prendre son dernier repas. Le 160 le remercia de sa prévenance, puis goûta un peu de gâteaux et de fruits.

Devant un tel apaisement, les vingt membres de l'assistance parurent soulagés.

Enfin, le condamné fut autorisé à fumer une ultime cigarette, et il en profita pour converser une dernière fois avec
le directeur du centre. Il lui demanda de faire parvenir ses
affaires à sa famille. L'informa qu'il avait déjà remis son
testament au surveillant responsable. Le pria d'envoyer le
peu d'argent qu'il possédait à la famille de ses victimes. Lui
apprit qu'il avait légué son corps à un hôpital universitaire,
et déjà perçu en contrepartie une avance de cinquante
mille yens en espèces.

Plus d'une quarantaine de minutes s'était écoulée lorsque
le directeur de la Sûreté les interrompit :

— Il est bientôt l'heure de dire au revoir.

Une seconde, le numéro 160 se figea, mais il finit par
acquiescer, en hochant la tête.

Au même moment, le gardien qui s'était occupé de lui
durant sept ans ne parvint plus à retenir ses larmes et éclata
en sanglots.

Le regard plein de tristesse, le numéro 160 baissa la tête,
se tourna pour finir vers l'aumônier, et dit :

— Mon père, je voudrais me confesser. Bénissez-moi,
mon père, parce que j'ai péché.

Le prêtre opina du chef et s'avança vers le pénitent
agenouillé. Puis, dos au crucifix, il demanda sur un ton
solennel :

— Te repens-tu de tes péchés, d'être allé à l'encontre de
la volonté du Seigneur tout-puissant ?

— Oui.

— Je te pardonne tous tes péchés.

En entendant les paroles divines, Nangô fut extrêmement choqué. Dieu avait peut-être pardonné les péchés
du numéro 160, mais les hommes, eux, ne les lui pardon-
neraient pas.

— Au nom du Père, du Fils et du Saint-Esprit. Amen.

— Amen, répéta le condamné avant de se signer et de
se relever.

Alors, deux bourreaux s'avancèrent, lui recouvrirent la tête d'une cagoule et lui menottèrent les mains dans le dos.

Nangô, Okazaki et un troisième surveillant se dirigèrent vers les boutons d'exécution, en dehors de la salle de l'autel. De là, ils ne voyaient pas le gibet. Il ne leur restait qu'à attendre le signal du directeur de la Sûreté, et à presser leur bouton.

Ils entendirent les rideaux s'ouvrir. La voie menant au gibet était libre. Les yeux rivés sur le bouton devant lui, Nangô songea que c'était là son ultime chance de démissionner. S'il abandonnait son poste et remettait aussitôt sa lettre de démission, il s'en tirerait au moins sans tuer le numéro 160.

Oui, mais que deviendrait sa famille ? Et puis, se dérober de la sorte ne revenait-il pas à trahir ses deux collègues qui tenaient bon malgré la souffrance, et allaient actionner l'interrupteur en même temps que lui ?

Alors, le directeur de la Sûreté baissa la main.

Comme par réflexe, Nangô pressa le bouton.

Rien ne se passa.

Il leva les yeux. Il n'entendait pas l'ouverture de la trappe. Dans la pièce bouddhique, le directeur de la Sûreté, stupéfait, regardait tour à tour Nangô et la trappe. Une anomalie. Une anomalie était survenue. Mais laquelle ? Nangô balaya les alentours d'un regard affolé et en identifia la cause – il frémit.

Le doigt d'Okazaki s'était figé juste devant son interrupteur.

Nangô, l'index toujours sur son bouton, appela à voix basse :

— Okazaki.

Mais le jeune surveillant était livide, le bout de son doigt tremblait, et il serrait fortement les paupières comme pour se rendre absent à la scène.

185

Il serait incapable d'accomplir sa tâche. En hésitant, Okazaki avait dévoilé lequel des trois boutons devait tuer le numéro 160.

Nangô regarda la salle de l'autel. Le directeur de la Sûreté fit un signe au surveillant à droite de Nangô. En cas de panne du bouton d'exécution, il fallait actionner manuellement un levier au niveau du gibet. Et si par malheur le levier ne fonctionnait pas non plus, alors l'un des bourreaux serait forcé d'étrangler le condamné de ses propres mains. Le code pénal stipulait en effet que la sentence de mort devait être « exécutée par strangulation ».

Le surveillant appelé se précipita vers le levier. Mais Nangô n'en pouvait plus d'attendre. Négliger, fût-ce une seconde de plus, le numéro 160, la corde au cou et perclus d'effroi, était trop cruel. Il repoussa la main d'Okazaki et, sans plus hésiter, pressa lui-même le bouton d'exécution.

Un lourd bruit de choc retentit.

Ce fut le dernier son que Nangô entendit – après, plus rien.

Ça y est, c'est mon deuxième meurtre.

Ce fut la seule chose qui lui vint à l'esprit.

Le même acte, commis en tout autre lieu, l'aurait sûrement condamné à mort.

Dès le lendemain, le foyer que Nangô avait voulu protéger en échange de la vie du numéro 160 entama une lente désagrégation. Un article intitulé « Exécution d'un condamné à la prison annexe de Fukuoka » avait paru dans la presse nationale.

L'épouse de Nangô l'avait lu, et sembla en avoir déduit pourquoi son mari était rentré complètement saoul la nuit précédente. Elle ne fit aucun commentaire, mais son attitude se mit à changer de manière imperceptible.

Au début, Nangô pensa qu'elle le blâmait pour avoir pris part à l'exécution. Or, avec le temps, il se rendit compte que sa femme nourrissait d'autres griefs. Le fait que son époux ne s'ouvrît pas à elle l'irritait. Si Nangô lui avait parlé avec sincérité de ses tourments, elle l'aurait écouté et ils auraient pu souffrir ensemble.

Quand bien même, Nangô ne parvint jamais à lui parler de l'exécution. Non seulement il se sentait coupable de l'avoir épousée en lui cachant sa première mise à mort, mais il était aussi incapable, lorsqu'il rentrait et voyait son petit garçon foncer sur lui et s'agripper à ses jambes, de dire la vérité – que papa avait tué des gens. Finalement, il continua à observer l'ordre qu'il avait reçu, c'est-à-dire n'ébruiter sous aucun prétexte ce qui s'était passé sur le lieu d'exécution.

L'année où leur garçon entra à l'école maternelle, son épouse amena pour la première fois le sujet du divorce sur le tapis. Mari et femme conclurent qu'ils envisageraient à nouveau cette option lorsque leur fils entrerait en primaire. À cette échéance, ils décidèrent de tenir encore jusqu'à son entrée au collège. Nangô voulait éviter le divorce coûte que coûte. Il savait en effet que nombre de criminels qui finissaient en prison venaient d'un foyer instable. Il ne pouvait supporter l'idée que, vingt ans plus tard, son fils pourrait être traduit en justice et que le divorce de ses parents lui servirait de circonstance atténuante. Dans la mesure où l'avenir des enfants passait avant toute chose, mari et femme se devaient non pas de s'aimer comme au premier jour, mais de nourrir, par la force de leur volonté, le sentiment d'être unis.

Sa femme fit des efforts en ce sens. Même si les sempiternelles mutations de son mari l'avaient forcée à déménager aux quatre coins du Japon, même si la vie en caserne l'avait exténuée, elle continuait à prendre soin de leur foyer sans jamais laisser paraître sa mauvaise humeur devant leur fils.

Puis, en 2001, lorsque leur garçon entra au lycée et que son père fut muté à Matsuyama, mari et femme se résolurent enfin à vivre séparément. À leur enfant, ils ne parlèrent que de la mutation de Nangô, et de rien d'autre.

Trois ans plus tard, quand leur fils terminerait le lycée, sa famille aurait complètement volé en éclats, songea Nangô.

Le foyer qu'il avait tenté de protéger en échange de la vie du numéro 160…

C'est alors qu'il eut vent d'une histoire assez inhabituelle.

Un obscur avocat recrutait des enquêteurs afin de prouver l'innocence d'un condamné à mort.

Ce travail était fait pour lui, décréta Nangô. Comme mû par une violente impulsion, il pris contact avec l'avocat. Lors de leur premier entretien, il se rendit compte qu'il connaissait déjà le juriste en question, de l'époque où il travaillait au centre pénitentiaire de Tokyo.

Maître Sugiura fut agréablement surpris de voir un surveillant pénitentiaire répondre à son offre, et lui réserva un accueil chaleureux. En effet, d'une manière générale, le traitement des condamnés à mort et les demandes de pourvoi en cassation n'avaient pas de secret pour Nangô.

Celui-ci décida alors de donner sa démission. Sa prime de départ et les émoluments pour ce nouveau travail lui permettraient à la fois d'envoyer son fils à l'université et de rouvrir la boulangerie de ses parents. À ce stade, il projeta aussi de raconter la vérité sur son traumatisme à sa femme, dans l'espoir qu'ils se remettent à vivre tous les trois ensemble.

Mais avant de se lancer dans cette mission épineuse, il lui restait une chose à faire : trouver un compagnon qui accepterait de l'aider à sauver un condamné à mort de l'échafaud.

C'est alors qu'apparut devant lui un jeune prisonnier de vingt-sept ans, Jun'ichi Mikami.

— Faute professionnelle, dit Nangô lorsqu'il eut achevé son long récit. Je t'ai tout révélé. Mais cela m'a au moins soulagé d'un poids.

Il était plus de minuit, et la pluie tout à l'heure violente avait cessé. Un vent frais soufflait à travers la moustiquaire. Jun'ichi scruta les traits du gardien de prison. À quarante-sept ans, cet homme avait exécuté deux criminels et tenté désespérément de sauver son foyer. Son éternel sourire affectueux avait quitté son visage, et sa mine sévère évoquait un martyr. Et si c'était là le véritable visage de Nangô ? songea Jun'ichi.

Le jeune homme était soucieux de ne pas brusquer son interlocuteur fatigué.

— Alors, dites-moi, est-ce que vous êtes toujours pour la peine de mort ?

Nangô rendit un instant son regard à Jun'ichi avant de répondre :

— Je ne suis ni pour ni contre.

— C'est-à-dire ?

— Ne va pas croire que j'essaie d'éluder la question. Je t'assure que je ne suis ni pour ni contre. Qu'elle existe ou non, ça m'est égal.

Ayant senti une certaine nonchalance dans la voix de Nangô, Jun'ichi se fit plus inquisiteur.

— Mais qu'est-ce que vous voulez dire ?

— Ouh là, attention à ne pas te laisser emporter ! dit Nangô avec un sourire conciliant. Les débats sur la peine de mort ont le chic pour déchaîner les passions. C'est fascinant. C'est sûrement parce qu'ils opposent l'instinct et la raison.

Jun'ichi réfléchit au sens de ces mots, et hocha la tête une fois qu'il l'eut saisi.

— Désolé.

— Et puis, reprit Nangô, depuis l'école primaire, tout le monde sait que commettre un meurtre expose à la peine de mort, non ?

— Vous avez raison.

— C'est ça, l'important. Tout le monde connaît la peine encourue le cas échéant. Pourtant, cela n'a jamais dissuadé les auteurs de crimes atroces : ils ont toujours agi en connaissance de cause. Tu comprends ce que ça veut dire ? Ça veut dire que tous ces types se condamnent eux-mêmes à l'échafaud. Et leurs larmes et leurs cris n'y changeront rien : une fois qu'ils ont été arrêtés, il est trop tard.

Le ton de Nangô se faisait de plus en plus véhément. Ses joues étaient crispées, comme s'il tentait de réprimer la haine au fond de son cœur.

— Pourquoi est-ce que ces sales cons continuent de surgir les uns après les autres ? Sans eux, que la peine de mort existe ou non, on n'aurait même plus à l'appliquer. Ceux qui la soutiennent, ce ne sont ni les citoyens ni l'État, mais les criminels qui se rendent coupables d'homicides abominables.

— Mais…

Jun'ichi se tut aussitôt. Par manque de tact, il avait failli demander à Nangô ce qu'il pensait du cas du numéro 160. Comme s'il avait pressenti la question de Jun'ichi, le gardien ajouta :

— Bien sûr que le système actuel pose problème. Erreurs judiciaires, verdicts inappropriés, dysfonctionnement du système de grâce… Le cas de notre Ryô Kihara illustre tout cela à merveille.

— Justement, à propos de cette affaire, vous trouvez vraiment juste que le véritable coupable, quand on l'aura trouvé, soit condamné à mort à la place de Kihara ?

Nangô hésita un instant, puis hocha la tête.

— S'il n'y a pas d'autre solution pour sauver Kihara, alors oui. Car si rien ne change, le pauvre sera conduit à l'échafaud, et au moment où on lui passera la corde au cou, il dira : « Ce n'est pas moi. Au secours. » Et il implorera les gardiens, désespéré…

Nangô s'interrompit soudain. Ses mains s'étaient figées précisément dans le geste de passer la corde au cou du condamné.

Jun'ichi vit le souvenir douloureux de son acolyte passer dans son regard.

— Je veux au moins éviter ça. À n'importe quel prix. Je veux sauver Ryô Kihara de l'échafaud, et c'est tout.

— Je comprends, dit Jun'ichi.

Le jeune homme était enfin décidé.

— Je veux vous y aider.

Le gardien eut un léger sourire et hocha la tête.

— Merci.

Un vent froid, salvateur par cette chaleur étouffante, s'engouffrait à travers la moustiquaire. Pendant un moment, la douce brise caressa leur peau.

Dans la quiétude de la nuit, Nangô chuchota :

— C'est étrange, je n'arrive toujours pas à me rappeler leurs noms, à tous les deux. Les numéros 470 et 160.

Puis il tourna la tête et murmura :

— Je me demande bien pourquoi.

S'en souvenir vous ferait souffrir encore plus, songea Jun'ichi, qui garda cette pensée pour lui.

2

La pluie diluvienne de la veille avait, semble-t-il, marqué la dernière salve de la saison des pluies, et le lendemain matin, la péninsule de Bôsô étincelait sous un ciel bleu immaculé.

Le soleil tapait fort quand Jun'ichi et Nangô montèrent dans la Civic. À Katsuura, on ne pouvait ignorer la présence des surfeurs, dont les planches étaient fixées au toit de leurs voitures. La saison touristique avait commencé.

Les deux hommes traversèrent le district de Nakaminato et mirent le cap sur Tokyo. Maintenant que leur enquête s'orientait dans une nouvelle direction, ils devaient quitter la péninsule de Bôsô pour régler certaines affaires. Durant quelques jours, il leur faudrait se séparer.

— Surveille bien les nouvelles politiques, dit Nangô en conduisant. En particulier ce qui concernerait un éventuel remaniement ministériel.

Jun'ichi ne s'attendait pas à entendre parler de politique.

— Pourquoi ça ?

— La plupart des exécutions ont lieu à ce moment-là.

— Comment ça se fait ?

— C'est sûrement parce que, quand le gouvernement exécute des condamnés en cours de mandat, l'opposition le bombarde de questions. La session ordinaire du Parlement vient de se terminer, on ne va pas tarder à entrer dans une période dangereuse.

Jun'ichi n'y connaissait rien en politique. Il ne comprit pas un traître mot de ce que venait de dire Nangô, mais hocha quand même la tête.

— Le remaniement ministériel, c'est-à-dire ?

— Eh bien, quand le gouvernement est recomposé, le garde des Sceaux a des chances d'être remplacé.

— C'est bien celui qui ordonne l'exécution, non ?

— Oui. Il signe l'ordre lui-même juste avant de quitter son poste.

— Pourquoi à ce moment-là ?

— Dis-toi que c'est comme d'aller chez le dentiste. Tout ce qu'on répugne à faire, on le repousse au maximum. Puis quand on sait qu'on ne peut plus reculer, on se débarrasse de tout en une seule fois.

— C'est comme ça que les ministres de la Justice traitent les ordres d'exécution ?

— Oui, répondit Nangô en riant. La configuration politique actuelle, le timing du rejet de sa demande de révision — tout est assez défavorable à Kihara en ce moment. Essayons de perdre le moins de temps possible.

— Entendu.

Leur progression fut ralentie par un léger embouteillage à l'intérieur de la péninsule de Bôsô ; néanmoins, ils traversèrent la baie de Tokyo sans problème et entrèrent dans la préfecture de Kanagawa un peu après midi. Ils descendirent de voiture à Musashi-Kosugi, près de l'endroit où habitait le frère de Nangô, et Jun'ichi prit le train pour Kasumigaseki. Il devait obligatoirement pointer au Bureau d'observation et de protection ce jour-là.

Il sortit de la station de métro, marcha quelques minutes sur l'avenue menant aux jardins du palais impérial, puis arriva au Bâtiment commun numéro 6 du gouvernement central. En entrant, Jun'ichi se rendit compte que l'édifice abritait aussi le ministère de la Justice.

193

Quelque part dans ces locaux, l'examen de l'ordre d'exécution de Ryô Kihara suivait son cours.

Tout en priant pour que les fonctionnaires du ministère de la Justice soient tous de gros flemmards, Jun'ichi s'engouffra dans le bâtiment.

— Sinon, tu mènes une vie bien rangée, j'espère ?

La question venait d'Ochiai, le chargé de suivi judiciaire plein de prestance, assis sur sa chaise dans une pose décontractée.

— Oui, répondit Jun'ichi en hochant la tête.

Le jeune homme détailla son régime alimentaire, son état de santé, le travail avec Nangô – en somme, son quotidien –, et cela sembla satisfaire l'homme de terrain, qui eut un sourire.

Kubo, le vieux conseiller d'insertion assis à côté de lui, plissa les yeux pour observer Jun'ichi, qui avait bronzé depuis leur dernière rencontre.

— Tu es devenu plutôt costaud, ma foi, observa-t-il.

— Je parie que tu prends du bon temps avec des femmes, non ? demanda Ochiai.

— Je suis trop débordé pour ça.

— Très bien. On ne se fait aucun souci vis-à-vis de la drogue dans ton cas. Fais juste attention avec l'alcool.

— Entendu.

Son rapport à peu près terminé, Jun'ichi demanda :

— J'aimerais vous poser une question à propos du suivi judiciaire.

— Vas-y, répondit Ochiai.

— Arrêtez-moi si je me trompe, mais vous, monsieur Ochiai, vous êtes fonctionnaire, tandis que vous, monsieur Kubo, vous exercez l'activité de contrôleur judiciaire en tant que personne privée, c'est bien ça ?

— Tout à fait. Nous joignons nos forces pour faciliter votre réinsertion. S'il n'y avait que des fonctionnaires publics, cela irait à l'encontre des efforts de décentralisation. On ne peut vraiment pas se passer de l'aide des bienfaiteurs privés.

Jun'ichi se remémora ce qu'il avait appris à la prison au sujet de sa liberté conditionnelle avant d'aborder le sujet épineux qui l'intéressait.

— Les conseillers d'insertion sont complètement bénévoles, n'est-ce pas ?

— Oui, confirma le vieux Kubo. Nous avons droit au remboursement de nos frais réels, comme nos frais de déplacement, mais c'est tout.

— Et est-ce le Bureau d'observation et de protection qui choisit les conseillers d'insertion ?

— Non, répondit Ochiai. Cela varie un peu en fonction des régions, mais la plupart du temps, ce sont les conseillers sur le départ qui recommandent les nouveaux. Ils passent pour ainsi dire le relais à leurs successeurs.

— Et de quel genre de personnes s'occupent-ils réellement ?

— De délinquants juvéniles ou de jeunes sortis de maisons de correction, de gens comme toi en liberté conditionnelle, et puis de condamnés à des peines de sursis. Cela brasse large : depuis les enfants jusqu'aux adultes. Pourquoi veux-tu savoir ça ? s'enquit Ochiai.

— Dans l'affaire sur laquelle j'enquête, la victime était conseiller d'insertion.

— Ah ! vraiment ?

Cette information éveilla l'intérêt des deux hommes.

Jun'ichi se rappela en vitesse le fil des événements. Kôhei Utsugi, la victime, avait été le principal d'un collège de Chiba. Par la suite, il était entré en rapport avec Ryô Kihara, condamné pour petite et moyenne délinquance, en devenant son conseiller d'insertion. Tout s'enchaînait de manière naturelle.

— Les conseillers d'insertion ont des entretiens réguliers avec les gens qu'ils suivent, n'est-ce pas ?

— En effet, confirma Kubo. Ceux-ci viennent chez nous et nous font part de leur situation récente ou de leurs ennuis.

Il n'aurait pas non plus été étrange que Ryô Kihara rendît régulièrement visite à Kôhei Utsugi. Dans ce cas, quel genre de personnes pouvait-il bien croiser chez lui ?

— J'aimerais vous poser une question un peu délicate...

Ochiai suggéra :

— Tu veux savoir si on ne s'attire pas la haine de certaines personnes, c'est ça ?

— Exactement.

— Cela peut arriver, dans un seul cas.

— Lequel ?

— La révocation d'une liberté conditionnelle. Par deux fois si je ne m'abuse, à ta libération et ici, on t'a énuméré la liste de tes obligations postcarcérales.

— Oui.

— Si nous apprenons que tu as enfreint une de ces règles, notre rôle est de révoquer ta liberté conditionnelle. En ce qui te concerne, tu retournerais en détention pendant trois mois seulement, mais, dans le cas d'un condamné à perpétuité, les conséquences seraient légèrement plus fâcheuses.

— Un condamné à perpétuité ? répéta Jun'ichi, pris d'un sentiment étrange.

— Oui. La perpétuité est la peine la plus lourde après la peine de mort. Mais notre système diffère de celui d'autres pays dans ses conditions d'application. Ceux qui en écopent ne restent pas enfermés toute leur vie. La loi prévoit, au bout de dix ans d'incarcération, un nouvel examen de leur cas en vue d'une remise en liberté conditionnelle. Dans les faits cependant, ils sont relâchés en moyenne au bout de dix-huit ans.

— Dix-huit ans...

Ce nombre étonna Jun'ichi. C'était donc ça, la peine la plus lourde après la peine de mort ?

— Et lorsque la liberté conditionnelle d'un condamné à perpétuité est révoquée, que se passe-t-il ?

— Il se passe que la personne en question est remise aussitôt sous écrou, sans garantie de pouvoir à nouveau sortir un jour. Voilà pourquoi c'est grave.

Le visage d'Ochiai s'assombrit.

— Il y en a même qui se suicident en apprenant la révocation de leur liberté conditionnelle.

— C'est bien ça : une question de vie ou de mort, commenta Kubo, toujours un léger sourire aux lèvres. Mais, quelle que soit la rancœur que nous nous attirons, nous avons un rôle à remplir, nous ne pouvons pas y couper. La loi l'a décidé ainsi.

Un conseiller d'insertion pouvait donc risquer d'être assassiné pour avoir révoqué une liberté conditionnelle. Jun'ichi se pencha un peu en avant et dit :

— J'enquête en ce moment sur le meurtre de M. Kôhei Utsugi.

— Ah ! vraiment ? fit Ochiai. Je m'en souviens. L'affaire a éclaté du côté de la péninsule de Bôsô, non ?

— Tout à fait. À l'époque, M. Utsugi s'occupait d'un ancien délinquant juvénile du nom de Ryô Kihara ; vous ne sauriez pas s'il voyait d'autres personnes en suivi judiciaire ? En particulier un condamné à la réclusion à perpétuité ?

— Même si on le savait, on ne pourrait rien te dire ! répondit Ochiai en riant. Secret professionnel oblige. Nous n'avons pas le droit d'ébruiter la moindre information relative au suivi judiciaire.

— Dans ce cas, je n'ai aucun moyen de poursuivre mes recherches ici ?

— Aucun, dit Ochiai sans ambages. J'aimerais beaucoup t'aider dans ta mission, mais sur ce point précisément, c'est impossible.

Désespéré, Jun'ichi réfléchit à d'autres façons de découvrir l'identité du suspect. N'obtiendrait-il vraiment rien grâce

au piston de Nangô, qui était après tout surveillant pénitentiaire ?

Le vieux Kubo, visiblement gêné, se tourna vers Ochiai
et dit :

— Sans vouloir abuser, accepteriez-vous que je donne un
unique conseil à M. Mikami ici présent ?

— Quoi donc ? demanda Ochiai, peu rassuré.

Kubo se tourna vers Jun'ichi.

— Il est certain que l'affaire a éclaté chez la victime,
n'est-ce pas ?

— Tout à fait.

— Qu'est-ce qu'il y avait à l'intérieur de la maison ?

Jun'ichi ne saisit pas le sens de la question ; il fixa son
interlocuteur, déconcerté.

— Les conseillers d'insertion, tu sais, gardent scrupuleusement trace des personnes qu'ils suivent.

— Une trace des personnes qu'ils suivent, répéta Jun'ichi
comme un perroquet.

Nangô n'avait-il rien trouvé de tel dans la maison abandonnée ? Il devait s'en assurer au plus vite.

Ochiai réprimanda son collègue :

— Monsieur Kubo, voyons…

— Désolé, s'excusa le vieillard, un léger sourire aux lèvres.
Mais c'est plus fort que moi, je suis féru de romans policiers…

Nangô se trouvait à Matsuyama lorsqu'il reçut l'appel
de Jun'ichi. Après avoir rendu la voiture de location au
garage de Kawasaki, il avait sauté directement dans un vol
à destination du Shikoku. Son objectif : démissionner de son
poste de surveillant pénitentiaire et vider son trois-pièces de
fonction. Sa période de congé arrivait à terme, et il voulait
régler toutes ses démarches administratives en une fois.

Il décrocha le téléphone alors qu'il faisait ses cartons.

— Les dossiers de suivi judiciaire d'Utsugi ? Attends voir…

Il fouilla sa mémoire, puis répondit :

— Non, je n'ai pas vu ça. J'en suis certain. Il y avait bien les pièces à conviction restituées après le procès, mais pas de dossier de suivi.

À l'autre bout du fil, Jun'ichi était gagné par l'excitation.

— Dans ce cas, ces dossiers sont peut-être encore gardés comme pièce à conviction ?

— Non. Les pièces dont le tribunal ne se sert pas sont restituées.

— C'est vraiment étrange. Cela voudrait dire qu'il n'en reste aucune trace.

— Et si le coupable avait tout emporté ? suggéra Nangô.

— C'est ce que je pense. Afin que ses liens avec les victimes ne soient pas connus.

Jun'ichi poussa son raisonnement plus loin : selon lui, le véritable meurtrier serait un condamné à perpétuité suivi par Kôhei Utsugi.

— Est-ce qu'il vous serait possible de faire des recherches sur une telle personne ?

— Ce ne sera pas simple, mais je vais y réfléchir.

Nangô raccrocha, s'assit dans la pièce de neuf mètres carrés, vide de la présence de sa famille, et remit de l'ordre dans ses idées.

L'hypothèse de Jun'ichi lui semblait juste. Quelqu'un risquant la révocation de sa libération conditionnelle assassine son conseiller d'insertion. Il en profite pour emporter les dossiers établissant sa relation avec la victime. D'ailleurs, ces dossiers renfermaient probablement la raison de la révocation. Faire disparaître le dossier équivalait pour le coupable à une dissimulation de mobile. Or si cette hypothèse s'avérait, une autre question surgissait : pourquoi le meurtrier n'avait-il pas fait usage du livret bancaire et du sceau, qu'il avait aussi emportés ? Pour faire diversion ? Le but du coupable, depuis le départ, n'était pas l'argent.

199

Jun'ichi avait peut-être découvert là un bon filon. À cette idée, Nangô se dérida quelque peu. Mais un dernier doute subsistait. Si le coupable ne visait pas l'argent, et s'il avait subitement prévu de faire endosser le crime à Ryô Kihara, pourquoi n'avait-il pas laissé le livret et le sceau sur les lieux de l'accident de moto ?

Il était dangereux de tirer des conclusions trop hâtives, songea Nangô. Il leur manquait encore trop d'indices pour pouvoir accuser qui que ce fût.

Après son coup de fil à Nangô, Jun'ichi se rendit à Shinbashi. Il voulait élucider une énigme personnelle. Il vérifia l'adresse imprimée sur la carte de visite et se dirigea vers le cabinet de maître Sugiura.

Celui-ci se trouvait dans un bâtiment défraîchi abritant toutes sortes de commerces – exactement comme Jun'ichi l'avait imaginé. Le jeune homme prit un ascenseur fatigué et tremblotant, monta au quatrième étage et frappa à une porte en verre dépoli.

— Oui ? fit le juriste avant d'ouvrir.

Ce dernier eut l'air surpris de voir Jun'ichi. Il demanda :

— Qu'est-ce qui vous amène ?

— J'aurais juste une question à vous poser.

— Laquelle ? Enfin, allez-y, entrez.

Il invita Jun'ichi dans son cabinet. Même dans cette circonstance, il n'avait pas oublié d'afficher un sourire convenu.

L'endroit faisait environ quinze mètres carrés. Sur un sol carrelé, un bureau et des bibliothèques. Des ouvrages tels que la *Législation japonaise actuelle* ou le *Recueil de jurisprudence de la Cour suprême* trahissaient la fonction de l'occupant des lieux.

— Et M. Nangô, pourquoi n'est-il pas avec vous ? s'enquit Sugiura tout en offrant à Jun'ichi de prendre place sur un vieux canapé.

— Il est retourné à Matsuyama temporairement.

— Ah ! vraiment ? Il doit bientôt démissionner ?

— Oui.

Jun'ichi se rappela la raison pour laquelle Nangô en était venu à quitter son travail, et demeura muet un instant.

— Donc, votre question ?

Le jeune homme demanda avec retenue :

— Si cela ne vous dérange pas, j'aimerais savoir pourquoi M. Nangô m'a choisi.

Sugiura le regarda, légèrement gêné.

— J'imagine qu'il avait bien des amis parmi ses collègues surveillants, des personnes à qui il pouvait proposer ce travail... Alors pourquoi m'avoir demandé à moi, repris de justice ?

— M. Nangô n'étant pas mon client, le secret professionnel ne s'applique pas, murmura Sugiura comme pour se convaincre lui-même, avant de lever la tête. Très bien. Je vais vous le dire. Sachez qu'il m'a dit que c'était là sa dernière tâche en tant que surveillant pénitentiaire.

— Sa dernière tâche ?

— Oui. Au fond de lui, il soutient l'idée d'une justice rétributive. D'un autre côté, pourtant, il n'a pas totalement abandonné l'idéal de la valeur éducative de la peine. Il croit que la majorité des criminels sont capables de s'amender, de renaître. M. Nangô oscille entre ces deux façons de penser.

Jun'ichi ne s'était pas attendu à un tel discours.

— Toutefois, les prisons traitent les condamnés de manière tout aussi équivoque. Servent-elles à punir les criminels, ou bien à les éduquer et à corriger leurs penchants anti-sociaux ? Dans les faits, le traitement réservé aux détenus n'a presque jamais de vocation éducative, on s'attache à la règle en se contentant de les faire travailler. Résultat : quarante-huit pour cent de récidive. C'est terrible, vous ne trouvez pas ? Cela signifie qu'une fois libéré un détenu sur deux commettra un nouveau crime et retournera en prison. M. Nangô étant aux premières loges pour le voir, il a dû souffrir en conséquence. Et puis, un jour, il a embrassé un rêve. Celui de ramener un criminel dans le droit chemin, de lui-même, et selon ses propres méthodes. De voir de ses propres yeux un homme renaître.

Sa dernière tâche en tant que surveillant pénitentiaire. Jun'ichi se pencha un peu en avant.

— C'est donc pour ça qu'il m'a choisi ?

— Il semblerait. Connaissez-vous les circonstances de votre remise en liberté conditionnelle ?

— Non.

Le jeune homme trouvait en effet sa libération surprenante. On lui avait bien assuré que dans son cas deux ans de réclusion constituaient une peine légère, ne permettant pas de prétendre à une remise en liberté conditionnelle. Toutefois, malgré un passage d'une semaine en cellule disciplinaire, il avait bénéficié de cette possibilité, à l'instar d'un détenu modèle.

— C'est Nangô qui a rédigé le rapport sur votre libération conditionnelle destiné à sa hiérarchie.

— Je n'étais pas au courant. Mais, pourquoi avoir fait autant pour moi ?

— À dire vrai, j'ignore aussi pourquoi il vous a choisi, vous, et pas un autre... Seulement, une fois, je me rappelle l'avoir entendu dire sur le ton de la plaisanterie que vous lui ressembliez, que vous étiez un type bien.

— Moi, ressembler à Nangô ?

À ces mots, le jeune homme crut entrevoir quel était leur point commun.

Après avoir quitté l'avocat, Jun'ichi prit le train pour Ôtsuka. Il comptait se rendre à l'atelier de son père avant de passer la nuit chez ses parents.

Tout en se tenant à la poignée du wagon, il songeait aux paroles de maître Sugiura. Sa ressemblance avec Nangô. La veille, tandis qu'il écoutait le récit de son acolyte, il avait ressenti la même chose que lui, de manière vague.

Nangô et Jun'ichi avaient tous deux pris la vie d'autrui à l'âge de vingt-cinq ans. Nangô par une exécution, Jun'ichi par un crime. Et puis, leur ressemblance valait sur un autre point : l'un comme l'autre avaient d'abord cherché la consolation dans la religion, avant de s'en éloigner. En tant que chef du traitement et du redressement des détenus, Nangô devait avoir eu vent, d'une manière ou d'une autre, de la fois où Jun'ichi avait refusé de voir l'aumônier carcéral.

Cependant, pour le jeune homme, cette ressemblance n'était qu'une raison superficielle, et il songeait qu'une autre, plus profonde, avait motivé son élection. Nangô ne se considérait-il pas lui-même comme un pécheur, et, à ce titre, n'aurait-il pas confié à Jun'ichi le soin de racheter ses fautes ? La fonction du gardien de prison est d'exécuter des condamnés, et même si la conscience de sa faute le taraude, il demeurera incapable de la racheter. Car il ne sera jamais jugé. Ni châtié. Il lui faudra donc chercher un autre moyen d'atteindre la rédemption, et Nangô avait peut-être choisi de gagner la sienne en sauvant les autres.

Cela expliquerait encore le partage avec Jun'ichi de la forte récompense dont il était censé profiter seul. Car l'indigence financière constitue l'un des obstacles principaux à la réinsertion des détenus. Et que dire de l'indignation de Nangô lorsque Jun'ichi avait été évincé de la mission ? Le jeune homme était convaincu que sa supposition n'avait rien d'extravagant.

Il éprouvait une gratitude sincère pour tout ce que Nangô faisait pour lui. Et précisément pour cela, tout à coup, son humeur s'assombrit.

Jun'ichi ne pensait pas pouvoir revenir dans le droit chemin.

La haine du couple Utsugi envers le meurtrier de leurs parents. Le visage plein d'amertume de Mitsuo Samura, lorsqu'il s'acharnait à réprimer cette même passion face

203

à Jun'ichi. Le jeune homme avait été le témoin de leur affliction à tous. Leur expression avait suffi à susciter en lui la conscience de sa faute. Il avait commis un acte véritablement irréparable. Toutefois, en y repensant, quel autre choix avait-il eu, sinon de tuer Kyôsuke Samura ? Ce n'était pas lui qui avait eu tort. C'était la victime.

Le train approchait de la gare d'Ôoka. Jun'ichi hésita à y descendre. En changeant là, il ne serait plus qu'à deux stations de Hatanodai, et de Yuri.

Il y renonça toutefois : il ne voulait pas éprouver davantage de regret. Il se savait désormais impuissant. Il avait fait tout son possible pour racheter sa faute envers Yuri. À présent, il ne lui restait qu'à souhaiter qu'elle continue à mener une vie paisible, comme maintenant.

Jun'ichi descendit à la station la plus proche de Mikami Modeling. En marchant dans le quartier des fabriques, il se rendit compte qu'il avait hâte que Nangô revienne. Il voulait retourner au plus vite dans la péninsule de Bôsô. Là, il oublierait tout, et se livrerait à corps perdu à sa mission : sauver la vie d'un condamné à mort.

Arrivé à l'atelier de son père, il trouva ce dernier penché au-dessus d'un modèle en métal, fronçant les yeux.

— Ah ! tu es là, dit Toshio, l'embarras sur son visage se changeant en sourire. Alors, ce travail pour le cabinet d'avocat ?

— On avance petit à petit, répondit Jun'ichi en souriant lui aussi.

Il savait que son père tirait fierté de la mission de son fils. En outre, il avait déjà donné à ses parents sa rémunération du mois précédent, soit, après déduction des frais réels, neuf cent mille yens.

— Tu dors à la maison, ce soir ?

— Oui.

— Dans ce cas, on rentre ensemble à Ôtsuka.

Jun'ichi hocha la tête et dit :

— Si je peux aider à quelque chose avant ça, je le ferai.

— Ma foi...

Toshio réfléchit en balayant le petit hangar des yeux. Puis il se tourna vers Jun'ichi, soudain gêné.

Le jeune homme trouva cela suspect, et comprit vite pourquoi. La seule machine high-tech de l'atelier, la graveuse laser pour stéréolithographie, avait disparu.

— Elle ne servait plus à grand-chose, alors je l'ai vendue, histoire de débarrasser, prétexta Toshio.

Jun'ichi resta figé sur place. Il n'avait plus le choix. Un million de yens par mois, cela ne suffisait déjà plus. S'il n'innocentait pas Kihara et ne mettait pas la main sur la récompense promise, sa famille ne parviendrait plus à joindre les deux bouts.

Ayant réglé ses affaires en suspens à Matsuyama, Nangô retourna à Kawasaki. Depuis la veille, il avait arpenté la ville sans pouvoir souffler un instant, déménageant ses affaires chez sa femme et se levant au point du jour pour son dernier appel en tant que surveillant pénitentiaire.

C'était aussi la dernière fois qu'il revêtait son uniforme, songea-t-il, sans pour autant éprouver le moindre regret. Au contraire, il se sentait plutôt soulagé. Ses collègues lui dirent au revoir de manière aimable. Une surveillante lui offrit un bouquet de fleurs, puis il fit des adieux simples, mettant ainsi un point final à vingt-huit ans de carrière en tant que gardien de prison. Dès lors, il ne lui restait plus qu'à faire tout son possible pour prouver l'innocence de Ryô Kihara.

Après avoir déposé quelques affaires chez son frère, Nangô se rendit dans le quartier des ministères de Tokyo. Plus précisément, aux archives d'un grand journal. Il pensait pouvoir y vérifier la possibilité que l'assassin du couple Utsugi soit un bandit en maraude.

Comme il s'était déjà inscrit par téléphone, on le guida directement dans une petite salle munie de postes informatiques. Il écouta les explications de l'archiviste et put commencer sa recherche d'articles.

Il la limita à cinq ans avant et cinq ans après l'assassinat des Utsugi, entra les mots-clés « meurtre », « vol », « hache », « serpe », et chercha dans quatre préfectures : Chiba, Saitama, Tokyo et Kanagawa, puis il attendit que l'ordinateur accomplisse sa tâche. Il ne fallut pas plus de quelques secondes pour qu'une liste d'articles phénoménale apparaisse à l'écran.

Le nouveau monde dans lequel il vivait était décidément bien commode, songea Nangô avant de s'atteler au tri. Il ajouta les mots-clés « enquête », « arme du crime » et « découverte ». Il comptait trouver les affaires de vol avec meurtre s'étant produites dans la décennie indiquée, à Chiba et ses alentours, dont l'arme du crime, une hache ou une serpe, avait effectivement été découverte à l'issue de l'enquête.

L'écran n'afficha plus que douze articles. Seuls deux traitaient de l'affaire en elle-même, le reste ne faisait que raconter ses suites. Il exclut celui sur l'affaire de Nakaminato, et cliqua sur le dernier.

« Une femme au foyer assassinée. » Sous le titre, le rapport détaillé d'une affaire de meurtre avec vol survenue dans la préfecture de Saitama. Elle avait éclaté deux mois avant l'assassinat du couple Utsugi : tard dans la nuit, un voleur était entré par effraction dans une demeure reculée, avant de tuer son occupante au moyen d'une hachette et de dévaliser les lieux. La police avait retrouvé l'arme enterrée dans la montagne, à deux cents mètres du lieu du crime.

Le modus operandi coïncidait. Cette récolte fructueuse fit bondir le cœur de Nangô. Il ne faisait aucun doute que si les brigades de recherche avaient ainsi retourné la montagne lors de l'affaire Utsugi, c'était à cause de ce précédent.

Nangô poursuivit sa lecture : « *Au vu des similitudes avec les affaires des préfectures de Fukushima et Ibaraki, la police de Saitama va collaborer avec ses homologues des préfectures voisines dans ce qu'elle nomme l'affaire numéro 31.* » Il revint précipitamment à l'écran de recherche. Des affaires similaires s'étaient donc produites à Fukushima et Ibaraki. Il cliqua sur les articles qui les relataient, et apprit que, respectivement deux et quatre mois avant l'affaire de Saitama, avaient eu lieu d'autres vols avec meurtre, dans des circonstances exactement identiques, avec la même arme. Une seule victime à chaque fois, et une arme – une hachette – là encore exhumée, la première fois dans un champ, la seconde dans un taillis proche de la scène du crime.

Nangô était sûr de lui. Le coupable de ces affaires-là avait quitté Fukushima pour se rendre dans le Sud, en passant par Ibaraki, Saitama, puis la péninsule de Bôsô, commettant autant d'homicides sur son passage. Si seulement Ryô Kihara, le suspect en puissance dans l'affaire de Nakaminato, n'avait pas été retrouvé près du lieu du crime, le meurtre des Utsugi aurait été sans l'ombre d'un doute intégré lui aussi à « l'affaire numéro 31 ».

Il fallait rechercher le coupable – Nangô pensa soudain à taper « affaire 31 » en mot-clé. Un article intitulé « Le meurtrier arrêté » apparut.

L'auteur des crimes n'était plus dans la nature. Surpris, Nangô observa la photo du coupable sur la page. Sa première impression fut qu'il ressemblait à un mordu de paris hippiques. Un homme d'âge moyen, aux pommettes saillantes, les arêtes du visage aussi dures que du roc. La légende précisait : « Le suspect se nomme Ohara. »

Nangô commença à lire l'article.

Six mois après l'affaire de Saitama, dans la ville de Shizuoka, un homme fut arrêté alors qu'il tentait d'entrer chez quelqu'un par effraction. Dans son témoignage, le maître des lieux disait avoir entendu des bruits étranges en pleine nuit.

L'homme appréhendé s'appelait Toshizô Ohara, quarante-six ans, sans domicile fixe et sans emploi. Il portait une hachette sur lui. La police chercha immédiatement un lien avec l'affaire 31, et le suspect passa finalement aux aveux.

Nangô relut soigneusement l'article de journal, de l'arrestation d'Ohara jusqu'aux poursuites engagées contre lui. L'homme n'avoua cependant que les trois crimes commis à Fukushima, Ibaraki et Saitama. Peut-être parce que Ryô Kihara avait déjà été arrêté, la police ne chercha apparemment pas à établir sa responsabilité dans l'affaire de Nakaminato.

Gagné par l'impatience, Nangô tapa cette fois-ci « Toshizô Ohara », et tomba sur le déroulement de son procès. Il découvrit que quatre ans après son arrestation l'homme avait été condamné en première instance à la peine de mort. Trois ans plus tard, en 1998, sa demande d'appel avait été rejetée en deuxième instance.

Merde, se dit Nangô en passant à l'article suivant. Si ce Toshizô Ohara avait déjà été exécuté, cela voudrait dire que le potentiel véritable coupable dans l'affaire de Nakaminato n'était plus de ce monde. Nangô lut les articles restants et constata que le flot d'informations relatives au meurtrier se tarissait, jusqu'à un court article paru trois jours après le rejet de son appel, intitulé « Le prévenu Ohara se pourvoit en cassation ».

Il apparaissait en fin de compte que la Cour suprême n'avait pas encore rejeté ce pourvoi. Techniquement, Ohara n'était toujours pas condamné à mort. En se débrouillant bien, avec un passe-droit, il serait possible d'obtenir un parloir avec lui.

Nangô poussa un soupir de soulagement. Puis il eut un sourire ironique. Alors que Ryô Kihara n'attendait plus que son exécution, Ohara, inculpé la même année que lui, n'était même pas condamné de manière définitive. Le dysfonctionnement des tribunaux japonais se montrait là dans toute sa splendeur. Qui commet un crime passible de la peine de mort aura intérêt à avoir tué le plus de personnes possible, car plus nombreuses seront ses victimes, plus long sera son examen, et sa vie sera prolongée d'autant.

Malgré tout, Nangô prit conscience qu'il n'avait pas un instant à perdre. Ohara s'était pourvu en cassation auprès de la Cour suprême voilà trois ans. La Cour pouvait rejeter son pourvoi à n'importe quel moment. Dès lors, hormis une partie de sa famille et son avocat, plus personne ne pourrait obtenir de parloir avec lui. Il fallait prendre les devants au plus vite.

Nangô quitta son poste informatique, appela la jeune archiviste qui l'avait aidé plus tôt et lui demanda comment fonctionnaient les impressions. Pendant que sortaient les articles qui l'intéressaient, il se dirigea vers un autre terminal, avec en tête une idée espiègle.

Sur l'écran de recherche, il cliqua sur « Éditions régionales » et sélectionna « Préfecture de Chiba ». Puis il chercha dans les nouvelles locales des articles parus le jour de l'affaire de Nakaminato. Il en trouva un, court, intitulé « Fin de la fugue pour un couple de lycéens de Tokyo », et ne put s'empêcher de rire. L'article traitait du jour mémorable où le jeune et naïf Jun'ichi et sa petite amie avaient défrayé la chronique locale. Toutefois, cet entrefilet contenait une information que Nangô ignorait.

« Le 29 vers 22 heures, deux lycéens de Tokyo ont été retrouvés dans le quartier d'Isobe du district de Nakaminato. Le jeune homme A (18 ans) était blessé au bras. Accompagné de la jeune fille B (17 ans), il s'est rendu chez un médecin du quartier. Le médecin, songeant à une blessure à l'arme blanche, en a informé le poste de police local. Les deux jeunes gens ont pu être ramenés chez eux. Leurs parents avaient émis une demande de recherche pour fugue. »

Une blessure au bras ? Due à une arme blanche ? L'article ne contenait aucune autre précision.

Tout en relisant le texte, Nangô se sentit soudain confus. L'image de jeune homme naïf qu'il avait nourrie à l'égard de Jun'ichi semblait devoir être corrigée. L'article laissait entrevoir un adolescent approchant de la vingtaine, bien plus dévergondé qu'il ne l'aurait cru. Jun'ichi s'était probablement battu avec un délinquant du coin. Tout comme, huit ans plus tard, le soir où il avait tué Kyôsuke Samura.

Nangô se rappela Jun'ichi, son expression perpétuellement inquiète. Les personnalités vives et impulsives sont souvent compliquées à redresser. Peut-être que, conscients de cela, les condamnés abandonnaient la partie, se pensant à jamais incapables de corriger leurs pulsions agressives.

Jun'ichi émettait parfois des doutes quant à sa réhabilitation, avait noté Nangô. Assurer sa réinsertion sociale serait peut-être plus compliqué qu'il ne l'avait imaginé. Voilà à quoi songeait l'ex-gardien, en fixant l'article de journal.

3

Lorsqu'il monta dans la Civic après deux jours sans avoir vu Nangô, Jun'ichi ne semblait pas dans son assiette.

En quittant le garage de location devant la gare de Musashi-Kosugi, Nangô lui demanda :

— Qu'est-ce qui t'arrive ?

— Apparemment, ça craint, chez moi.

— Ça craint ?

— Si cette mission échoue, les choses vont vraiment empirer, dit Jun'ichi avant d'exposer la situation financière de ses parents.

Nangô se sentit quelque peu inquiet.

— Est-ce qu'il n'y aurait pas moyen de s'arranger avec M. Samura pour le prochain versement des dommages-intérêts ?

— Une promesse est une promesse. Au moindre retard de paiement, il nous collera un procès, vous ne pensez pas ?

Nangô hocha la tête. Du moment qu'ils étaient liés par contrat de conciliation, les Mikami étaient sûrs de perdre devant les tribunaux. Et si les juges les forçaient à exécuter les termes du contrat, ce serait la banqueroute. L'ex-gardien prenait une fois de plus la mesure des obstacles auxquels se heurtaient les repris de justice.

Déprimé, Jun'ichi changea de sujet.

— J'ai toujours entendu dire, à propos du traitement des criminels, que quelqu'un qui ne se repent pas d'avoir tué mérite forcément la peine de mort, c'est vrai ?

Nangô écrasa le frein. Le feu était passé au rouge. Tandis qu'ils étaient à l'arrêt, il regarda Jun'ichi sur le siège passager. Il remarqua alors pour la première fois, au creux de son coude gauche, une cicatrice de cinq centimètres environ, due à une entaille profonde. La blessure qu'il s'était faite durant sa fugue, avant que la police ne le retrouve.

— Tu veux me parler de toi ? demanda-t-il franchement.

— Non, répondit Jun'ichi de manière évasive.

— Ne sois pas trop dur avec toi-même.

Nangô touchait là un point extrêmement sensible.

— Tu n'as plus qu'un mois et demi de peine à purger, je crois. Réfléchis-y mûrement. Ta famille a des problèmes financiers, mais ça ne veut pas dire qu'il n'y a aucune issue.

— C'est vrai, concéda Jun'ichi sans y croire.

Comme s'il venait tout juste d'y songer, ce dernier ajouta :

— Tenez, j'y pense.

— Quoi donc ?

— Ça fait un moment que je voulais vous remercier. De m'avoir choisi pour accomplir ce travail avec vous.

— Mais de rien, répondit Nangô en souriant malgré lui.

Il eut l'impression que le jeune homme naïf était de retour et, aussitôt, toute sa crispation s'évanouit.

— Si seulement nous réussissions, je pourrais soulager mes parents. C'est encore possible, n'est-ce pas ?

— Bien sûr que oui. D'ailleurs, sache que moi aussi j'ai récolté des informations utiles.

Le feu passa au vert, et Nangô relata les informations sur l'affaire 31 glanées aux archives du journal.

— L'accusé, Toshizô Ohara, est incarcéré au centre de détention de Tokyo. Il se peut que j'obtienne bientôt un parloir avec lui.

Nangô en avait déjà touché un mot à Okazaki, son ancien subalterne.

— À propos de cette affaire 31, dit Jun'ichi, je veux bien partir du principe que le tueur du couple Utsugi est un voleur en maraude, mais est-ce que cela colle vraiment avec la disparition des dossiers de suivi d'Utsugi ?

— Je me suis dit la même chose. Tu as raison. D'un côté, l'hypothèse du condamné en liberté surveillée tient la route, mais de l'autre, on peut difficilement ignorer la piste d'Ohara. Ce que nous devons faire, c'est examiner les choses sans a priori et repartir à la chasse aux indices, même si cela nous prend du temps.

— Vous avez raison, acquiesça Jun'ichi, qui semblait avoir retrouvé un peu de son allant.

— Pendant que j'y pense : as-tu fait ce que je t'ai demandé hier soir au téléphone ?

— Oui.

Jun'ichi prit un sac sur la banquette arrière et en sortit un carnet. Nangô l'avait prié de dresser la liste des témoins à décharge durant l'audience de Kihara : des personnes proches de l'accusé avant son arrestation. Nangô et Jun'ichi avaient l'intention de tester l'hypothèse selon laquelle le véritable coupable aurait tenté de faire endosser son meurtre à Kihara.

— Il n'y avait que deux témoins.

Le jeune homme avait retrouvé leurs noms et leurs coordonnées dans le dossier du procès.

— Ils habitent tous les deux à Nakaminato. Il s'agit de l'ex-patron de Kihara et d'un ancien collègue.

— Tu les as appelés pour un entretien ?

— C'est fait.

L'hôtel Beau Soleil, fleuron du secteur hôtelier et touristique de Nakaminato, était un bâtiment de neuf étages muni de vastes spas et même d'une salle pour les cérémonies de mariage. Seule construction d'envergure sur le littoral, la bâtisse aux murs blancs donnait l'impression d'une forteresse portant à elle seule sur ses épaules toute l'industrie touristique de la région. Le parking était déjà à moitié plein, preuve que la saison avait bien commencé.

Nangô et Jun'ichi descendirent de concert dans la chaleur étouffante de cette journée et pénétrèrent dans l'hôtel par l'entrée principale.

Ils informèrent la réceptionniste du motif de leur visite, puis le chef de la réception apparut et les conduisit au deuxième étage. Ils traversèrent ensemble un couloir tendu de moquette, puis l'employé frappa à la dernière porte, tout au fond.

— Les personnes qui désirent vous voir.

À ces mots, la porte s'ouvrit de l'intérieur. L'un des deux témoins au procès de Ryô Kihara n'était autre que le propriétaire de cet hôtel.

— Je m'appelle Andô.

Andô fit entrer ses deux visiteurs dans son bureau, puis leur remit une carte de visite : son patronyme complet était Norio Andô. Le badge sur sa poitrine portait l'inscription : «Beau Soleil SA – Président-Directeur Général». La cinquantaine passée, l'homme possédait toujours une carrure fort athlétique, et ses poignets, qui dépassaient légèrement des manches de son complet décontracté, étaient bronzés. Son visage souriant de sportif typique laissait entrevoir un naturel spontané, sans ostentation, qui ne seyait pas du tout à son rang.

La première impression de Nangô à son égard fut bonne. Il se présenta, de même que Jun'ichi. Il donna sa carte de visite, mais son acolyte s'en tint aux salutations. Il n'était plus employé par le cabinet d'avocat. Le P-DG posa un instant sur le jeune homme un regard suspect, mais retrouva vite son sourire et invita ses hôtes à prendre place sur le canapé.

— Puis-je connaître la raison de votre visite ? demanda-t-il sans préambule, dès qu'une jeune femme, une serveuse visiblement, eut refermé la porte derrière elle après leur avoir apporté trois cafés glacés. C'est au sujet de l'affaire Kihara, si je ne m'abuse.

— C'est exact. Nous cherchons, sans grand optimisme, à savoir s'il n'y aurait pas une mince possibilité pour que Kihara ait été accusé à tort.

— Ah ?

Surpris, Andô ne se départit pas pour autant de son sourire.

— Avant d'entrer dans le vif du sujet, j'aimerais vous poser une question. La topographie des alentours du lieu des meurtres vous est-elle familière ?

— Jusqu'à un certain point. J'étais assez proche de M. Utsugi, j'ai eu plusieurs fois l'occasion de lui rendre visite.

— Savez-vous si, dans ces parages, il y aurait un bâtiment pourvu d'un escalier ?

Nangô exposa à grands traits la raison de son intérêt pour l'escalier, ainsi que leurs recherches jusqu'à présent infructueuses.

Andô pencha la tête de côté et dit :

— Je ne vois vraiment pas...

— Ce n'est pas grave, répondit Nangô avant de revenir à son objectif premier. Monsieur Andô, vous avez comparu à la barre en tant que témoin à décharge, n'est-ce pas ?

— Exact. En toute franchise, la situation s'est avérée très délicate sur le moment..., commença-t-il, embarrassé. Ma position était assez difficile à tenir.

— Que voulez-vous dire par là ?

— Que j'étais proche à la fois des victimes et de leur agresseur. En prenant parti pour l'un, je réprouvais l'autre.

— Malgré tout, vous avez comparu devant la cour en faveur de Kihara.

— Oui.

215

Andô sourit, légèrement gêné.

Nangô éprouva un certain soulagement, comme s'il s'était enfin découvert un allié. Il voulut alors vérifier de la bouche même de l'intéressé les faits rapportés dans les minutes du procès.

— Vous étiez déjà proche de Kôhei Utsugi bien avant l'affaire, n'est-ce pas ?

— Tout à fait. M. Utsugi était un homme instruit, sans pareil dans la région, et j'ai eu souvent l'occasion de lui demander conseil au sujet de mes affaires.

— Et serait-ce par son entremise que vous avez connu Ryô Kihara ?

— Oui. Vous n'êtes sûrement pas sans savoir que M. Utsugi était conseiller d'insertion. À cette époque, il cherchait un employeur pour Kihara, qui s'était rendu coupable de vols. Il l'a ainsi envoyé me voir.

— Quelle impression Kihara vous a-t-il laissée ?

— Pour être honnête, celle de quelqu'un d'introverti, dit Andô en levant les yeux, comme pour se rappeler cette époque. Mais cela paraît plutôt logique, lorsque l'on songe à l'enfance qu'il a eue.

Nangô se remémora la prime jeunesse de Kihara, décrite dans le dossier du procès.

— Donc, c'est par compassion pour lui que vous l'avez embauché.

— Tout à fait. Il se trouve que je tiens aussi un vidéoclub, et j'ai pris Kihara comme employé dans cette filiale de mon entreprise, expliqua Andô en se penchant en avant. D'ailleurs, lorsqu'il a commencé à travailler, il a prouvé qu'il était loin de ménager ses efforts.

— Ah oui ?

— Il émettait toutes sortes de bonnes idées, comme celle d'un tarif réduit passé une certaine heure, je me rappelle, et grâce à lui le chiffre d'affaires s'est mis à grimper.

Cet ancien voleur avait donc su se racheter une conduite – l'intérêt de Nangô était piqué.

— Comment se fait-il qu'il ait montré autant d'ardeur à la tâche ?

— Sur le coup, je pensais que c'était véritablement grâce à M. Utsugi, dit Andô, dont la mine se rembrunit. Je le pensais, jusqu'à ce qu'éclate cette affaire.

— Dans le contexte de l'époque, rien ne vous portait à croire que Kihara pourrait attaquer son conseiller d'insertion ?

— Rien. Même aujourd'hui, quand j'y pense, cela me paraît toujours étrange.

— Et dans les relations de Kihara ? N'y avait-il personne susceptible de commettre un vol et de le lui faire endosser ?

— Non, je ne vois vraiment pas, dit Andô avant de réfléchir un moment. Il ne s'était pas fait beaucoup d'amis, même après son embauche.

— Il avait peu de connaissances également ?

— Oui. En tout cas, personne d'assez intime pour avoir eu une dent contre lui.

Nangô hocha la tête, puis s'orienta vers une autre possibilité :

— Est-ce que M. Utsugi aurait aidé d'autres personnes à trouver du travail, par hasard ?

— Que voulez-vous dire ?

— Eh bien, hormis Kihara, n'y avait-il pas d'autres condamnés sous suivi judiciaire qui le fréquentaient ?

— Si, un, répondit Andô comme dans un murmure.

— Un ?

— Je crois, oui. Une fois, M. Utsugi m'a confié qu'il peinait un peu parce qu'il devait s'occuper de deux personnes.

— Par deux personnes, il voulait dire deux repris de justice ?

— C'est ce que j'ai déduit.

Jun'ichi regarda Nangô. La thèse du meurtre commis par un repris de justice prenait soudain plus de poids.

— Et il ne vous a jamais dit de qui il s'agissait ?

— Non. Les conseillers d'insertion sont soumis au secret professionnel. À la différence de Kihara, je n'ai pas bénéficié de l'aide de M. Utsugi, alors je l'ignore.

Andô jeta alors un rapide coup d'œil sur la table. Devinant qu'il consultait sa montre, Nangô décida d'abréger la discussion.

— J'aurais une dernière question. Est-ce que M. Utsugi se serait attiré la haine de quelqu'un ? Une rancœur injustifiée, bien sûr, ou quelque chose du genre.

— Pas que je sache, répondit Andô, sourcils froncés mais un léger sourire aux lèvres. Enfin, il n'était pas en très bons termes avec sa belle-fille, mais cela n'allait pas plus loin que ça.

— Sa belle-fille : vous voulez parler de Mme Yoshie Utsugi ?

— Oui. C'est chose fréquente.

Craignant peut-être que la conversation ne tourne aux commérages, le propriétaire de l'hôtel mit fin à l'entretien séance tenante.

— Cela arrive dans toutes les familles, vous savez, conclut-il.

Une fois sortis du bureau du P-DG, Nangô et Jun'ichi regagnèrent le rez-de-chaussée tout en récapitulant l'entrevue.

L'hypothèse du meurtre par un condamné sous suivi judiciaire avait gagné en probabilité, et Jun'ichi se montrait assez excité.

— Vous ne savez pas qui est l'autre repris de justice que voyait Utsugi ?

— J'ai tenté de le découvrir lorsque je suis retourné à Matsuyama, mais sans succès. Non seulement ce n'est pas la même juridiction, mais en ne disposant que du nom du conseiller de suivi et à dix ans de distance, on ne risque pas d'aller bien loin...

Nangô savait pourtant qu'il fallait identifier cet homme coûte que coûte et au plus vite.

— Tu sais ce qu'on va faire ? On va se séparer. Toi, tu vas rendre visite au second témoin du procès. Moi, je vais partir à la recherche de ce mystérieux repris de justice.

— Comment allez-vous procéder ?

— C'est sûrement peine perdue, mais je vais retourner voir le procureur Nakamori.

Jun'ichi hocha la tête.

— Pendant que j'y suis : que penses-tu de la piste de la belle-fille, qu'il a évoquée en dernier ?

— Oh ! ça...

Jun'ichi n'y attachait visiblement aucune importance. À quoi bon demander l'avis d'un jeunot pas encore marié, se dit Nangô avant de laisser tomber la question.

Il remonta seul dans la Civic, laissant Jun'ichi sur le parking qui baignait dans une chaleur torride. Il descendit la nationale vers le sud, dépassa la pointe de la péninsule de Bôsô, et mit le cap vers la ville de Tateyama. Il se demanda combien de kilomètres de bitume il devrait encore parcourir avant la fin de l'enquête.

Le parquet du district de Tateyama, où officiait Nakamori, partageait ses locaux avec la section locale du tribunal de première instance de Chiba. Une fois garé devant un bâtiment aux airs de bureaux administratifs, Nangô se ravisa, gêné de rendre une visite impromptue au procureur. Sa montre indiquait midi passé. Il sortit de son portefeuille la carte de visite de Nakamori et, avec très peu d'espoir, composa son numéro de téléphone.

Nakamori décrocha dès le premier appel. Sans la moindre hésitation, il accepta de rencontrer Nangô pendant sa pause déjeuner et lui indiqua un lieu de rendez-vous pour trente minutes plus tard.

Nangô se rendit dans un salon de thé à l'occidentale situé à cinq minutes en voiture du ministère public.

Il prit une table près de l'entrée et il était en train de commander son deuxième café glacé de la journée lorsqu'il entendit la sonnerie de son téléphone. Il pensa qu'il s'agissait du procureur, mais la voix à l'autre bout du fil était celle de Sugiura.

— Nous avons un petit problème, annonça l'avocat d'une voix implorante. J'ignore pourquoi, mais mon client s'est mis à douter de nous.

— Le client ? À quel sujet ?

— Il pense que vous collaborez toujours avec Mikami.

Nangô fronça les sourcils.

— Comment a-t-il fait pour comprendre ? Il nous aurait vus ?

— Qui sait ?

Soudain, Nangô crut avoir percé à jour l'identité du personnage.

— Votre client, c'est quelqu'un du coin ?

— Je ne peux rien vous dire.

— Il vient de vous téléphoner ?

— Oui.

— Il s'appelle…, commença-t-il avant de s'interrompre.

Quoi qu'il arrive, Sugiura ne répondrait pas.

— Votre client, c'est quelqu'un qui a beaucoup réfléchi au cas de Ryô Kihara, n'est-ce pas ?

— Évidemment.

— Et quelqu'un de suffisamment riche pour offrir une forte récompense.

— En effet.

— Et alors, que lui avez-vous répondu ?

— J'ai fait l'ignorant, avoua l'avocat sans vergogne. Cependant, je ne sais pas combien de temps encore nous arriverons à lui cacher la vérité.

— Si la mission avance correctement, il ne devrait avoir aucune raison de se plaindre, protesta Nangô, irrité. Continuez à vous taire au sujet de Mikami. S'il vous plaît.

— D'accord, céda Sugiura en soupirant, avant de raccrocher.

— Pardon de vous avoir fait attendre.

Surpris d'être interpellé de la sorte, Nangô leva la tête. Le jeune procureur en complet-veston se tenait à côté de sa table.

— Désolé, je ne vous avais pas vu entrer.

Nangô se leva précipitamment, mais Nakamori, le sourire aux lèvres, lui dit :

— Non, je vous en prie ; j'hésitais moi-même à vous faire signe.

Puis il ôta sa veste et s'assit en face de Nangô.

— Pardonnez-moi de vous avoir dérangé, dit celui-ci.

— Ne vous en faites pas.

Devant le visage avenant du procureur, Nangô se détendit quelque peu. Cette mine allègre laissait présager que le magistrat se montrerait à nouveau coopératif.

Ils commandèrent leur déjeuner auprès de la serveuse, échangèrent quelques banalités puis entrèrent dans le vif du sujet.

— Un condamné en suivi judiciaire dont la victime s'occupait, vous dites ?

Après le récit de Nangô, Nakamori leva les yeux au plafond, comme pour se remémorer les événements de l'époque.

— Il n'est apparu nulle part au détour de votre enquête ? demanda Nangô.

— Du moins pas parmi les suspects. Comme Kihara a été arrêté près du lieu des meurtres…

Nakamori sembla creuser encore plus profond dans sa mémoire.

— Ah ! si, j'y pense, il y en avait bien un.

— Oui ? fit Nangô, suspendu à ses lèvres.

Les indications d'Andô semblaient se confirmer.

— Je pourrais le retrouver en fouillant dans les archives, mais il me serait de toute façon impossible de vous donner son nom.

— Pourquoi donc ?

— Il s'agit d'informations personnelles concernant un repris de justice. Ce n'est pas à vous, surveillant pénitentiaire, que je vais apprendre ça.

Nangô ne put s'empêcher de rire.

— Vous avez raison.

Le procureur rit à son tour, puis reprit aussitôt son sérieux.

— Si vos soupçons se portent sur un condamné placé sous suivi, c'est que vous pensez donc que le vol avec meurtre n'est qu'un leurre ?

— Oui.

— Le véritable mobile du coupable aurait été la menace de la révocation de sa liberté conditionnelle ?

La vitesse de déduction du procureur laissa Nangô admiratif.

— Exactement.

Nakamori hocha légèrement la tête et se plongea dans ses réflexions.

Tout en songeant qu'il serait très reconnaissant au magistrat de bien vouloir se lancer lui aussi dans l'enquête, Nangô fit part de sa deuxième hypothèse.

— Pendant que j'y suis, avez-vous entendu parler de l'affaire numéro 31 ?

Nakamori tourna la tête vers lui, comme s'il venait d'entendre une chose invraisemblable.

— Oui, évidemment.

— Personne n'a tenté de relier les deux affaires ?

— Vous touchez effectivement à un point délicat. Bien sûr que nous l'avons fait. Mais nous avons vite abandonné cette piste en retrouvant le portefeuille de la victime dans les affaires de Kihara, hospitalisé en urgence.

— Et après ?

— Après, à l'inverse, les soupçons concernant l'affaire 31 se sont tournés vers Kihara. Or celui-ci avait un alibi et a pu être disculpé des meurtres d'Ibaraki et de Fukushima.

— Et quatre mois plus tard, le coupable de l'affaire 31 était arrêté...

— Toshizô Ohara, si mes souvenirs sont bons.

— C'est cela. A-t-on vérifié l'alibi de cet Ohara pour l'affaire de Nakaminato ?

— Non.

Pour Nangô, Toshizô Ohara était toujours un suspect d'importance.

Durant la suite du repas, la conversation dévia et retomba dans des banalités.

Lorsque Nangô annonça qu'il n'était plus surveillant pénitentiaire, Nakamori lui demanda, l'air grave :

— Est-ce à cause de votre enquête actuelle ?

— Plus ou moins, oui.

Le procureur jeta un coup d'œil alentour comme s'il se méfiait pour la première fois des autres clients, et demanda d'une voix discrète :

— Pour parler franchement, que pensez-vous de tout ça ? Croyez-vous vraiment que Kihara a été accusé à tort ?

Par égard pour Nakamori, Nangô hésita un instant avant de répondre :

— Oui, c'est ce que je crois.

— En d'autres termes, selon vous, requérir la peine de mort fut une erreur ?

Nangô hocha la tête. Il regarda le magistrat, d'au moins dix ans son cadet, droit dans les yeux et dit :

— Si l'on agit maintenant, il n'est pas trop tard. Kihara est encore en vie.

Nakamori resta muet. Nangô ne comprit pas ce que signifiait ce silence. Ce dont il était sûr en revanche, c'est que le magistrat comprenait sa douleur – ce dernier partageait les états d'âme de tous ceux qui ont pris part à une exécution.

Jusqu'à la fin du repas, le procureur n'évoqua plus le sujet Kihara. Lorsque Nangô se leva, l'addition dans la main, Nakamori exigea d'en payer la moitié, sourd aux protestations de son compagnon. Une telle marque de probité était fréquente chez les membres du ministère public. En toutes circonstances, ceux-ci évitaient rigoureusement tout acte ou action pouvant être pris pour une malversation.

Tout en songeant que le magistrat ferait mieux de mettre sa probité professionnelle au service de l'affaire Kihara, Nangô paya sa part du repas, et pas un yen de plus.

Après que Nangô l'eut quitté à l'hôtel Beau Soleil, Jun'ichi marcha une dizaine de minutes sous le cagnard, en direction du quartier d'Isobe.

Le second témoin à décharge portait le nom inhabituel de Minato. C'était un ex-collègue de Ryô Kihara au « Vidéoclub Beau Soleil ».

Ledit vidéoclub était situé dans une grande rue, et sa devanture, ornée de posters de blockbusters hollywoodiens, tranchait agréablement avec les boutiques adjacentes. Jun'ichi passa les portes automatiques, reçut une bouffée d'air climatisé et fut salué par la caissière, une jeune fille souriante, à tous les coups employée à mi-temps.

— Bonjour, monsieur.

— Excusez-moi, est-ce que M. Minato est ici, s'il vous plaît ? demanda Jun'ichi en épongeant sa sueur.

La jeune fille hocha la tête.

— Patron !

Au fond de la boutique, un homme occupé à ranger des boîtiers de films anciens se retourna.

— Vous êtes M. Minato ? demanda Jun'ichi en s'approchant.

Daisuke Minato se redressa.

— Oui.

— Je m'appelle Mikami, c'est moi qui vous ai téléphoné hier soir.

— Ah ! c'est vous qui travaillez pour un cabinet d'avocat, non ?

— Euh, à vrai dire, j'aide le cabinet, répondit Jun'ichi afin d'éviter toute fausse déclaration. Je suis venu vous poser une question au sujet de M. Ryô Kihara.

— Hein ? Kihara ?

Minato ouvrit de gros yeux ronds derrière ses lunettes à monture noire.

Trouvant une telle surprise un peu louche, Jun'ichi reprit :

— Désolé de vous déranger en plein travail. Vous préférez que je repasse plus tard ?

— Non, je peux bien vous accorder une dizaine de minutes. Nous n'avons pas encore de clients, ce matin.

Jun'ichi le remercia et commença à l'interroger. Il eut l'étrange sensation d'être devenu inspecteur ou détective privé. Mais ce n'était pas le moment de faire le mariole, aussi se concentra-t-il avant de demander :

— Tout d'abord, avez-vous rencontré M. Kihara dans cette boutique ?

— Oui. À l'époque, elle se trouvait ailleurs.

— Où ça ?

— Un peu plus près de la plage. Comme elle marchait bien, elle a déménagé ici.

Jun'ichi se rappela le récit d'Andô.

— J'ai entendu dire que Kihara ne ménageait pas ses efforts au travail.

– En effet, il distribuait des prospectus, il restait tard pour allonger les horaires d'ouverture – c'était un gars motivé.

– J'ai discuté avec M. Andô tout à l'heure, et...

– M. Andô ?

– Le patron de l'hôtel Beau Soleil.

– C'est pas vrai !

La franche admiration sur les traits de Minato pouvait aussi se lire comme de la stupéfaction. À ses yeux, Andô, le P-DG et propriétaire de sa boutique, devait passer pour un être éthéré, vivant au-dessus des nuages.

– M. Andô m'a confié que Kihara n'avait presque aucun ami.

– C'est juste. Il n'y a qu'avec moi qu'il soit devenu intime. Nous étions sur la même longueur d'onde. On aimait les mêmes émissions à la télé, les mêmes chansons populaires...

Puis Minato parut plus gêné :

– Mais bon, qu'il ait pu faire un truc pareil... je ne m'en suis toujours pas remis.

Au moment de l'arrestation de Kihara, l'amitié qu'éprouvait Minato avait dû se changer en amertume. Jun'ichi repensa soudain à ses propres amis. Il n'en avait pas revu un seul depuis son arrestation et, désormais, tous changeraient de trottoir s'ils devaient le croiser.

– Et vous, quelle impression vous a laissée Kihara ?

– Sûrement pas celle de quelqu'un capable de ce genre de choses. Mais après son arrestation, j'ai appris qu'il avait commis des vols, avant de travailler ici.

– C'est vrai.

– Du coup, je me suis rendu compte qu'il fallait se méfier des apparences.

Jun'ichi évoqua alors la possibilité de la fausse accusation.

– Ce n'est qu'une supposition, mais ne pourrait-on pas penser que quelqu'un ait voulu faire porter le chapeau à Kihara pour ce crime ?

Minato resta coi pendant un instant, puis bégaya :

— Ce... ce serait...

Le gérant du vidéoclub était de nature à réagir de manière disproportionnée à la moindre occasion.

— Quelqu'un qui s'entendait mal avec Kihara, ou bien...

— Attendez, l'arrêta Minato d'un geste de la main, avant de se gratter violemment l'arrière du crâne. Oui. Je me rappelle maintenant. Une fois, Kihara m'avait dit un truc bizarre.

— Quoi donc ?

— À l'époque, un vieux type venait de temps en temps à la boutique.

— Un vieux type ?

— Un homme entre deux âges. Il louait quasi exclusivement des films X et, un jour, Kihara m'a dit qu'il fallait se méfier de lui.

— Pourquoi ça ?

— Parce que ce type avait « déjà tué ».

— Quoi ?

Jun'ichi éleva la voix sans s'en rendre compte.

— Qu'est-ce qu'il a voulu dire ?

— Je ne sais pas trop. J'ai eu beau lui demander, il ne m'a jamais donné plus de détails.

— Et quel genre de personne était-ce ?

— La quarantaine, on aurait dit un ouvrier.

— Vous ne connaissez pas son nom ?

— Non, malheureusement.

— Est-ce qu'il est revenu, récemment ?

— On ne le voit plus. Quand est-ce qu'il a arrêté de venir, déjà ?

Minato eut beau se creuser la tête, il demeura incapable de se rappeler.

Jun'ichi retrouva Nangô, de retour de Tateyama, dans un salon de thé, et lui fit part de son entretien avec le gérant du vidéoclub.

227

L'ex-gardien de prison fronça les sourcils.

— Le « vieux type » en question serait un condamné sous suivi judiciaire ? Comment se fait-il que tu en sois si sûr ?

— Parce que lorsqu'un criminel rencontre un criminel, il le sait, affirma Jun'ichi avec toute la confiance qu'il lui était permis d'avoir.

Le lendemain de sa sortie de prison, il en avait fait l'expérience au Bureau d'observation et de protection.

— Kihara et ce vieux type se sont croisés chez leur conseiller d'insertion. C'est comme ça que Kihara a compris que l'autre était un ancien détenu.

— Je vois, dit Nangô avant de réfléchir. Mais attends un peu. Kihara avait été incarcéré pour vol. Est-ce qu'on ne peut pas penser qu'ils se sont plutôt rencontrés en maison d'arrêt ou en centre de détention ?

— Je ne crois pas. Le type s'est rendu coupable d'homicide. Si on part de ce principe, il a dû finir sous écrou pour un bout de temps. Donc il n'avait aucune chance de recroiser Kihara, qui a été tout de suite libéré avec du sursis.

Nangô hocha la tête, apparemment convaincu.

— Il n'aurait pas été tranquillement en train d'emprunter des vidéos porno, dit-il.

— Si on remet les morceaux dans l'ordre, voilà ce qu'on sait : Kihara, sous le coup d'une peine de sursis pour vol, se rendait régulièrement chez Kôhei Utsugi, son conseiller d'insertion. Là-bas, il a vu un autre homme, un meurtrier en liberté conditionnelle, avec qui il a eu un jour l'occasion de parler.

Là, Jun'ichi baissa la voix, désappointé.

— Le seul problème, c'est qu'on ne sait rien de ce « vieux type ».

— Non, attends. Je crois avoir compris une chose, intervint Nangô, ses fins sourcils relevés, un sourire satisfait aux lèvres. Revenons à notre précédente hypothèse. On imagine que le condamné sous suivi judiciaire a tué son conseiller d'insertion. Dans ce cas, quel était son mobile ?

— La révocation de sa liberté conditionnelle.

— À moins d'une condamnation à perpétuité, ce mobile aurait été dérisoire, non ?

— Assurément. Donc le coupable était probablement un assassin en liberté conditionnelle, condamné à la perpétuité.

— Auquel cas, ce type-là est toujours sous liberté conditionnelle, même depuis l'assassinat de Kôhei Utsugi.

Jun'ichi leva la tête, surpris.

— Ça voudrait dire qu'il continuerait à se rendre chez le conseiller d'insertion qui a succédé à Utsugi ?

— Oui. La seule question, c'est le temps. Il faut savoir si, dans les dernières années, il a bénéficié ou non d'une remise de peine. Parce que si c'est le cas, il est exempté de suivi judiciaire.

— Vous en pensez quoi ?

La réponse du surveillant pénitentiaire chevronné ne se fit pas attendre.

— Je pense qu'il est toujours sous suivi judiciaire.

— Dans ce cas, dit Jun'ichi en se penchant en avant, il suffit de guetter la maison de son conseiller de suivi actuel : notre homme finira bien par se pointer, non ?

Nangô acquiesça.

— Bon, allons à la bibliothèque, proposa-t-il. L'association locale des conseillers d'insertion doit sûrement publier un annuaire.

— Nous allons chercher son nouveau conseiller d'insertion ?

— Oui.

Ils levèrent en même temps et sans le vouloir leur verre de café glacé et le terminèrent à la paille. Puis ils partirent. À ce moment-là, le portable de Nangô sonna.

— Allô ?

Le téléphone contre l'oreille, l'ex-gardien sembla se tendre.

– Demain ? Non, ça ira. Jusqu'à onze heures, ça ne me pose pas de problème. Compris, merci.

Il raccrocha et dit à Jun'ichi :

– Une autre ligne s'est mise à bouger.

– Une autre ligne ?

– Un ex-collègue du centre de détention de Tokyo a pu m'obtenir un parloir avec le coupable de l'affaire 31.

L'« ordre de mise à mort » n'attendait plus que l'approbation de deux personnes.

La proposition d'exécution était passée par le Bureau des affaires criminelles, le Bureau correctionnel et le Bureau de réhabilitation, vérifiée à chaque étape par trois cadres, avant de s'en retourner sous un nom différent au Bureau des affaires criminelles, d'où, de la main même du directeur, elle avait été expédiée au cabinet du ministre de la Justice.

Le vice-ministre administratif, à la tête du plus haut poste de fonctionnaire du ministère, avait les yeux rivés sur le document posé sur son bureau. Au sein du cabinet, le secrétaire en chef et le directeur avaient déjà donné leur aval, et l'on n'attendait plus, à présent, que son examen à lui. Il suffisait qu'il appose son sceau pour que l'ordre soit finalement porté au bureau du ministre, treizième et ultime juge à sanctionner le document.

Le vice-ministre avait déjà compulsé les pièces jointes à l'ordre. Sa lecture, bien que hâtive, ne lui avait pas permis de déceler le moindre problème. Il prit son sceau sur son bureau, le pressa dans la pulpe rouge et l'apposa sur l'ordre d'exécution.

La dernière question était de savoir quand le porter au bureau du ministre.

L'actuel garde des Sceaux avait décroché le portefeuille ministériel grâce à un système de roulement au sein du clan politique en place, système impeccablement rodé s'il en est, abus d'une politique d'État impunie. L'homme ne brillait ni par ses connaissances en matière de justice, ni par la perspicacité avec laquelle il l'administrait. En outre – et cela exaspérait encore plus le vice-ministre –, le personnage, en dépit d'une imposante carrure physique, s'avérait un homme timoré.

Il ne savait hausser le ton que lorsque les discussions touchaient au problème de la peine de mort. Cela reflétait une attitude extrêmement puérile de sa part, à l'instar d'un enfant qui refuse une piqûre. Toutefois, il ne s'agissait pas de rire. Le vice-ministre appréhendait un nouveau refus de signer l'ordre de mise à mort, car cette pratique entachait depuis longtemps l'histoire de l'administration judiciaire.

Parmi les ministres de la Justice qui s'étaient succédé, certains avaient rejeté un ordre de mise à mort sous couvert de croyances religieuses. Une poignée avait même tout bonnement refusé de signer, sans donner de raison. Si une telle attitude était accueillie avec enthousiasme par les opposants à tous crins à la peine capitale, elle constituait néanmoins un clair renoncement à la tâche. Du moment que la loi avait fixé comme étant du ressort du ministre de la Justice de signer l'ordre d'exécution, logiquement, ceux à qui cela déplaisait auraient dû tout bonnement renoncer à occuper ce poste. Aller jusqu'à bafouer la loi pour éviter les tâches contrariantes, aspirer seulement à un poste de pouvoir étaient des travers parfaitement inacceptables pour les fonctionnaires de l'autorité judiciaire.

Comment convaincre cet abruti ? Le vice-ministre s'arrachait les cheveux. Il avait beau occuper le plus éminent poste de bureaucrate dans le haut du panier des fonctionnaires, lorsqu'il s'agissait du pouvoir d'action, il restait à la cinquième place. Ancien procureur issu du ministère public, il avait au-dessus de lui quatre personnages d'influence, notamment le procureur général et le procureur en chef de la cour d'appel de Tokyo, et ceux-ci pesaient lourd, très lourd sur sa tête. S'il échouait à convaincre le ministre, il n'osait même pas imaginer quels malheurs s'abattraient sur lui.

Son meilleur atout restait sûrement le prochain remaniement ministériel, qui ne devait pas tarder. Obtenir la signature de l'ordre juste avant le départ du ministre était pratique assez courante. Le vice-ministre avait déjà reçu un rapport expliquant que la quatrième demande de révision du condamné aurait à ce moment-là été définitivement rejetée.

Ce sera la deuxième semaine avant le remaniement, estima le vice-ministre. D'ici là, il obtiendrait un accord de principe de la part du garde des Sceaux. Et si celui-ci venait à faire traîner les choses, il ne lui laisserait pas le temps de protester, lui brandirait l'ordre d'exécution sous le nez le jour même de sa démission et le presserait de signer. Pour peu que le directeur du Bureau des affaires criminelles se joigne à lui, le ministre ne pourrait sûrement pas refuser.

Toujours d'humeur exécrable, le vice-ministre remisa le document dans son tiroir. Il avait l'impression de jouer un second rôle dans une mauvaise farce bouffonne. Alors même qu'il tentait de se résoudre à prendre la vie d'un homme, il avait fallu qu'un politicien stupide vienne mettre son grain de sel et que tout se change en comédie de bas étage. *Le problème, c'est que des types comme ça puissent être élus...* – le bureaucrate dirigeait à présent sa colère contre le peuple.

Mais il suffisait d'un peu de patience. Une fois le nouveau gouvernement nommé, le ministre quitterait son bureau en laissant l'ordre de mise à mort. Alors cette tâche déprimante toucherait elle aussi à sa fin.

Le vice-ministre posa les yeux sur le tiroir qui renfermait le document. À ce stade, songea-t-il, il était le seul à savoir quand mourrait le dénommé Ryô Kihara.

Il était décidément un émissaire de la Mort.

Pris d'un sentiment désagréable, le fonctionnaire se résigna : cela aussi faisait partie de son travail.

Dans trois semaines, Ryô Kihara serait pendu.

Cela, plus personne ne devrait pouvoir l'empêcher.

5

Les preuves

1

Jun'ichi savait pertinemment que le temps leur était compté, mais que pouvait-il faire, sinon rester assis sous le vent marin ?

Ils avaient découvert la veille que, après le meurtre de Kôhei Utsugi, le district de Nakaminato avait été privé de conseiller d'insertion. On ne lui avait trouvé aucun successeur. Depuis la mise en place de ce système, les conseillers d'insertion avaient toujours été en sous-effectif. Dans le cas du district de Nakaminato, l'expédient trouvé fut d'élargir la juridiction des contrôleurs de la ville voisine de Katsuura.

À Kôhei Utsugi succéda une vieille dame de soixante-dix ans, du nom de Sumie Kobayashi. Elle vivait tout près du port de pêche de Katsuura, entre le ruisseau et la digue où était assis Jun'ichi.

Tout en vidant peu à peu sa bouteille d'eau minérale, le jeune homme attendait, sans relâche, que le « vieux type » daigne se montrer. L'élargissement de la juridiction de Nakaminato présentait un avantage pour Nangô et lui. Cela expliquait en effet pourquoi le « type » ne venait plus au vidéoclub de Minato. Après avoir repris le flambeau d'Utsugi, Mme Sumie Kobayashi avait dû exiger du condamné qu'il déménage près de chez elle, l'attirant ainsi dans les parages de la ville de Katsuura.

La veille, Nangô et Jun'ichi avaient acheté un appareil numérique afin de photographier tout homme qui ressemblerait à leur suspect, et vérifier son identité auprès du gérant du vidéoclub.

En tous les cas, quelle chaleur… Jun'ichi épongea sa sueur, se badigeonna une nouvelle fois de crème solaire et consulta l'horloge au fronton de la coopérative de pêche.

Onze heures du matin.

L'heure du rendez-vous de Nangô avec le meurtrier de l'affaire 31 approchait.

Au même moment, Nangô se tenait dans la salle d'attente des parloirs du centre de détention de Tokyo. Il patientait au milieu des visiteurs, assis sur le banc le plus au fond de la pièce.

« Faites une demande ordinaire, lui avait conseillé Okazaki la veille au soir par téléphone. Et écrivez sur le formulaire que vous travaillez pour un cabinet d'avocat. Je me chargerai du reste. »

Une dizaine de personnes se trouvaient dans la salle. Devant Nangô attendait une femme aux allures de prostituée, un bébé dans les bras. Il songea qu'elle devait rendre visite au père de l'enfant et se sentit un peu déprimé.

— Numéro 415, au parloir.

À cette annonce, la femme se leva et emmena le nourrisson. Nangô tourna la tête vers la boutique attenante. Serait-il judicieux d'acheter un petit quelque chose pour Toshizô Ohara ? Cela dépendrait de leur entretien. S'il obtenait un indice important, il lui paierait un gâteau, ou quelque chose dans le genre.

On appela enfin son numéro. Nangô approcha du guichet des parloirs, on passa ses effets personnels au crible et il subit une fouille corporelle des plus sommaires. Carrément bâclée, à son avis. En tant qu'ancien surveillant, il éprouva l'envie de passer un savon à son ex-confrère.

Le corridor des parloirs était long et étroit, les box se trouvaient sur la droite. Nangô ouvrit le quatrième à partir du fond et pénétra dans une pièce d'environ neuf mètres carrés, coupée en deux par une paroi en Plexiglas. Trois chaises pliantes étaient installées : Nangô choisit celle du milieu et, aussitôt, la porte de l'autre côté du panneau s'ouvrit, laissant entrer un surveillant en uniforme ainsi qu'un homme entre deux âges, habillé en survêtement.

Nangô observa Toshizô Ohara, le meurtrier de l'affaire 31. Des cheveux poivre et sel tondus à ras. Un visage anguleux, telle une roche pleine d'aspérités, identique au portrait paru dix ans plus tôt dans les journaux. Le meurtrier vénal aux trois victimes avait un style passe-partout, à l'instar de nombreux assassins au contact desquels Nangô avait travaillé.

Ohara courbait le dos ; il jeta à son visiteur un regard par en dessous et s'assit face à lui, de l'autre côté de la vitre.

Le surveillant devait rester présent pendant toute la durée du parloir. Il s'assit à la table disposée sur le côté pour prendre des notes, ôta sa casquette et demanda :

— Vous êtes M. Nangô, de Matsuyama, n'est-ce pas ?

— Oui.

Il répondit d'un hochement de tête et ne dit plus un mot. Okazaki s'était bel et bien chargé de tout, du début à la fin. Satisfait, Nangô se tourna vers Ohara et se présenta :

— C'est la première fois qu'on se voit. Je m'appelle Nangô, je travaille pour le cabinet d'avocat Sugiura.

— T'es avocat ?

La voix d'Ohara était plus grave que Nangô ne l'aurait imaginé.

— Je ne suis pas avocat, non. J'aide, pour ainsi dire.

— Et alors, en quoi tu vas m'aider ? voulut savoir Ohara, comme si tout secours lui était naturellement dû.

Depuis sa condamnation à mort en première instance, bien des âmes charitables avaient dû lui tendre la main, en se récriant avec indignation : « Les droits de l'homme s'appliquent aussi aux meurtriers. » « À bas la peine de mort, ce châtiment barbare ! »

— D'abord, j'aimerais vérifier une chose avec toi, dit Nangô en jetant un coup d'œil au surveillant.

Celui-ci était à présent tourné vers la tablette, un stylo à la main, mais ne faisait pas mine de vouloir prendre la moindre note. Rassuré, Nangô reprit :

— Tu as bien été poursuivi pour trois affaires, n'est-ce pas ? Fukushima, Ibaraki et Saitama.

— Non, quatre.

L'ex-gardien leva les yeux.

— Violation de domicile à Shizuoka – juste une tentative.

— D'accord, répondit Nangô, légèrement déçu. Pendant que j'y suis, Ohara : est-ce que tu es déjà allé à Chiba ?

— Chiba ?

Le détenu leva la tête.

— Oui, plus précisément dans le sud de la préfecture, dans la péninsule de Bôsô.

— Pourquoi tu me poses cette question ?

L'expression d'Ohara se fit méfiante. Trouvait-il cela simplement suspect, ou bien Nangô avait-il mis le doigt sur un pan de son passé qu'il voulait garder secret ?

Nangô décida de neutraliser la ligne de défense de l'ennemi.

— Bon, peu importe. Commençons par parler de tes chefs d'accusation. Dans chacune des trois affaires, tu t'es servi d'une hachette, n'est-ce pas ?

— Oui.

— Il y a une raison à ça ?

— Une hache normale, ça prend de la place, ça attire l'attention, alors j'ai pris un truc plus petit.

— Et pourquoi les avoir enterrées chaque fois près du lieu du crime ?

— Par superstition.

— Explique-toi.

— Pour tout te dire, la première fois, je m'en souviens pas trop. J'étais plus vraiment moi-même. J'ai pris le fric, je suis sorti de la baraque, et là je me suis rendu compte que j'avais encore l'arme pleine de sang dans la main. Alors j'ai pris une pelle, et je l'ai enterrée près de la maison.

— Ça, c'était la première fois.

— Oui. Après, pendant un moment, j'en ai pas mené large, mais finalement, personne ne venait m'arrêter. Alors ça m'a rassuré, et je me suis dit que la fois suivante je ferais pareil.

— Que tu utiliserais la même arme et que tu l'enterrerais pareillement ?

— C'est ça. La deuxième et la troisième fois, ça s'est passé sans problème.

Un sourire de fierté fendit le visage d'Ohara. Ce type n'éprouvait pas une once de repentir, pressentit Nangô. Or, en y réfléchissant bien, quoi de plus normal ? S'il était du genre à regretter ses actes, il n'aurait pas recommencé une deuxième, puis une troisième fois.

Tout en essayant de réprimer sa haine pour l'homme en face de lui, Nangô en vint au but :

— Une affaire similaire s'est produite dans la préfecture de Chiba. L'arme du crime est une arme blanche, et plus précisément une hache, suppose-t-on. Elle a été enterrée à proximité du lieu du meurtre.

Le sourire disparut du visage d'Ohara. Le prisonnier se mit à fixer Nangô.

— C'est ça que je voulais vérifier avec toi. Tu n'es jamais allé à Chiba, par hasard ?

— Attends un peu. Le coupable de cette affaire, il a pas été arrêté ?

Ohara avait mordu à l'hameçon.

— Comment se fait-il que tu sois au courant ? demanda Nangô.

Le détenu répondit du tac au tac :

— Je l'ai lu dans les journaux.

Était-ce une excuse préparée de longue date ?

— Tu as plutôt bonne mémoire en tout cas, pour te rappeler une affaire vieille de plus de dix ans, et commise par quelqu'un d'autre.

— C'est que…, commença Ohara dont les yeux affolés bougeaient en tous sens tandis qu'il cherchait ses mots. À l'époque, je lisais le journal tous les jours.

— Pour savoir où en était l'enquête sur ton affaire ?

— C'est ça. Du coup, ça m'a surpris de voir un type se mettre à copier ma façon de faire.

— Copier ta façon de faire ?

Nangô scruta le visage d'Ohara. Il n'arrivait pas à démêler le vrai du faux. Soudain, il se rendit compte qu'il tentait de faire endosser le crime à l'homme en face de lui. Il se ressaisit, et tenta de faire appel à sa raison. On ne pouvait écarter l'hypothèse selon laquelle Ohara ignorait vraiment qui avait imité son modus operandi. De plus, il était vrai qu'à l'époque les médias relayaient les détails de l'affaire 31 en continu.

— C'est pas moi le coupable. C'est ce jeune morveux de Kihara qui m'a copié.

— Tu te souviens même de son nom ?

— Ouais. Et j'aurais été content s'il avait pu être accusé de tous mes crimes à ma place.

— Tu le penses encore maintenant ?

— Quoi, c'est humain, non ?

Nangô eut un sourire. Un sourire glacial, émanant du plus profond de son cœur.

— Allez, faut que tu me croies. Je suis jamais allé à Chiba, moi.

242

Le ton d'Ohara s'était fait suppliant, mais Nangô n'était pas convaincu pour autant. Le condamné était engagé dans une lutte avec la Cour suprême, une bataille juridique dont l'enjeu n'était autre que sa vie. Se reconnaître coupable d'une affaire de plus revenait littéralement à commettre un acte suicidaire. Quand bien même il serait l'auteur du meurtre de Nakaminato, il ne passerait jamais aux aveux.

Afin de faire voler cette barrière en éclats, Nangô décida d'engager une manœuvre plus vicieuse.

— Ton verdict ne changera pas. Tu seras condamné à la peine de mort.

Le prisonnier regarda son visiteur, épouvanté.

— Ce n'est plus la peine d'espérer. Quand on est coupable de trois affaires de meurtre, c'est la peine de mort à coup sûr.

Nangô se pencha en avant, et poursuivit en détachant chaque mot, pour être certain qu'ils s'impriment bien :

— Alors avant ça, que dirais-tu d'expier toutes tes fautes ?

— Je suis pas coupable ! hurla Ohara.

— Arrête de mentir.

— Je mens pas !

— Tu n'es même pas un peu désolé pour tes cinq victimes ?

— J'en ai tué que trois !

Ohara ne mordait plus à l'hameçon.

— Et puis, comment tu peux être aussi sûr qu'ils vont me condamner à mort ? Qu'est-ce qui te permet de le dire ?

— La jurisprudence.

— Arrête tes conneries ! Va te faire foutre !

Les postillons crachés par Ohara vinrent s'écraser contre la vitre.

— Moi, j'ai des circonstances atténuantes. J'envoie sans faute mon salaire aux familles des victimes. Et puis j'ai eu une enfance malheureuse.

— Tu n'as pas honte de pleurnicher sur ton sort ?

— Je pleurniche si je veux. J'ai pas eu de mère. Mon père picolait dès le matin, et il était accro aux courses. J'ai grandi sous les coups de ce connard, tous les jours.

— Arrête d'essayer de m'apitoyer ! fulmina Nangô.

Il avait repris la voix du surveillant pénitentiaire, qui avait terrorisé tant de prisonniers.

— Des tonnes de types qui ont grandi dans les mêmes conditions que toi finissent par mener une vie honnête. Tu leur fais honte !

— Répète un peu !

Là-dessus, le surveillant gronda :

— Ohara, tu te calmes ! Assieds-toi comme il faut !

Le détenu obéit. Une fois sur sa chaise, il tourna un regard bouillant de haine vers Nangô et affirma :

— Ils me condamneront pas à mort. Je resterai en vie. J'aurai droit à une révision de mon procès, ou à une grâce, je trouverai un moyen. C'est pas moi qui suis en tort. C'est la société qui opprime les faibles !

— Et c'est une raison pour ôter la vie d'autrui ?

Nangô n'arrivait plus à contenir sa haine. Avec des abrutis pareils, la peine de mort n'était pas près de disparaître. Et les surveillants chargés d'exécuter ces déchets humains continueraient à traîner toute leur vie les séquelles de la mise à mort.

— Pense bien au moment où tu mourras, reprit Nangô d'une voix qui avait perdu tout relief. Tôt ou tard, tu seras debout sur une trappe, une corde autour du cou. Que tu ailles au paradis ou en enfer, ça se joue maintenant, et ça ne dépend que de toi. Si tu meurs sans t'être repenti, tu finiras indubitablement en enfer.

— Espèce de salaud !

Ohara se leva et frappa la vitre comme pour bondir sur Nangô. Le surveillant le maîtrisa aussitôt par-derrière et l'éloigna de la paroi.

Le détenu continua à brailler tout en tentant de se débattre.

— Lâche-moi ! Lâche-moi, putain !

— Monsieur Nangô… Monsieur Nangô !

La voix lui paraissait lointaine. Peu à peu, elle lui sembla plus nette, jusqu'à le faire revenir à lui-même. De l'autre côté de la paroi de Plexiglas, le surveillant maintenait Ohara tout en regardant dans sa direction, confus.

— Oh ! désolé.

Comme aucun autre mot ne lui venait, Nangô hocha la tête d'un air contrit.

Ce signe marquait la fin de l'entretien.

Le gardien lui rendit son hochement de tête, et traîna le condamné à mort hors du parloir.

Une fois sorti du centre de détention, Nangô marcha dans une rue pleine de boutiques et trouva un bureau de tabac. Il avait arrêté de fumer depuis un certain temps, mais le moment était venu de reprendre. Il acheta un paquet et des allumettes, les ouvrit dès qu'il eut posé le pied dehors et emplit ses poumons d'une grosse bouffée de tabac.

D'où lui était venue sa haine pour Ohara ?

Dans l'espoir de trouver la réponse, Nangô se repassa le film de cette amère visite au parloir.

Était-ce parce qu'il sentait qu'Ohara n'était pas le meurtrier de Nakaminato ? Parce que les chances que Ryô Kihara soit exécuté malgré son innocence avaient de nouveau augmenté ? Ou encore, simplement parce qu'il s'était heurté à un criminel ignoble qui n'éprouvait aucun remords ?

Après quelques minutes d'errance, il arriva dans un quartier de bars et de restaurants. C'était là, dans cette même rue commerçante, vingt-deux ans plus tôt, après l'exécution du numéro 470, qu'il avait fini par vomir ses tripes à quatre pattes sur le trottoir.

Il éprouva soudain une profonde indignation. Non pas contre le système judiciaire, mais contre ses propres sentiments.

Nangô fut instantanément couvert de sueur. Il se remit en marche, pressant le pas pour s'éloigner le plus vite possible de ce lieu, et regagna le parking du centre de détention. Il monta dans la Civic et abaissa les vitres pour chasser la chaleur, puis sortit son portable et appela Okazaki.

Le jeune chef du traitement et du redressement décrocha sur sa ligne personnelle.

— Allô, monsieur Nangô ?

Nangô le remercia pour le parloir. Okazaki demanda, amusé :

— Il paraît qu'Ohara est devenu violent.

— C'est vrai.

— On va le sanctionner.

Nangô hésita un instant, mais ne s'y opposa pas.

— Dis-moi, à propos de ce que je t'ai demandé hier soir : est-ce que tu as pu chercher le groupe sanguin de ce type ?

— Oui. Toshizô Ohara est du groupe A.

— Je vois…

Il s'y attendait à moitié. D'un coup, il se sentit encore plus vil d'avoir asséné de telles paroles au condamné.

Okazaki continua à voix basse :

— Toujours rien n'a bougé concernant l'exécution.

— Merci de t'être renseigné.

Nangô ressentit une brusque angoisse.

— Quand est-ce que tu prends tes congés d'été ? demanda-t-il.

— Comment ça ?

— Tu pourras être au courant, si les choses bougent en août concernant l'exécution ?

Après un silence, Okazaki répondit :

— Ça devrait aller. S'ils doivent exécuter quelqu'un, ils me rappelleront certainement malgré mes congés.

— C'est vrai, reconnut Nangô.

Il raccrocha, démarra la voiture et se dirigea vers Katsuura. Jun'ichi était toujours en train de faire le guet sous un soleil de plomb.

La route fut longue, et Nangô en profita pour réfléchir aux indices récoltés pendant l'entretien avec Ohara, à savoir la possibilité que le coupable de l'affaire de Nakaminato ait imité sa façon de procéder. Cependant, son cerveau refusait de fonctionner. Il était encore ébranlé par la puissante vague de colère qu'il avait échoué à dompter devant le criminel.

Comme la Civic entrait dans la péninsule de Bôsô, il réfléchissait à la psychologie du tueur. Il existait toutes sortes de mobiles pour un meurtre. Pour une grande part, ils résultaient d'une rage soudaine et imprévue, qui faisait perdre la raison. Nangô comprenait bien le mécanisme qui conduisait au meurtre impulsif. N'y avait-il pas, dans un recoin insoupçonné du cœur humain, un interrupteur commandant les pulsions agressives qui, enclenché par hasard, rendait fou au point de tuer ? Cette réaction, ni les victimes, ni même les agresseurs ne pouvaient la prévoir.

Songeant que lui aussi pourrait être un criminel en puissance, Nangô repensa à Jun'ichi. Son compagnon avait-il également senti cette détente se presser, avant de tuer Kyôsuke Samura ? Et puis, avant cela, lors de sa fugue avec sa petite amie, qu'est-ce qui avait bien pu lui causer une telle blessure au bras ?

Nangô mit le cap sur Katsuura, or, juste avant de dépasser le district de Nakaminato, il quitta la nationale et entra dans le quartier d'Isobe. Pour faire face à l'afflux estival de touristes, le centre-ville avait installé des postes de police provisoires. Nangô examina le visage des plantons qui les occupaient, puis se dirigea vers le bord de mer.

Il trouva, dans un poste situé en zone pavillonnaire, l'agent qui était venu parler à Jun'ichi sur le parking du commissariat de Katsuura.

Nangô descendit de voiture, tapa doucement à la vitre de la guérite.

— Je m'appelle Nangô, dit-il à l'agent en uniforme. Excusez-moi encore pour la dernière fois.

247

— Monsieur Nangô ?

Il fallut un instant au policier pour se le remettre en mémoire.

— Ah ! oui, c'est vous que j'ai rencontré sur le parking du commissariat de Katsuura.

— Exact. Je suis le tuteur de Jun'ichi Mikami.

L'agent au visage affable le salua sobrement.

— Je voudrais vous poser une question : est-ce que vous vous rappelez la fugue de Mikami, il y a dix ans de ça ?

— Oui, je m'en souviens bien.

— Il paraît qu'il était blessé : vous pensez qu'il s'était bagarré, par hasard ?

Le visage de l'agent s'assombrit un peu.

— Si seulement ça n'avait été qu'une bagarre.

Il s'était donc produit quelque chose de pire.

— Vous pouvez m'en dire plus ?

— Ce jour-là, Mikami avait cent mille yens sur lui.

— Cent mille ?

— Oui. Sur le coup, je me suis simplement dit que les lycéens étaient bien lotis de nos jours, rien de plus. Mais après son retour à Tokyo, j'ai reçu un appel de ses parents, qui voulaient s'excuser. Alors j'en ai profité pour leur demander : ils m'ont répondu que comme le gosse avait prévu de partir pour quatre jours, ils ne l'avaient laissé prendre que cinquante mille yens.

Nangô fronça les sourcils.

— Entre le moment où Mikami est arrivé à Katsuura et celui où vous avez mis fin à sa fugue, il s'est écoulé dix jours, n'est-ce pas ?

— Oui. Donc cinquante mille, ça n'a pas dû lui suffire. On peut être au moins sûr d'une chose, c'est que l'argent, ça ne se dédouble pas comme ça.

— Dans ce cas, on pourrait penser que…

L'agent termina sa phrase à sa place :

— Qu'il aurait pu faire chanter quelqu'un, qui sait ?

Mais cela aussi paraissait étrange, songea aussitôt Nangô. La blessure au bras de Jun'ichi avait été assez grave pour nécessiter les soins d'un chirurgien. Or il était difficile d'imaginer que Jun'ichi ait pu tenter de soutirer de l'argent à une personne capable de lui infliger une blessure aussi importante.

— Attendez un instant. Ce jour-là, sa petite amie a été arrêtée en même temps que lui, n'est-ce pas ?

— Oui. Elle s'appelait Yuri Kinoshita, si je me rappelle bien.

— Vous ne croyez pas qu'elle aurait pu avoir une grosse somme d'argent sur elle, en prévision de son voyage ?

— Et qu'elle aurait confié cet argent à Mikami, vous voulez dire ?

— Oui.

— Ça, je ne sais pas, dit l'agent avant de lever les yeux au ciel. La gamine n'était pas en état de comprendre quoi que ce soit.

— C'est-à-dire ?

— Ma foi, elle donnait l'impression de ne pas être là, d'avoir perdu l'esprit... C'est Mikami qui a répondu à l'interrogatoire, et pendant ce temps, elle, eh bien, elle était comme qui dirait dans les vapes.

— Qu'est-ce qui avait bien pu lui arriver ?

— Elle devait avoir subi un choc assez important. Peut-être du fait de s'être retrouvée au poste, allez savoir ?

L'expression de l'agent se détendit un peu.

— En tout cas, à la voir, on aurait dit une fille de bonne famille, bien élevée.

Nangô sentit que quelque chose clochait. Pourtant, à l'instar des pulsions agressives enfouies dans son propre cœur, cette inquiétude ne déclenchait en lui rien d'autre qu'une angoisse vague, dont il ne saisissait pas la véritable nature.

Que s'était-il passé, dix ans auparavant, dans ce district de Nakaminato ? Nangô aurait beau questionner Jun'ichi pour en avoir le cœur net, il échouerait sûrement à lui faire cracher la moindre information. Il avait tenté une fois, mais le jeune homme était resté évasif, prétextant des souvenirs flous.

Il cachait intentionnellement quelque chose.

Ce doute, Nangô ferait tout pour le dissiper. Il refusait de penser qu'il avait commis une erreur en choisissant Jun'ichi pour partenaire.

2

Dès lors que Nangô fut de retour, la corvée de guet devint moitié moins pénible. Dans la Civic garée au bout de la digue, Jun'ichi et Nangô, jour après jour, continuaient à surveiller la maison de la contrôleuse judiciaire.

À présent qu'il savait que le coupable de l'affaire 31 appartenait au groupe sanguin A, Jun'ichi se sentait encore plus exalté. L'hypothèse du crime commis par un condamné en liberté conditionnelle, qu'il avait lui-même élaborée, gagnait en effet en crédibilité. La seule chose qui l'inquiétait désormais était l'attitude de Nangô : assis côté conducteur, celui-ci avait perdu sa volubilité habituelle, et il avait même recommencé à fumer, en quantités impressionnantes.

Au cinquième jour de surveillance, Jun'ichi lui demanda :

— Ça n'a pas l'air d'aller fort, ces derniers temps.

— Non, tu te trompes, répondit Nangô.

Il eut un sourire, qui parut toutefois à Jun'ichi un peu moins avenant que d'habitude.

— C'est juste que je me fais du souci.

— À propos de quoi ?

— Si jamais l'affaire 31 n'a aucun lien avec la nôtre, la seule hypothèse qu'il nous restera sera celle du condamné en liberté conditionnelle. Et si celle-ci se révèle fausse à son tour, nous n'aurons plus la moindre piste à suivre.

— C'est juste, acquiesça Jun'ichi. Mais je me demandais, à propos du fameux morceau de textile, est-on complètement sûrs qu'il appartient au coupable ? Je veux dire, est-ce qu'on peut vraiment affirmer que le meurtrier est du groupe B ?

— On n'a pas le choix, répondit Nangô un peu par dépit. Aucun autre élément ne nous permet de l'identifier.

— C'est vrai.

— Et puis, le temps presse...

Jun'ichi ressentait le même agacement que Nangô à voir le temps passer. Ces cinq derniers jours, ils n'avaient vu personne entrer dans cette maison hormis la famille de la conseillère. Chaque soir, lorsqu'il rentrait bredouille de sa journée de faction, Jun'ichi doutait du bien-fondé de leur plan.

Nangô alluma une cigarette puis demanda :

— Mettons que notre coupable ait voulu maquiller son meurtre pour faire croire à un nouveau volet de l'affaire 31 : qu'est-ce qu'on peut en déduire ?

— Qu'il connaissait de vue les victimes. Qu'il a tenté par tous les moyens de cacher sa relation avec elles. Et aussi, qu'il a imité le mode opératoire du cambrioleur en maraude.

— Dans ce cas, notre troisième hypothèse part en fumée.

— Vous voulez dire la possibilité que le coupable ait fait porter le chapeau à Kihara ?

— Oui. Si tel avait été son but, il ne se serait pas donné la peine d'imiter l'affaire 31.

Jun'ichi était d'accord. Il hocha la tête et conclut :

— Donc Kihara lui est tombé dessus par hasard sur le lieu du crime, et s'est trouvé happé dans l'affaire.

Afin d'en avoir le cœur net, Jun'ichi voulut connaître l'emploi du temps de Kihara le jour du meurtre. Le gérant du vidéoclub pourrait peut-être les renseigner.

— Oh ! s'anima soudain Nangô.

Jun'ichi regarda aussitôt devant lui. Un adolescent en uniforme de lycéen, les cheveux teints en châtain, entrait chez Sumie Kobayashi.

— Un vénérable délinquant juvénile en visite officielle, commenta Nangô. C'est peut-être bien aujourd'hui qu'ont lieu les rendez-vous.

Jun'ichi, fébrile, saisit l'appareil numérique sur le tableau de bord. Il l'alluma et augmenta le zoom.

— Tout va peut-être aboutir aujourd'hui, dit-il.

— Espérons.

Les deux hommes continuèrent d'attendre dans la Civic, derrière leurs fenêtres baissées. Deux heures environ après le passage du lycéen, ce fut au tour d'une jeune femme de rendre visite à la conseillère. La durée de son entretien – une trentaine de minutes – laissait entendre qu'elle aussi était en liberté conditionnelle.

À quatorze heures passées, Jun'ichi et Nangô se demandaient comment aller acheter leur déjeuner lorsque, au coin d'une ruelle, apparut un homme d'une bonne quarantaine d'années.

— C'est lui ! s'exclama inconsciemment Jun'ichi avant de braquer son appareil photo dans sa direction.

— Vraiment ? hésita Nangô devant ce type aux cheveux lisses, à l'allure proprette. Il n'a pas vraiment l'air d'un ouvrier. Ça ne colle pas avec la description du gérant du vidéoclub.

Jun'ichi mitrailla celui qu'il pensait être le « vieux type » et dit :

— Celui-là, il a fait de la prison, croyez-moi. Et longtemps, en plus.

— Comment le sais-tu ?

— Son poignet gauche.

— Quoi ? fit Nangô tout en scrutant l'endroit désigné.

— Il n'a pas de montre. Et son poignet est bronzé.

— Et alors ?

Jun'ichi exhiba son propre bras : lui non plus ne portait pas de montre. À la place subsistaient plusieurs cicatrices causées par des frottements.

— Une fois qu'on a été en taule, on ne peut plus porter de montre. Ça rappelle trop les menottes.

Au même instant, comme pour appuyer les paroles de Jun'ichi, l'homme entra chez la conseillère d'insertion.

Stupéfait, Nangô observa son acolyte puis éclata de rire.

— De toute ma longue carrière de surveillant, c'est bien la première fois que je l'entends, celle-là.

— On ne peut pas savoir tant qu'on n'en a pas fait l'expérience, dit Jun'ichi en repensant à sa semaine cauchemardesque en cellule disciplinaire, les bras liés par des sangles de cuir.

Pendant une vingtaine de minutes, Jun'ichi et Nangô échafaudèrent un plan pour prendre l'homme en filature. Jun'ichi marcherait vingt mètres derrière lui, et Nangô les suivrait un peu plus en retrait. Si leur cible repérait Jun'ichi, celui-ci s'éloignerait aussitôt et Nangô prendrait le relais.

Une fois ce plan établi, l'ex-surveillant démarra la voiture et alla la garer au bout de la rue qui desservait la maison. La Civic stationnait à présent du côté opposé à la ruelle d'où l'homme était venu. Ils ne se feraient pas repérer ici.

Au bout d'un quart d'heure, l'homme sortit enfin.

Jun'ichi s'assura qu'il ne regardait pas dans sa direction et descendit discrètement de la Civic. Un instant, il se demanda s'il devait refermer la portière, mais Nangô agita les bras pour lui faire signe de se dépêcher. Jun'ichi hocha la tête et se mit à filer leur suspect.

Quelques secondes plus tard, il entendit la portière de la Civic claquer. Nangô était descendu. Vingt mètres plus loin, l'homme ne semblait s'être rendu compte de rien.

Suivant sa cible, Jun'ichi traversa la rue Asaichi et se dirigea vers la gare de Katsuura. Des boutiques occupaient les deux côtés de la rue. L'homme marqua une pause devant une petite librairie, se contenta de jeter un œil aux magazines en vitrine et se remit en marche.

Là, Jun'ichi ressentit une légère angoisse. Que faire si l'homme montait dans un train ou un bus ? Il se retourna et vit Nangô, à un pâté de maisons de distance : celui-ci secoua la tête, le visage grimaçant. Il semblait lui intimer de ne surtout pas perdre le type de vue.

Jun'ichi opina du chef et braqua le regard droit devant lui. Cela se produisit à cet instant précis. L'homme s'arrêta et se retourna vers lui. Affolé, Jun'ichi détourna immédiatement la tête. L'autre avait-il eu le temps de voir son visage ? Il était maintenant arrêté, et Jun'ichi s'en rapprochait inexorablement.

Il n'y avait plus qu'à le dépasser et s'en remettre à Nangô pour la suite. Jun'ichi sonda les alentours en vitesse. Il était sur le point de croiser l'homme, qu'il apercevait dans un angle de son champ de vision.

Mais la cible se remit en route au même moment. Jun'ichi n'en revenait pas. Voilà qu'il se trouvait quasiment épaule contre épaule avec l'homme qu'il filait. Mine de rien, il s'éloigna doucement et s'arrêta devant une vitrine à sa droite. De là, il fixa le dos de l'homme dans le reflet de la vitre.

Celui-ci ne parut lui montrer aucun intérêt. Soulagé, Jun'ichi attendit dans cette posture que Nangô le rejoigne.

Son acolyte se rapprocha d'un pas rapide et, en le croisant, lui glissa à voix basse :

— … est pédé ?

— Hein ?

Surpris et ayant manqué le début de la phrase, Jun'ichi chercha rapidement ce qu'avait voulu dire son ami. Nangô se demandait-il si l'homme qu'ils suivaient était homosexuel ? Avec son polo blanc et son pantalon gris, absolument rien chez lui ne laissait entendre quoi que ce fût de tel.

Jun'ichi comprit enfin : il s'était arrêté pile devant une boutique de sous-vêtements féminins.

Il rougit, recula d'un pas face à un mannequin en nuisette, et suivit Nangô à une vingtaine de mètres de distance.

La filature prit fin une dizaine de minutes plus tard. L'homme ne monta heureusement ni dans le bus ni dans le train, mais entra dans un immeuble du quartier voisin, sans paraître avoir remarqué ses poursuivants.

Nangô attendit Jun'ichi devant la pancarte défraîchie de la « Résidence la Grande Pêche ». Cet immeuble collectif en bois d'un étage semblait avoir été construit pour les marins pêcheurs de la ville.

— Il est entré au premier, dans l'appartement du fond, dit Nangô à voix basse.

Il faisait tout pour réprimer un fou rire.

Confronté au même problème, Jun'ichi examina les boîtes aux lettres au pied de l'escalier extérieur. L'homme occupait l'appartement 201, au nom de Muroto.

Nangô regarda Jun'ichi. Le jeune homme savait ce qu'il voulait lui dire, mais priait de tout son cœur pour qu'il continue de se taire. Or Nangô lâcha :

— Tu es pédé ?

Tous deux s'éloignèrent alors en courant, aussi vite et silencieusement que possible, et là, à une centaine de mètres de l'immeuble, ils explosèrent de rire.

Le pronostic de Jun'ichi se révéla juste. En voyant les photos de l'homme, Daisuke Minato, le gérant du vidéoclub, poussa un cri de surprise complètement exagéré.

— C'est lui ! Ça ne fait aucun doute.

— Vous voulez bien parler du « vieux », n'est-ce pas ?

— Oui ! Celui que Kihara qualifiait de meurtrier.

À ces mots, un jeune couple de clients se retourna. Minato les regarda, l'air décontenancé, puis emmena Jun'ichi au fond du magasin.

— Vous l'avez retrouvé uniquement grâce à ce que je vous ai raconté ?

Derrière ses lunettes à monture noire, le gérant écarquillait les yeux, ébahi.

— Ça, mais pas que ! fanfaronna Jun'ichi.

Il éprouvait une immense satisfaction à l'idée d'avoir percé à jour l'identité du fameux « vieux type ».

— Pendant que j'y suis, j'aurais une autre question à vous poser.

— Dites-moi.

— Est-ce que vous vous souvenez du jour où l'affaire a éclaté ?

— Oui, très bien. La police m'a interrogé plusieurs fois à ce sujet.

— Kihara a-t-il travaillé au vidéoclub ce jour-là ?

— Oui. Il a commencé dans la matinée et devait finir à vingt-trois heures.

Étonné, Jun'ichi demanda :

— Il travaillait du matin au soir ?

— Oui. À l'époque, lui et moi, on se démenait vraiment pour lancer ce commerce.

— Mais, c'est étrange. Le meurtre en question a eu lieu entre dix-neuf heures et vingt heures trente.

Minato baissa la voix, comme pour livrer un secret d'une importance capitale.

— En fait, vers dix-huit heures, Kihara est venu me voir. Il m'a dit tout à coup qu'il venait de se rappeler un rendez-vous urgent. Puis il est parti en m'assurant qu'il rentrerait avant vingt heures.

Cette information allait dans le sens de l'hypothèse de Jun'ichi et Nangô. Ce jour-là, Kihara ayant oublié son entretien avec son conseiller d'insertion, il s'était rendu chez lui plus tard que prévu. Là-bas, un individu avait assassiné le couple Utsugi en imitant l'affaire 31.

— Merci beaucoup. Votre aide nous a été précieuse.

— Je vous en prie, répondit Minato.

Son sourire s'évanouit, laissant place à la tristesse.

— Que vous arrive-t-il ? demanda Jun'ichi.

— Kihara m'a caché qu'il voyait un conseiller d'insertion. Il refusait de m'avouer qu'il était repris de justice, à moi, son seul ami.

Jun'ichi fut gagné par l'émotion. À l'avenir, la même chose pourrait lui arriver. Alors, il posa à Minato ce qui était peut-être la question la plus importante de toutes :

— Si jamais l'innocence de Kihara était prouvée...

Minato releva la tête.

— ... et si jamais il revenait vivre dans cette ville...

— Alors on retravaillera ensemble, comme avant.

L'unique ami du condamné à mort avait répondu en souriant, avec sincérité.

— Merci beaucoup, conclut Jun'ichi.

Le lendemain matin, Jun'ichi et Nangô retournèrent à la Résidence la Grande Pêche. Ils étaient convaincus que, à l'époque du meurtre, l'occupant de l'appartement 201 se présentait régulièrement chez Kyôsuke Utsugi pour satisfaire aux exigences de sa liberté conditionnelle. La mission de Jun'ichi et Nangô était de prouver qu'il avait tué son conseiller d'insertion pour ne pas avoir à retourner en prison.

Ils avaient trouvé dans l'annuaire le nom complet de leur homme : Hidehiko Muroto.

Ils gravirent l'escalier rouillé, marchèrent jusqu'au fond du couloir, et là, entendirent des bruits de vaisselle de l'autre côté de la porte de l'appartement 201.

Jun'ichi sortit sa montre de sa poche. Huit heures pile. Ils avaient réussi à attraper le suspect avant son départ pour le travail.

Nangô frappa. Muroto ferma le robinet et répondit par un « Qui est-ce ? ».

Nangô demanda :

— Je suis bien chez M. Muroto ?

— Oui.

— Je m'appelle Nangô, et je viens de Tokyo, avec mon collègue Mikami.

— De Tokyo ? fit la voix.

La porte s'ouvrit.

Hidehiko Muroto était identique à la veille, cheveux plaqués en arrière, chemise amidonnée et pantalon. Il ressemblait à un patron de restaurant. Il devait avoir plus de cinquante ans, mais en paraissait bien dix de moins.

— Pardon de vous déranger de si bonne heure. Nous voulions vous voir avant que vous ne partiez au travail. Auriez-vous un peu de temps à nous consacrer ?

L'homme demanda, méfiant :

— C'est à quel sujet ?

Nangô lui tendit sa carte de visite, Jun'ichi s'abstint de l'imiter.

— Nous militons pour la défense des droits de l'homme.

— Vous travaillez pour un cabinet d'avocat ?

— Oui. Serait-il possible de vous expliquer la raison de notre venue ?

— De quoi voulez-vous me parler ?

— Vous avez connu, je crois, quelques problèmes d'ordre social par le passé.

Muroto regarda Nangô, surpris. Celui-ci mit aussitôt à contribution la présence de Jun'ichi :

— À vrai dire, le jeune homme ici présent est en pleine réinsertion sociale. Or les gens qu'il croise ne se montrent pas très chaleureux avec lui, et il est pour ainsi dire pris dans un cercle vicieux.

Muroto hocha la tête. Sa méfiance s'était-elle dissipée ? Le regard légèrement détendu, il demanda à Jun'ichi :

— Qu'est-ce que tu as fait ?

— Coups et blessures ayant entraîné la mort. J'ai pris deux ans.

— Deux ans seulement ?

Muroto eut un sourire envieux. Nangô en profita pour sonder le terrain.

— Quant à vous, c'était la réclusion à perpétuité, si je ne m'abuse ?

— Oui, confirma le condamné avant de jeter un rapide coup d'œil à la porte voisine. Bon, entrez.

Jun'ichi pénétra avec Nangô dans l'appartement 201. Cuisine de quatre mètres carrés et demi et séjour de neuf. La salle de bains et les toilettes étaient bien séparées.

Ils furent invités dans le modeste séjour, meublé d'une table basse et d'une bibliothèque ; la literie était soigneusement rangée dans un coin. Cette pièce méticuleusement tenue donnait à Jun'ichi une nouvelle confirmation que Muroto avait passé un certain temps en cellule. En prison, ne pas ranger avec soin ses effets personnels est sanctionné. Cette habitude quotidienne demeure ensuite ancrée en vous, comme marquée au fer rouge.

Ils prirent place sur les coussins, et Muroto leur apporta une tasse de café instantané. Tout en remerciant, Jun'ichi ressentit une légère appréhension. Il se demanda si Muroto n'était pas bel et bien rentré dans le droit chemin.

— Pour en revenir à ce dont nous parlions tout à l'heure, dit Nangô lorsque Muroto fut assis, vous avez été condamné pour homicide, n'est-ce pas ?

— J'ai honte de l'avouer, mais oui, confirma l'ex-condamné à perpétuité. C'est la plus grave erreur de ma jeunesse. Une femme m'a trompé et je ne lui ai pas pardonné.

— La victime était donc une femme ?

— Non, c'est son amant que j'ai tué. Mais comme j'ai aussi blessé la femme, j'ai en outre été poursuivi pour coups et blessures.

— À quand cela remonte-t-il ?

— Vingt-cinq ans déjà.

— Et vous êtes toujours en liberté conditionnelle ?

— Oui. Les parents de mes victimes ne m'ont pas pardonné.

Comme s'il cherchait à se convaincre lui-même, Muroto ajouta dans un murmure :

— Rien d'étonnant à cela.

— Votre passé a beau être ce qu'il est, vous semblez bel et bien revenu dans le droit chemin.

La confusion se lisait sur le visage de Nangô, tout comme sur celui de Jun'ichi. Leur homme ne paraissait pas avoir l'étoffe d'un assassin capable de massacrer un couple de petits vieux à la hachette.

— Quel est votre groupe sanguin ? demanda brusquement Jun'ichi, espérant le prendre par surprise.

— Mon groupe sanguin ? s'étonna Muroto, en jetant un regard suspicieux au jeune homme.

— On dit que les gens du groupe A ont un fort sens des responsabilités.

Cela fit rire Muroto.

— C'est la première fois qu'on me dit que je suis A. D'habitude, on croit plutôt que je suis B.

— Et en réalité ? demanda Jun'ichi, tendu à l'extrême.

— Eh bien, je ne sais pas. Je n'ai jamais eu de graves ennuis de santé jusqu'à présent.

Et Nangô d'exploser de rire, bientôt imité par Jun'ichi, puis par Muroto, sans que ce dernier comprît pourquoi.

Nangô ramena la conversation au sujet précédent.

— Si vous me permettez, j'aurais des questions à vous poser sur votre sortie de prison. Avez-vous eu du mal à vous réinsérer socialement ? N'avez-vous jamais risqué la révocation de votre liberté conditionnelle ?

Le sourire quitta le visage de l'ex-détenu, qui répondit :

— Si, une fois. Il y a dix ans.

Jun'ichi s'efforça de rester impassible en attendant la suite.

— Mon conseiller d'insertion me soupçonnait d'avoir contrevenu à mes obligations postcarcérales.

Nangô leva les sourcils.

— Ah oui ?

— À l'époque, je travaillais dans un bistrot un peu particulier, alors il s'est demandé si j'exerçais bien un métier honnête, vous voyez.

— Et comment cela s'est-il fini ?

— L'affaire est restée en suspens.

— Votre conseiller d'insertion vous a laissé tranquille avec ça ?

— Non, commença Muroto.

Il laissa planer un instant d'hésitation avant de poursuivre :

— À vrai dire, il a été assassiné.

— Ah ! fit Nangô comme si quelque chose lui revenait subitement en mémoire. Il ne s'agirait pas de l'affaire Kôhei Utsugi ?

— Si. Ensuite, on m'a attribué un autre conseiller et j'ai déménagé ici, à Katsuura. Je n'ai plus eu de problème depuis.

— Et dans l'affaire Utsugi, comment avez-vous vécu l'enquête de la police ?

— C'est-à-dire ?

— Est-ce que les enquêteurs ne vous ont pas infligé un interrogatoire plus sévère que la normale parce que vous étiez repris de justice ?

— Ça, vous savez, j'ai l'habitude, confia Muroto avec un sourire amer. Chaque fois qu'il y a un cambriolage dans le quartier, c'est moi qu'on soupçonne avant tout le monde.

— Et au moment de cette affaire ?

— Le lendemain du meurtre, on m'a tout de suite convoqué. Mais j'avais un alibi.

— Lequel ?

— La patronne du bistrot où je travaillais a témoigné pour moi.

— Je vois, dit Nangô.

Puis il s'interrompit, comme pour réfléchir à la manière de placer son pion suivant. Il finit par reprendre :

— Pendant que j'y suis, sachez qu'une erreur judiciaire a pu être commise dans cette affaire.

— Une erreur judiciaire ? répéta Muroto en levant la tête.

— Gardez-le pour vous, mais il se pourrait que l'homme arrêté, Ryô Kihara, ait été condamné à mort en dépit de son innocence.

Muroto, bouche bée, fixa Nangô du regard.

— À vrai dire, je connais Kihara de vue. Je le croisais de temps en temps chez M. Utsugi.

— Ah oui ? Eh bien, vous savez, si le véritable coupable ne se livre pas à la police, il sera pendu.

À ces mots, l'homme devint livide.

Nangô demanda immédiatement :

— Que vous arrive-t-il ?

— Je viens juste de me rappeler mon arrestation, vingt-cinq ans en arrière, répondit Muroto en essuyant sa sueur de son bras gauche qui ne portait pas de montre. Je n'arrêtais pas de me demander si j'allais être condamné à mort, je n'en dormais plus la nuit.

— À l'heure où nous parlons, Kihara se trouve précisément dans cette situation.

— Je comprends bien ce sentiment. Moi-même, encore aujourd'hui, je ne peux pas porter de cravate.

— Pourquoi cela ?

— Avoir quelque chose autour du cou me fait trop peur.

Nangô hocha la tête et regarda tour à tour le cou et le poignet gauche de Muroto.

— À cause de cette erreur judiciaire, le véritable coupable, caché quelque part, est sur le point de faire non pas deux, mais trois victimes. En faisant endosser son crime à Kihara, il va l'assassiner.

— A-t-on espoir de le retrouver ?

— Cela semble impossible. À moins qu'il ne se livre de lui-même.

— Qu'il se livre…

Muroto se rembrunit.

– C'est la seule chance pour le coupable de racheter son crime.

Le condamné hocha la tête. Puis, après un instant d'hésitation, il dit :

– Il y a une chose qui me tracasse dans cette affaire.

– Laquelle ?

– La police a-t-elle enquêté sur l'héritage de M. Utsugi ?

– L'héritage ?

Surpris, Nangô et Jun'ichi se penchèrent inconsciemment en avant.

– Que voulez-vous dire ? Que les véritables coupables seraient les héritiers ?

Muroto secoua la tête, affolé. Il en avait trop dit.

– Non non non, ce n'est pas ça.

– Alors, qu'est-ce que c'est ?

– Je ne peux pas vous en dire plus… Cela ne doit surtout pas être pris pour une calomnie.

– Une calomnie… à l'égard des Utsugi ?

– Oui.

– De quels Utsugi parlez-vous ? Du conseiller d'insertion, ou bien de son fils et héritier, Keisuke ?

– Non, je ne peux plus rien vous dire.

Après cela, Muroto resta emmuré dans son silence.

Jun'ichi et Nangô quittèrent la Résidence la Grande Pêche et remontèrent précipitamment dans la Civic. L'interview-éclair de Muroto avait produit une récolte inattendue. L'ancien condamné à perpétuité demeurait certes dans la sphère des suspects potentiels, mais il avait conduit les deux enquêteurs sur la piste de l'héritage, jusqu'alors inexplorée. Celle-ci les mènerait-elle à la résolution de l'affaire, ou bien s'engageaient-ils dans un cul-de-sac ? Il fallait répondre à cette question de toute urgence.

La Honda sortit de Katsuura et prit la direction du bord de mer. Elle fila vers le district de Nakaminato, où résidait le couple Utsugi fils. Battue par les embruns, la somptueuse demeure flambant neuve paraissait plus disproportionnée que jamais pour un simple professeur de lycée.

— Comment va-t-on s'y prendre ? demanda Jun'ichi en regardant la maison depuis le siège passager. On fonce à nouveau tête baissée ?

— Non, pour ce qui est des questions d'héritage, on devrait pouvoir en apprendre plus auprès de Nakamori.

L'ex-gardien redémarra alors la voiture et prit la direction du parquet de Tateyama.

— Cette fois-ci, nous allons les acculer avant d'attaquer.

En chemin, Jun'ichi réfléchit au scénario d'après lequel le fils et la belle-fille auraient assassiné le couple pour toucher l'héritage. Cela semblait probable et irréel à la fois. Cependant, l'auteur du crime avait imité l'affaire 31 : ce paramètre pouvait relever d'une volonté de maquiller un parricide vénal. Les seuls éléments qui empêchaient Jun'ichi d'accréditer cette hypothèse étaient d'une part la disparition totale des dossiers de suivi d'Utsugi, et d'autre part la réaction violente du couple Utsugi fils envers le meurtrier. Le jeune homme se refusait à croire qu'une telle fureur pût être feinte.

À Tateyama, Nangô gara la voiture sur le parking d'une chaîne de restaurants. Il n'était même pas encore dix heures. Ni Jun'ichi ni Nangô ne tenaient en place. Ils burent un café et soufflèrent un peu avant que Nangô ne téléphone au magistrat.

Lorsque Nangô lui proposa un entretien, Nakamori lui fit une réponse inattendue. Le procureur avait à faire à Nakaminato cet après-midi-là, ils pouvaient donc l'y rejoindre à midi et demi, s'ils le voulaient. Bien évidemment, les deux hommes acceptèrent.

Pendant plus de deux heures, ils tuèrent le temps en buvant café sur café dans le restaurant climatisé. Peut-être parce que leurs cerveaux s'employaient à retourner l'affaire dans tous les sens à un rythme effréné, ni l'un ni l'autre ne se montrait très bavard.

À midi et quart, ils regagnèrent la Civic. Quinze minutes plus tard, ils retrouvèrent le procureur dans un quartier commerçant un peu éloigné du parquet, et le firent monter en voiture.

— Cela m'arrangeait de me faire conduire, dit Naka-mori en prenant place à l'arrière, allègre comme à son habitude.

— Attention, la course est loin d'être gratuite, l'avertit Nangô en démarrant. Nous allons nous dédommager par un interrogatoire en bonne et due forme.

— J'aurai au moins le droit de garder le silence ? plaisanta Nakamori. Avant d'entendre vos questions, je dois vous avouer une chose : j'ai écarté l'hypothèse du condamné en liberté conditionnelle suivi par Utsugi.

— Ah bon ?

Nangô regarda Nakamori dans le rétroviseur. Il se réjouis-sait que le magistrat ait agi de lui-même.

— M. Utsugi ne suivait que deux condamnés en liberté conditionnelle : Ryô Kihara, et un autre, condamné à per-pétuité pour coups et blessures et meurtre. Cependant, non seulement le second avait un alibi, mais il est en plus du groupe sanguin A.

Jun'ichi ne put s'empêcher de se tourner vers le procu-reur.

— Vous voulez parler de Hidehiko Muroto ?

Nakamori n'en revenait pas.

— Comment connaissez-vous son nom ?

— Eh bien, nous ne sommes pas des cancres non plus, répondit Nangô en riant.

Ce dernier jeta un bref regard à Jun'ichi et dit :

266

— Ta prédiction concernant son groupe sanguin était bonne.

— J'aurais préféré me tromper.

— D'ailleurs, toi aussi tu es A, et doté d'un fort sens des responsabilités.

— Non, moi, je suis B, corrigea Jun'ichi à contrecœur. Comme le coupable.

— De quoi parlez-vous ? demanda Nakamori, toujours décontenancé.

— Oh ! ce n'est rien, répondit Nangô en regardant le procureur dans le rétroviseur. Merci pour ces précieuses informations. J'aurais encore une question à vous poser, à propos de l'héritage du couple de victimes.

— L'héritage ?

Le magistrat se tut et fixa le plafond de l'habitacle. Il devait faire le compte de ce qu'il savait et de ce qu'il pouvait dire.

— Keisuke Utsugi a-t-il hérité d'une somme importante ?

— Il a touché au total près de cent millions de yens.

— Cent millions ? répéta Nangô d'une voix forte, stupéfait. Grâce à l'assurance-vie ?

— Non, l'assurance n'a pas versé grand-chose. Seulement dix millions, je crois. D'ailleurs, c'est Yasuko Utsugi, l'autre victime, qui en était bénéficiaire.

— Dans ce cas, où est passé cet argent ? demanda Jun'ichi.

— C'est le fils et son épouse qui l'ont reçu.

— Alors que le bénéficiaire était sa femme ?

Nakamori expliqua tout au jeune homme :

— Voilà comment cela s'est passé. M. Utsugi a été assassiné en même temps que sa femme, mais son décès a été établi comme antérieur à celui de son épouse. À ce stade, c'est donc sa femme qui devenait bénéficiaire de l'assurance. Et comme elle a été tuée immédiatement après lui, la somme qu'elle devait percevoir est allée à leur fils, à titre d'héritage.

— Je comprends.

— Et les quatre-vingt-dix millions restants ? s'enquit Nangô.

— Il s'agit des économies des victimes.

Jun'ichi se demanda si l'héritage était vraiment le mobile du meurtre. Keisuke Utsugi aurait-il tué son propre père pour cent millions de yens ?

Nangô, lui, semblait se poser une tout autre question.

— Après avoir pris sa retraite de principal de collège, s'enquit-il, Kôhei Utsugi est devenu conseiller d'insertion, n'est-ce pas ?

— En effet. Sa pension devait être sa seule source de revenus, répondit Nakamori d'une voix à nouveau méfiante.

— Possédait-il des terres ou quelque chose du même genre ?

— Non.

— Alors d'où lui venait une telle somme ?

Le procureur rechigna tant et plus, mais finit par avouer :

— Étant donné que Ryô Kihara a été arrêté au tout début de l'affaire… nous ne sommes pas allés jusqu'à nous pencher sur ce point. La question de l'héritage n'était plus de notre ressort, c'est la perception des impôts qui a enquêté à ce sujet.

— Et les percepteurs, eux, n'ont pas cherché d'où provenaient ces revenus ?

— Je n'ai reçu aucun rapport faisant état d'une anomalie. Enfin, les choses étant ce qu'elles sont, j'imagine qu'ils ne poussent pas leurs recherches trop loin lorsqu'il est question d'un notable local.

— Mais alors, monsieur le procureur, reprit Nangô sur le ton de la sollicitation, vous n'avez pas l'intention d'enquêter à ce sujet ?

— Je n'irai pas jusque-là. Ma participation se limite à aujourd'hui.

— Aujourd'hui… à partir de maintenant, vous voulez dire ?

— Tout à fait, répondit Nakamori avec malice. Après plusieurs coups de fil à droite et à gauche, j'ai enfin trouvé un témoin très précieux. C'est chez lui que je me rends à présent. Et vous venez bien sûr avec moi.

— Nous vous accompagnerons où vous voudrez, répondit Nangô.

Le procureur les guida jusqu'à une demeure située à la frontière des districts de Nakaminato et d'Abe. Là, sur une mince bande de terrain plat entre les montagnes, se dressait une bâtisse de plain-pied, quasiment collée à la route nationale.

La Civic s'engagea dans la très courte allée menant à la maison, et les trois hommes en descendirent. Sur le vieux portail en bois figurait une plaque au nom d'Enomoto. Les visiteurs traversèrent un jardin envahi de mauvaises herbes et arrivèrent devant la porte coulissante de l'entrée.

— Bonjour. Je suis Nakamori, du parquet de Chiba.

De l'autre côté de la porte en verre dépoli apparut un vieillard, entièrement vêtu d'une combinaison moulante beige.

— C'est vous, M. le procureur ?

— Oui. Je vous ai téléphoné hier.

En guise de cadeau, le procureur lui tendit une boîte de gâteaux, puis présenta Nangô et Jun'ichi :

— Ces deux personnes travaillent également sur mon enquête.

— D'accord. Eh bien, entrez.

Le vieil homme les guida dans une pièce traditionnelle de huit tatamis, attenante au vestibule. De fins coussins élimés étaient alignés sur les nattes défraîchies. Jun'ichi s'installa devant la table basse, et balaya du regard les piles

269

de livres poussiéreuses entassées partout autour d'eux. Plutôt que des livres, on eût dit des sortes de manuscrits anciens.

Nakamori expliqua :

— M. Enomoto est un historien de la région.

— Ah oui ?

Jun'ichi demeurait perplexe. Quel témoignage un historien du cru allait-il bien pouvoir leur livrer ? Il jeta un coup d'œil à Nangô : l'ex-gardien de prison scrutait un coin de la pièce où reposaient, en tas, de vieux uniformes militaires pliés.

Enomoto revint avec un plateau et servit le thé à ses hôtes. Il dut alors remarquer ce qui intriguait Nangô, car il précisa :

— J'ai fait la guerre malgré moi durant ma jeunesse.

Nangô ne répondit rien ; il se contenta d'un léger hochement de tête.

Le vieillard s'assit à son tour puis s'adressa au magistrat.

— Alors, dites-moi, sur quoi enquêtez-vous, déjà ?

Se rappelant que le vieil homme était dur d'oreille, Nakamori éleva légèrement la voix.

— Sur la montagne, vous savez, là où se trouvait la maison de M. Kôhei Utsugi. Pourriez-vous, s'il vous plaît, répéter à ces messieurs ce que vous m'avez expliqué hier au téléphone ?

— Ah ! cette montagne, oui.

— C'est cela. Il y avait bien des marches sur cette montagne, n'est-ce pas ?

Jun'ichi en eut le souffle coupé. Il regarda Nakamori. Interloqué lui aussi, Nangô tourna aussitôt la tête vers le vieillard.

— Bien sûr, confirma l'historien. Ils les auraient tout de suite trouvées s'ils étaient allés là-bas.

— À vrai dire, ils y sont allés, mais ils n'ont rien découvert.

Le procureur exposa alors patiemment les récentes recherches de Nangô et Jun'ichi.

— Hum, je vois, répondit le vieil Enomoto. Il n'est pas impossible qu'ils soient passés à côté. Après tout, le Zôganji a complètement disparu.

— Le Zôganji ? fit Nangô. C'est un temple ?

— Tout à fait. Il possédait une magnifique statue du gardien Acala, mais allez savoir pourquoi, il n'a pas été classé patrimoine culturel. Enfin, l'endroit était certes vénérable, mais il n'était pas du tout entretenu, ça, il faut le reconnaître.

Le vieil homme balaya ses invités du regard avant de reprendre :

— Est-ce que vous connaissez Acala, le Roi de Lumière Adamantin et Immuable ? C'est l'un des treize bouddhas[1].

— Oui, oui, on connaît, rétorqua Nangô, impatient. Que voulez-vous dire, quand vous mentionnez que ce temple a disparu ?

— Il y a très longtemps, un typhon a causé un éboulement de terrain qui l'a enseveli.

— Enseveli ? répéta Nangô en regardant Jun'ichi. Entièrement caché sous terre ?

— Oui. Toutefois, l'endroit était déjà désaffecté avant l'éboulement.

Nakamori tira une carte topographique de la poche arrière de son pantalon.

— Pourriez-vous nous indiquer l'emplacement du temple ?

Enomoto chaussa ses lunettes et étudia la carte avec minutie. Puis il pointa le centre d'une forêt dans la montagne, à environ cinq cents mètres de la maison de Kôhei Utsugi.

— C'est dans ces parages.

---

1. Les treize bouddhas et bodhisattvas pour lesquels des offices sont successivement célébrés, entre le septième et le trente-troisième anniversaire de la mort d'un défunt.

Le regard de Nangô et Jun'ichi se riva à la carte. Dire qu'ils avaient dû couvrir cette zone-là deux mois plus tôt durant leurs recherches...

— Ce n'est pas un endroit pentu ? demanda Nangô en sondant sa mémoire.

— Si, confirma Jun'ichi.

Une pente abrupte, comme si le versant de la montagne avait été taillé à cet emplacement. N'ayant rien remarqué a priori, ils n'avaient pas fouillé plus en détail.

Nangô demanda à l'historien :

— Et il y avait un escalier, dans ce temple ?

— Oui. Un escalier en pierre qui menait au bâtiment principal, mais aussi d'autres volées de marches à l'intérieur.

— De quand date le glissement de terrain ?

— D'une vingtaine d'années, à présent.

— Vingt ans ? s'étonna Jun'ichi avant de se tourner vers Nangô. Il était donc déjà enseveli à l'époque de l'affaire.

— Non, non, intervint Enomoto. Tout n'a pas été enseveli en une fois : le temple a été recouvert petit à petit par plusieurs typhons successifs.

— À quoi pouvaient bien ressembler les lieux, dix ans plus tôt ? s'interrogea Nangô.

— J'imagine que l'on devait encore voir une partie de l'escalier en pierre, ou du toit du bâtiment principal, affirma le vieillard.

— Ça se tient, dit Nangô à Jun'ichi. Même s'il était totalement caché sous terre, le meurtrier aurait pu creuser pour y enfouir les preuves.

— Et à ce moment-là, il aurait découvert les marches enterrées ?

— Exact.

Les trois hommes prirent congé du vieil historien et retournèrent à Tateyama. Une fois descendu de voiture, le procureur voulut mettre les choses au clair.

— Voilà, c'est tout ce que j'étais en mesure de faire pour vous.

Il disparut alors dans le bâtiment du parquet.

Nangô et Jun'ichi retournèrent derechef à Tokyo. Ils avaient besoin d'un détecteur de métaux.

L'escalier enseveli du Zôganji.

Là devaient être enfouies les pièces à conviction disparues.

3

Le lendemain, Nangô et Jun'ichi se mirent en branle dès le lever du jour. Ils passèrent devant la maison abandonnée de Kôhei Utsugi, s'enfoncèrent sur un chemin de terre battue et descendirent de voiture dans les bois, cinq cents mètres plus loin environ.

Sur le versant de la montagne, ils aperçurent une pente raide qui formait comme une trouée au milieu des arbres. Une sorte de paroi de terre d'une trentaine de mètres de largeur sur une cinquantaine de hauteur. La trace de l'éboulement qui avait avalé le temple du Zôganji.

Sans aller jusqu'à mériter le nom de gouffre, cet escarpement sembla toutefois impossible à gravir aux deux hommes. Lestés de sacs à dos pleins d'un attirail d'alpinisme et de leur détecteur de métaux, ils s'enfoncèrent dans la forêt et prirent un chemin détourné pour gagner le sommet de la pente.

Un court instant, tous deux s'émerveillèrent devant le soleil qui montait à l'est. Puis Nangô dit :

— C'est parti.

Ce qu'ils firent ensuite était un défi au bon sens : ils durent d'abord se plonger dans le guide de l'alpiniste débutant qu'ils avaient emporté afin de trouver la bonne technique de descente en rappel sur pentes abruptes.

Jun'ichi commença par choisir un arbre au tronc massif, autour duquel il noua sa corde. Puis il passa celle-ci au travers d'un mousqueton qu'il fixa au harnais qui enserrait sa taille. Il fallait ensuite se tourner dos au vide, et descendre petit à petit dans un mouvement de rétropédalage, tout en utilisant la force de frottement de la corde passée dans le mousqueton.

— Allez, j'y vais, lança Jun'ichi lorsque tout fut en place.

— Reviens-nous en vie, répliqua Nangô, qui ne pouvait s'empêcher de plaisanter.

Jun'ichi attrapa la corde tendue à la verticale devant et sous lui. Puis il fit face à la paroi et y posa les pieds.

Soudain, une motte de terre lâcha sous ses pieds. Le sol était étonnamment friable. Jun'ichi se retrouva le ventre collé à la paroi et dérapa ainsi sur deux mètres avant de s'immobiliser.

— Nangô ! appela-t-il après avoir essuyé la boue sur son visage. La descente est facile. La terre est humide, mais vous n'avez qu'à bien vous agripper à la corde.

Nangô était grandement soulagé.

— C'est vrai ? Tant mieux…

— Vous pouvez m'apporter le détecteur de métaux ?

— Attends.

Nangô allait descendre l'engin au moyen d'une corde. Celui-ci pesait bien deux kilos : un manche en métal, une partie détectrice ronde à son extrémité, ce modèle dernier cri avait coûté pas moins de deux cent mille yens. Lorsqu'il détectait un objet, il sonnait et affichait une estimation de sa profondeur sur un petit écran situé sur le manche.

— Ça devrait aller, je pense.

Nangô plaça le détecteur dans son dos tel un sabre de ninja, saisit la corde de sa main déjà encombrée d'un sac en cuir, puis, comme Jun'ichi, se retourna et glissa le long de la paroi.

— Je dois pas avoir l'air fin, dit-il, mais du moment qu'on trouve les preuves...

Les deux hommes balayèrent la pente de haut en bas tout en surveillant le détecteur. Après quelque temps, se déplacer le long de la paroi devint presque un jeu d'enfant. Ils avançaient lentement mais gardaient l'équilibre en enfonçant leurs chaussures dans la terre.

Deux heures s'écoulèrent de la sorte, puis la sonnerie du détecteur retentit. Ils se trouvaient à une quinzaine de mètres de leur point de chute, dans la partie centrale de la paroi.

L'engin indiquait une profondeur d'un mètre.

Étrangement peu profond. Jun'ichi regarda Nangô, le cœur gonflé d'espoir.

— À présent, on creuse, lança ce dernier.

— Je vais chercher les pelles.

Jun'ichi remonta la paroi en s'aidant de sa corde, se munit des outils et retourna auprès de Nangô. Tous deux se mirent à creuser avec ardeur, faisant extrêmement attention à maintenir leur équilibre.

La terre était molle, et ils avancèrent vite. Après une dizaine de minutes d'excavation, tout en essuyant régulièrement la sueur à son front, Jun'ichi sentit sa pelle cogner contre un objet dur, avec un bruit clair.

— Nangô !

Jun'ichi lâcha sa pelle et se mit à gratter prudemment la terre avec ses mains. Son ami se posta à côté de lui pour l'aider. Ensemble, ils réussirent à déterrer un objet métallique en forme de clochette.

— Qu'est-ce que c'est que ça ? se demanda Jun'ichi.

— Ce ne sont pas les décorations qui ornent l'auvent des temples ?

Le jeune homme comprit et regarda à ses pieds.

— Alors, on est...

— Sur le toit du Zôganji.

Jun'ichi creusa alentour et fit apparaître plusieurs rangées de tuiles superposées.

– En effet. C'est bien le toit du temple.

– Que fait-on ?

– À quoi les lieux pouvaient-ils bien ressembler voilà dix ans ? s'interrogea Nangô comme s'il observait l'intérieur du temple par transparence. Il suffisait qu'une partie seulement du bâtiment soit restée accessible pour que le meurtrier y pénètre.

Sur ce, il prit sa pelle et commença à déblayer à l'endroit qu'il jugeait être le flanc du bâtiment principal. Jun'ichi se joignit à lui. Au bout d'un moment, un mur en bois pourri et un cadre de fenêtre rempli de terre apparurent à l'air libre.

Nangô gratta la terre à l'intérieur du cadre en bois. La couche était mince, et une cavité complètement noire s'ouvrit bientôt.

– On peut entrer dans le temple, dit-il.

Dans quel état serait le bâtiment principal ? se demanda Jun'ichi. Le mur latéral qu'ils avaient dégagé tenait encore bien droit. Il était probable que les éboulements n'avaient pas entamé les fondations de l'édifice en tombant à la verticale. Ils avaient pu cerner de débris le bâtiment de tous ses côtés, faisant peu à peu disparaître le Zôganji sous terre en épousant presque sa forme d'origine. Si l'édifice avait été écrasé, la pente aurait dû présenter une dépression.

– Je ne crois pas qu'on risque de se faire ensevelir vivants, affirma Jun'ichi. Entrons.

Une demi-heure plus tard, munis des lampes torches récupérées dans la Civic, ils pénétrèrent dans les ténèbres par l'ouverture pratiquée dans la paroi. On se serait cru dans une grotte. Les éboulis avaient roulé jusque sur le sol du temple, créant une pente qui leur en facilita l'accès.

Au bas de la déclivité, Jun'ichi vérifia qu'il ne risquait pas de se cogner la tête et se redressa. Il faisait noir comme dans un four, et l'air était saturé d'une suffocante odeur de terre et de moisissure. Le sol était étonnamment ferme : rassuré, le jeune homme regarda devant lui.

Le faisceau de la lampe torche éclairait un plancher et des murs en bois. Derrière lui, Nangô promenait sa lampe dans tous les sens afin de se faire une idée de la vastitude des lieux. Soudain, il poussa un cri. Environ cinq mètres plus loin sur le mur du fond, il venait d'éclairer un escalier.

— Les marches ! s'écria malgré lui le jeune homme.

Il prit alors conscience de la surprenante structure du Zôganji : la surface du second palier était plus réduite que celle du premier, comme dans une pagode à deux niveaux. Jun'ichi et Nangô découvrirent l'auvent de l'étage inférieur, et passèrent en dessous pour entrer dans ce qui constituait le rez-de-chaussée du temple.

— Ne te précipite pas, dit Nangô à Jun'ichi qui partait vers l'escalier. Regarde où tu mets les pieds.

Le jeune homme hocha la tête et avança pas à pas, à la même allure que Nangô. Chaque fois qu'ils levaient le pied, le plancher vermoulu grinçait, comme si les dieux et les esprits voulaient leur murmurer quelque chose. Muni d'une rampe, l'escalier de bois reflétait puissamment le faisceau des lampes torches, prêt à accueillir les hommes qui allaient le gravir.

Au pied de l'escalier, Jun'ichi s'immobilisa et leva la tête. Le sommet se fondait dans l'obscurité.

— Est-ce bien ces marches que Kihara a vues dans son souvenir… ?

— Si ce ne sont pas celles-ci, ce seront celles de pierre à l'extérieur, tempéra Nangô, qui n'avait pas encore perdu son sang-froid.

D'un pas prudent, ils se mirent à grimper. Les planches ne semblaient pas prêtes à céder sous leurs pas. Arrivés au dernier degré, ils aperçurent, campée au milieu du palier supérieur, une imposante statue bouddhique. Une effigie d'Acala, nettement plus grande que Jun'ichi. Sous la lumière de la lampe torche, ses yeux brillaient d'un éclat flamboyant. À l'instar d'un être de chair et d'os, elle fixait Jun'ichi et Nangô de son regard intimidant, les traits courroucés. Son ire était représentée par le haut mur de flammes sculpté dans son dos.

Jun'ichi s'interrogea. Vers quoi le bouddha pouvait-il bien diriger son courroux ? Depuis vingt ans qu'il était emprisonné sous terre, dans des ténèbres où personne ne venait le vénérer, que cherchait à consumer la colère d'Acala ?

Nangô s'était arrêté à côté de Jun'ichi : il coinça sa lampe torche sous son aisselle et joignit les mains. Jun'ichi trouva ce geste un peu inattendu, mais l'imita aussitôt. Tous deux inclinèrent la tête, adressèrent une prière à la divinité, puis relevèrent la tête.

— J'ai prié pour que les preuves viennent jusqu'à nous, plaisanta Nangô.

Jun'ichi se demanda s'il n'avait pas en réalité prié pour autre chose…

Les deux hommes employèrent ensuite de longues heures à fouiller les moindres recoins du bâtiment principal. Le Zôganji semblait avoir été remis en ordre juste avant sa désaffectation : il ne contenait plus que d'imposantes malles en bois vides, des *mokugyo*, ces instruments à percussion bouddhistes que l'on frappe avec une baguette, et quelques réceptacles d'offrandes aux bouddhas.

Songeant que les preuves pouvaient elles aussi être enfouies, ils promenèrent le détecteur de métaux sur le plancher du rez-de-chaussée, jusqu'aux abords de la fenêtre engloutie par les éboulis, mais en vain.

— Il faut croire qu'elles ne sont pas à l'intérieur, conclut Nangô en s'asseyant à même le plancher, fourbu.

Sûrement à cause des moisissures qu'ils respiraient, Jun'ichi et lui reniflaient sans cesse.

Cachant son découragement, Jun'ichi demanda :

— Et si on cherchait du côté de l'escalier de pierre à l'extérieur ?

— Quoi qu'il en soit, sortons d'ici.

Ils remontèrent la pente en rampant et reprirent haleine adossés au mur de terre. L'opération avait commencé de bon matin, et il n'était encore que midi.

— On prend notre casse-croûte et on se repose.

Jun'ichi hocha la tête et tourna le regard au loin, du côté du district de Nakaminato et de l'océan Pacifique, au-delà.

C'est alors que la sonnerie du portable de Nangô retentit. L'homme fouilla dans le sac à dos jeté contre la pente, en sortit le téléphone et regarda l'écran.

— C'est maître Sugiura, dit-il avant de décrocher. Le Zôganji ? Votre client ? Non, nous y sommes déjà.

Jun'ichi était intrigué. Nangô raccrocha puis lui expliqua :

— Apparemment, le client a appris l'existence de ce lieu à Sugiura.

Médusé, Jun'ichi demanda :

— Le client connaît le Zôganji ?

— Oui.

— Ça voudrait dire qu'il a mené des recherches de son côté ?

— Il doit paniquer à l'approche de l'exécution, supposa Nangô avec un léger rire.

Une telle désinvolture de la part de Nangô parut étrange à Jun'ichi, qui demanda :

— Est-ce que vous savez qui est ce client ?

— J'ai mon idée. C'est quelqu'un du coin. Quelqu'un de riche au point de pouvoir offrir une forte récompense pour sauver Kihara.

Jun'ichi cogita. Il songea au propriétaire de l'hôtel en bord de mer, qui avait témoigné au procès.

— L'homme auquel vous pensez, je l'ai rencontré moi aussi, n'est-ce pas ?

— Oui.

Le jeune homme devint anxieux. Il était censé s'être retiré de l'enquête à la demande du client.

— Est-ce qu'on n'a pas fait une connerie en continuant à agir ensemble ?

— Ne t'inquiète pas. Tant que le travail avance, tout va bien.

Jun'ichi acquiesça. Puis il revint à l'affaire.

— Que pensez-vous de cette histoire d'héritage ? Keisuke Utsugi aurait-il vraiment tué ses parents pour de l'argent ?

— Je ne crois pas. D'après les indices qu'on a récoltés jusqu'à maintenant, je ne vois qu'un seul scénario cohérent.

— Lequel ?

— Celui que nous a livré Hidehiko Muroto.

Jun'ichi revit le visage de l'ex-condamné à perpétuité.

— C'est bien lui qui nous a parlé en premier de l'histoire de l'héritage ?

— Oui. Il trouvait les sources de revenus d'Utsugi suspectes, même de son vivant.

— Vous voulez dire que s'il a évoqué cette question, ce n'était pas pour jeter le doute sur les héritiers, mais sur le montant même de l'héritage ?

— C'est ça. En plus, il y a l'histoire de la révocation de sa liberté conditionnelle. Tu as senti comme moi qu'il s'était réellement amendé, non ?

— En effet.

— Kôhei Utsugi a tenté de le renvoyer en prison en prétextant qu'il exerçait une activité malhonnête. Si ça se trouve, à ce moment-là déjà, Muroto avait découvert la provenance des revenus d'Utsugi…

— Que voulez-vous dire ?

— Qu'Utsugi faisait chanter les anciens détenus qu'il suivait.

Jun'ichi n'en crut pas ses oreilles.

— Vous êtes sûr ?

— C'est la seule analyse plausible. Utsugi a menacé Muroto de révoquer sa liberté conditionnelle et lui a réclamé de l'argent.

— Vous croyez qu'un conseiller d'insertion serait capable d'une telle chose ?

Pour le jeune homme, qui était tombé sur l'aimable Kubo, cette hypothèse était dure à avaler.

— Je comprends ta surprise. Il est vraiment rare que les conseillers d'insertion fassent des vagues. Mais si tu veux mon avis, c'est justement pour cette raison qu'il reste autant de zones d'ombre dans cette affaire.

— Donc, un repris de justice subit le chantage de son conseiller d'insertion, se retourne contre lui et le tue.

— C'est ça, dit Nangô avant de se rembrunir. Mais ce qui est terrifiant dans cette histoire, c'est que le nombre de suspects augmente d'un coup. Kôhei Utsugi a aidé à la réinsertion des détenus pendant presque dix ans. Il a dû être en lien avec un paquet de condamnés. On peut imaginer qu'il n'en a pas fait chanter qu'un seul.

Jun'ichi se rappela que, jusqu'à présent, le Bureau d'observation et de protection s'était montré parfaitement intransigeant sur le maintien du secret professionnel. Divulguer les antécédents des repris de justice reviendrait à leur mettre des bâtons dans les roues, à les faire chuter sans possibilité de se relever, tout particulièrement dans la société japonaise. Ce serait comme porter le coup de grâce à ceux qui étaient réellement rentrés dans le droit chemin.

— Et si c'est vrai, reprit Nangô, le chantage ne se limite plus aux condamnés en liberté conditionnelle. Mettons qu'un repris de justice reçoive une exemption de peine. C'est la fin de sa liberté conditionnelle, le voilà de nouveau entièrement libre. À partir de là, s'il mène une vie honnête, il redevient un citoyen normal. Du coup, plus il se tient à carreau, plus le pouvoir de nuisance d'Utsugi augmente. La victime de son chantage aura d'autant plus à perdre qu'elle aura bien reconstruit sa vie.

Jun'ichi transposa ce cas à sa propre situation et eut un frisson. Qu'adviendrait-il de lui si le meurtre de Kyôsuke Samura s'ébruitait dans le voisinage ? À coup sûr, ses parents ne pourraient plus vivre dans le quartier. Une fois de plus, les Mikami seraient contraints de déménager. D'abandonner leur modeste bicoque d'Ôtsuka pour un endroit plus misérable encore.

— Le meurtrier est probablement quelqu'un qu'on n'a pas encore rencontré, supposa Nangô. Quelqu'un que Kôhei Utsugi a connu pendant qu'il exerçait son activité de conseiller d'insertion. Que penses-tu de cette hypothèse ?

— Elle me paraît bonne. Ça expliquerait aussi la disparition des dossiers d'Utsugi et de son livret bancaire.

— Pourquoi le livret bancaire ?

— Parce que le nom des personnes qui ont viré de l'argent à Utsugi serait inscrit dedans.

— Mais bien sûr ! approuva Nangô en se redressant. Les noms des victimes du chantage !

— C'est ça. C'est pour ça que le coupable a emporté le livret.

— Est-ce qu'on ne pourrait pas se renseigner auprès de la banque ?

— Aucune chance qu'elle nous réponde.

— Nakamori, par contre…

Nangô s'interrompit, puis abandonna l'idée.

— Ce n'est pas son métier, de fouiner dans une affaire déjà jugée.

Jun'ichi souleva un problème supplémentaire :

— Attendez, si on ne peut pas se renseigner auprès des banques, ça veut dire qu'il devient impossible de retrouver le tueur à partir du livret. Dans ce cas, le tueur n'avait pas besoin d'enterrer le livret bancaire, il lui suffisait de le brûler.

Nangô cogita pendant un moment.

— Non, ce n'est pas aussi simple. Si j'étais le meurtrier, je garderais le livret bancaire pour le cas où je me ferais arrêter.

— Pourquoi ça ?

— Le meurtre du couple Utsugi était une affaire délicate : le coupable risquait soit la peine de mort, soit la perpétuité. Conserver une preuve du chantage opéré par sa victime pouvait jouer en sa faveur, lui servir de circonstance atténuante.

Jun'ichi acquiesça.

— Continuons de creuser, ajouta-t-il. La hachette, le livret et le sceau doivent être enterrés dans les parages.

— C'est reparti.

Nangô se leva brusquement, comme s'il donnait un coup de fouet à ses muscles fourbus.

Ils remontèrent au sommet de l'escarpement. Tout en mangeant leur boîte-repas, ils émirent des suppositions sur l'emplacement des marches de pierre. L'escalier servait d'allée d'accès au temple : à en juger par la position du bâtiment enfoui, il devait se trouver légèrement à droite de la pente.

Depuis les hauteurs, les deux hommes s'accordèrent sur le périmètre à couvrir, plantèrent des branches d'arbre dans le sol en guise de repères et employèrent tout l'après-midi à sonder le terrain, principalement avec le détecteur de métaux. Ils arpentèrent l'escarpement de droite à gauche et de gauche à droite, mètre par mètre, tout en descendant petit à petit. Un véritable jeu de patience.

Ils ne se reposèrent pas même après que le soleil eut disparu derrière la montagne et que le crépuscule eut enveloppé les alentours. Ils avaient alors couvert environ les neuf dixièmes de la pente. Il ne leur vint pas même à l'esprit de s'arrêter pour rentrer.

Songeant qu'ils n'allaient pas tarder à avoir besoin de lumière, Jun'ichi alla chercher la lampe torche dans son sac, quand, soudain, le signal du détecteur de Nangô retentit. Le jeune homme se précipita vers son ami et regarda l'écran. L'objet se trouvait à un mètre cinquante de profondeur. À peine cinq mètres au-dessus de la route en contrebas.

— Cette fois, je pense que c'est vraiment la bonne, dit Nangô dans l'obscurité. Le coupable a très facilement pu grimper jusqu'ici.

Jun'ichi alluma les deux torches électriques et les posa au sol de façon qu'elles l'éclairent tandis qu'il creusait.

Tout en l'aidant, Nangô précisa :

— Il faut creuser tout autour, on ne doit surtout pas endommager les pièces à conviction.

Jun'ichi hocha la tête et se déplaça légèrement vers le bas.

La terre y était plus dure qu'au milieu de la pente, mais en une demi-heure ils eurent ouvert un trou de la taille d'un homme.

— Nangô ! s'écria Jun'ichi lorsque sa pelle heurta un objet dur. Les marches !

— Parfait, c'est au-dessus, répondit Nangô, de l'excitation dans la voix.

Ils grattèrent le sol à la main et découvrirent les marches sur cinquante centimètres de largeur.

Jun'ichi n'arrivait pas à dompter son impatience.

— C'est ici que le coupable a enterré les preuves il y a dix ans, n'est-ce pas ?

— Oui. Il a sûrement ordonné à Kihara de le faire. En le menaçant avec sa hache. Kihara a dû voir l'escalier en creusant le trou.

Jun'ichi finit par découvrir, sur un côté du trou, un sac en plastique noir.

— Nangô, je l'ai !

— Tu as bien mis des gants ?

— Oui.

Nangô déblaya précautionneusement le sac et le souleva doucement. L'emballage, étroit et long d'environ cinquante centimètres, pesait lourd.

— On l'ouvre, dit-il.

Il le défit et fouilla dedans, à la lumière de la torche que Jun'ichi braquait.

Une hachette.

Le jeune homme laissa échapper un cri de joie :

— Ça y est !

— Cette fois-ci, on peut vraiment pousser des hourras ! s'exclama Nangô avant de replonger le regard dans le sac.

— Hé, il y a aussi le sceau !

— Et le livret ? Le livret bancaire avec le nom du meurtrier ?

Nangô posa l'emballage à terre et vérifia avec précaution.

— Non, pas de livret. Seulement la hachette et le sceau.

Jun'ichi commença à angoisser. Contrairement à ce qu'avait prédit Nangô, seul le livret aurait été détruit ? Ou bien enterré ailleurs ?

— On se remet à creuser ? suggéra-t-il.

— Non, le détecteur de métaux ne réagira pas au livret bancaire, répondit Nangô en contrôlant une fois de plus l'intérieur du sac. Le sceau est au nom d'Utsugi. C'est notre pièce à conviction, aucun doute là-dessus.

— Que fait-on maintenant ?

— On prie pour qu'il reste des empreintes sur la hachette ou sur le sceau. C'est notre seul espoir.

Nangô sortit son téléphone portable de son sac à dos.

— Au moins, ces preuves seront suffisantes pour faire bouger Nakamori.

Une heure plus tard, le procureur débarquait sur les lieux en voiture officielle, accompagné d'un agent du parquet. Celui-ci semblait faire office de simple témoin dans la procédure de saisie des pièces à conviction.

— Vous avez accompli là une prouesse, dit Nakamori, satisfait, à un Nangô et un Jun'ichi couverts de boue.

— Sans vous, nous n'aurions pas appris l'existence du Zôganji, tempéra Nangô.

Le magistrat enfila une paire de gants blancs, ouvrit le sac et examina les pièces à l'intérieur.

— Vous ne les avez pas touchées à mains nues, n'est-ce pas ?

— Non, bien sûr.

Nakamori donna des ordres brefs à son subalterne. L'agent inséra le sac contenant la hachette et le sceau dans un autre, plus grand et transparent. Il sortit ensuite un appareil photo muni d'un puissant flash et prit des clichés des alentours.

Une fois l'opération terminée, Nakamori lui demanda :

— Veux-tu apporter ça au commissariat central ?

— Entendu, répondit l'autre avant de ranger les pièces à conviction dans la voiture officielle.

— Quand saura-t-on si elles comportent des empreintes ? demanda Jun'ichi.

— Cette nuit même.

— Et si on en trouve, quand saura-t-on à qui elles appartiennent ? voulut savoir Nangô.

— Les résultats arriveront au plus tard demain en fin de journée.

Jun'ichi et Nangô poussèrent un soupir de soulagement et s'affaissèrent sur place. Le sentiment d'avoir accompli tout ce qui était en leur pouvoir avait finalement eu raison d'eux.

Nakamori leur annonça à voix basse, pour ne pas être entendu de son subalterne :

— Si jamais Ryô Kihara est innocenté, nous irons fêter ça autour d'un verre. Ce sera ma tournée.

— Vous pouvez compter là-dessus ! dit Nangô en riant.

*

Les pièces à conviction furent remises en mains propres par l'agent du parquet au laboratoire de police scientifique de Chiba. Un expert soumit aussitôt, dans l'ordre, le sac en plastique noir, la hachette et le sceau au détecteur d'empreintes. Il appliqua dessus un colorant spécial et passa le tout au laser à argon, révélant ainsi les empreintes latentes, de couleur jaune. Il y en avait près de l'ouverture du sac en plastique ainsi que sur le sceau. Elles appartenaient vraisemblablement à un adulte.

L'expert convertit les marques en données numériques qu'il entra ensuite dans un ordinateur. Il put alors traiter l'image pour en extraire, à partir de la forme des reliefs, les particularités, qu'il passa au crible de l'AFIS, le système de reconnaissance automatique des empreintes digitales. Le puissant ordinateur entreprit de comparer les empreintes ainsi obtenues avec celles stockées dans les gigantesques fichiers de la police, à la vitesse prodigieuse de sept cent soixante-dix images par seconde.

Parallèlement, la hachette et le sceau furent soumis à un examen différent.

On constata des ébréchures sur la lame de la hachette : c'était là le seul indice pouvant conduire sur la piste de l'assassin. Après le meurtre, l'arme avait, semble-t-il, été nettoyée avec soin : aucune trace de sang ne fut retrouvée, et d'empreintes encore moins.

Le sceau, toutefois, s'avéra plus éloquent. Les trois caractères du nom Utsugi gravés dessus correspondaient à la perfection à ceux qui figuraient sur l'empreinte du sceau que la police s'était procuré dix ans plus tôt auprès de la banque. Ils étaient identiques jusqu'aux dépressions du bord extérieur, invisibles à l'œil nu. Le préposé à l'expertise conclut qu'il s'agissait là, à n'en pas douter, du sceau emporté par le meurtrier.

Quatorze heures après le début de l'opération, le système AFIS parvint enfin à identifier les empreintes digitales. Leur propriétaire figurait sur la liste des repris de justice.

Le véritable meurtrier du couple Utsugi désigné par l'ordinateur n'était autre qu'un jeune homme inculpé deux ans auparavant pour coups et blessures ayant entraîné la mort : Jun'ichi Mikami.

6

L'exécution

1

Le procureur Nakamori se trouvait dans la salle d'interrogatoire du parquet du district de Tateyama, en train de questionner le suspect d'une affaire de vol, lorsqu'un appel d'urgence arriva du commissariat central de Chiba.

Un agent du parquet vint aussitôt l'alerter.

— Monsieur le procureur, dit-il, manifestement embarrassé. Venez, s'il vous plaît. C'est très urgent.

Nakamori confia l'interrogatoire à son subalterne et accompagna l'agent dans son bureau.

— Voici les résultats de la comparaison des empreintes, dit l'agent en montrant le dossier du repris de justice.

À la seconde où il vit le visage sur l'écran d'ordinateur, le procureur laissa échapper un cri de surprise :

— C'est pas vrai !

— Ce Mikami, reprit l'agent, ce ne serait pas le jeune homme qui se trouvait sur le lieu des fouilles hier soir ?

— Si, c'est lui, confirma Nakamori tout en se demandant ce que cela signifiait.

Jun'ichi aurait donc touché les pièces à conviction à mains nues en les sortant de terre ? C'était la seule explication rationnelle. Pourtant, Nakamori s'était bien assuré qu'il portait des gants, et de plus Nangô n'aurait jamais laissé son coéquipier commettre une telle bévue.

Cela voulait-il dire que l'assassin du couple Utsugi était véritablement Jun'ichi ?

À ce stade de sa réflexion, Nakamori releva la tête. Ce n'était plus le moment de penser à Mikami. Maintenant que les empreintes étaient identifiées, il fallait d'urgence prendre des mesures.

Il repassa dans sa mémoire la « décision Shiratori[1] », un verdict qui avait fait date en assouplissant les conditions de révision des procès. « Toute place laissée au doute doit servir les intérêts du prévenu » : cette règle inflexible de la jurisprudence pénale pouvait aussi servir à débuter la révision du procès de Ryô Kihara.

Nakamori saisit le téléphone sur son bureau.

Un coup de fil fut passé à Tokyo depuis le parquet de Tateyama, et un rapport suggérant que la condamnation à mort de Ryô Kihara relevait d'une erreur judiciaire, immédiatement transmis au procureur en chef. Le numéro deux de l'administration judiciaire en prit connaissance et se mit aussitôt en contact avec le vice-ministre administratif du ministère de la Justice.

— Je veux que vous suspendiez l'exécution du condamné à mort Ryô Kihara, ordonna-t-il.

Le vice-ministre fut stupéfait. Sachant le remaniement ministériel imminent, il avait déjà déposé l'ordre d'exécution sur le bureau du garde des Sceaux.

Il s'empressa de se rendre dans le bureau du ministre. Il estimait que le pire pouvait encore être évité. La dernière liasse de documents avait été transmise l'avant-veille, le jour où la quatrième demande de révision de

---

1. En janvier 1952 éclate « l'affaire Shiratori », du nom d'un inspecteur de police tué par balle à Sapporo. Kuniharu Murakami, désigné comme le cerveau de l'opération, écope d'une peine de vingt ans de réclusion criminelle devant la Cour suprême et échoue à obtenir la révision de son procès. La Cour conclut en revanche que « toute place laissée au doute doit servir les intérêts du prévenu », facilitant dès lors les révisions de procès.

Ryô Kihara avait été définitivement rejetée. Si le ministre n'avait toujours pas signé l'ordre, c'est qu'il devait vouloir repousser cette tâche jusqu'au dernier moment, c'est-à-dire la veille du remaniement. Celui-ci n'aurait pas lieu avant quelques jours, et Kihara bénéficiait donc d'un répit équivalent.

Le panonceau sur la porte du bureau indiquait que le ministre était absent. Le vice-ministre se rendit à son cabinet pour se renseigner auprès du chef du secrétariat. Là, il resta frappé de stupeur devant l'ordre d'exécution qui trônait sur le bureau du secrétaire.

« *Que la mise à mort de Ryô Kihara soit appliquée ainsi que l'a ordonné la cour.* » La signature du garde des Sceaux figurait en dessous de cette phrase, inscrite au crayon rouge comme le voulait la tradition.

— Le ministre a enfin approuvé le document, souligna le chef du secrétariat.

Le vice-ministre, sortant de sa prostration, demanda :

— Est-ce que quelqu'un a vu ce document ?

— Pardon ?

— Combien de personnes sont tombées dessus ?

— Je ne saurais trop vous dire, répondit le secrétaire, visiblement confus. Tous ceux qui le devaient. Le centre de détention de Tokyo a d'ailleurs déjà été prévenu.

Le vice-ministre en perdit ses mots, et resta planté sur place.

Si la loi était correctement appliquée, plus personne ne pourrait désormais arrêter l'exécution de Ryô Kihara.

Nangô parvint à se réveiller avant midi. Après les fouilles de la veille, ils étaient rentrés à l'appartement, avaient fait un rapport à maître Sugiura puis s'étaient saoulés jusqu'à l'aube.

Il s'extirpa avec peine de son futon, le corps fourbu de courbatures. Celles-ci attestaient le travail accompli, il pouvait en être fier. Satisfait de sa prouesse de la veille, la douleur lui parut même agréable. En allant se laver la figure à la cuisine, il trouva un mot de Jun'ichi.

« *Je sors un moment. Téléphonez-moi dès que vous saurez pour les empreintes.* »

Nangô sourit. Ils avaient décidé de ne rien faire de toute la journée. Durant près de trois mois, tous deux avaient bel et bien travaillé sans relâche, et Jun'ichi goûtait là à son premier jour de repos depuis sa sortie de prison.

Une fois débarbouillé, Nangô songea à sortir manger quelque chose, lorsque son portable sonna. L'écran affichait le numéro du procureur Nakamori. Il devait avoir reçu le résultat de l'analyse des empreintes – Nangô décrocha immédiatement.

– Allô ?

– Nakamori à l'appareil.

– Vous avez le résultat des empreintes ?

– Avant cela…

Le procureur hésitait à poursuivre.

– Est-ce que Mikami est avec vous ?

– Non, il est sorti.

– Quand doit-il rentrer ?

– Tard, sûrement, répondit Nangô, content pour le jeune homme. Pourquoi cela ?

– Pourriez-vous me donner votre adresse ?

– Mon adresse ? Celle de notre appartement ? voulut savoir Nangô, les sourcils froncés. Pourquoi donc ?

– En ce moment même, vous êtes tous les deux recherchés par la police de Katsuura.

– Tous les deux… par la police ?

– Oui.

Le procureur se tut un moment, puis reprit :

– On nous a transmis les résultats de l'analyse. Les empreintes découvertes sur le sac en plastique et le sceau sont celles de Jun'ichi Mikami.

Nangô n'assimila pas immédiatement l'information. Abasourdi, il entendait malgré tout, au creux de son oreille, la voix du procureur qui continuait :

— Si vous pensez pouvoir me communiquer votre adresse, appelez-moi. Les inspecteurs du commissariat de Katsuura se rendront ensuite chez vous. Veuillez vous conformer à leurs instructions.

Sur ce, il raccrocha.

Les empreintes de Jun'ichi ?

Nangô réfléchit un moment, puis se repassa le film de la veille. Jun'ichi portait des gants durant toute la durée des fouilles sur la pente, il en était sûr et certain. Et juste avant qu'il ne déterre ce maudit sac en plastique, Nangô lui avait bien recommandé de ne pas le toucher à mains nues. Il n'avait pas quitté les pièces à conviction des yeux, ne fût-ce qu'une seconde.

Il se concentra ensuite sur les événements de dix ans auparavant. La nuit du meurtre du couple Utsugi, Jun'ichi, alors lycéen, se trouvait avec sa petite amie à Nakaminato. Il était en possession d'une forte somme d'argent de provenance inconnue, et avait reçu une profonde entaille au bras gauche. En outre, sa petite amie était en état de stupéfaction, à la suite d'un choc extrême.

Nangô se sentit frissonner.

Et si celui qui avait couru droit à l'échafaud pendant tout ce temps n'était pas Kihara, mais Jun'ichi ?

Au cours de leur enquête, le jeune homme avait obstinément refusé de partir à la recherche du véritable assassin. Il trouvait odieux d'envoyer quelqu'un d'autre à la corde. Était-ce pour sauver sa propre peau qu'il avait dit ça ?

Mais dans ce cas, reconsidéra Nangô, pourquoi Jun'ichi serait-il allé déterrer de ses propres mains des preuves qui l'incrimineraient ?

Il voulut téléphoner au jeune homme mais se ravisa

aussitôt. Il avait besoin de temps. Du temps pour se calmer et réfléchir, à tête reposée.

Or, au souvenir des paroles du procureur, Nangô se consuma d'impatience, au point de ne plus tenir en place. En ce moment même, il se trouvait tranquillement chez lui tandis que la police de Katsuura était déjà partie à leur recherche.

Nangô décida de se changer en vitesse et réfléchit à un endroit sûr. La police n'allait pas tarder à localiser leur appartement. Elle aurait peut-être plus de mal à le retrouver en ville, en pleine saison touristique.

Il prit son téléphone portable, un calepin, et sortit en trombe.

Il suait à grosses gouttes en courant dans les rues étroites. Faute de mieux, il s'engouffra dans un salon de thé qu'il venait d'apercevoir. Il fouilla dans sa poche et tomba par bonheur sur un paquet de cigarettes. Il en alluma une, commanda une boisson fraîche et, là, il eut une idée.

Il prit son portable et téléphona aux renseignements.

— Je voudrais le numéro du bazar Lily situé à Hatanodai, à Tokyo, dans l'arrondissement de Shinagawa…

Une fois le numéro inscrit dans son carnet, il tenta de se rappeler le nom du seul témoin de l'affaire de Nakaminato, dix ans plus tôt. Oui, à n'en pas douter, le policier l'avait appelée Yuri Kinoshita.

À cet instant, Nangô vit une voiture de police banalisée glisser devant le salon de thé. Gyrophare allumé, sirène éteinte, c'était exactement comme ça qu'elles roulaient lors d'une recherche de suspects.

Affolé, il composa le numéro du bazar.

On décrocha à la quatrième sonnerie. Une voix de femme entre deux âges annonça :

— Boutique Lily, bonjour.

— Suis-je bien chez M. et Mme Kinoshita ?

— Oui.

— Je m'appelle Shôji Nangô, je souhaiterais parler à Mlle Yuri Kinoshita. Est-elle ici ?

— Non, répondit-on laconiquement.

La femme semblait méfiante.

— Vous êtes sa mère ?

— Non, une parente. Je garde simplement le magasin.

— Ne pourriez-vous pas me communiquer, par hasard, le numéro de portable de Mlle Yuri ?

Agacée, l'interlocutrice demanda :

— Dites-moi d'abord qui vous êtes, monsieur Nangô.

— Je travaille pour le cabinet d'avocat Sugiura.

La femme changea de ton.

— Un cabinet d'avocat ?

— Tout à fait. À vrai dire, j'enquête en ce moment sur une affaire très délicate, et j'aurais besoin de parler à Mlle Yuri de toute urgence.

Un silence s'ensuivit, puis la parente avoua :

— Yuri est en ce moment à l'hôpital.

— À l'hôpital ? Elle est tombée malade ?

— Non.

Nangô fronça les sourcils.

— Elle aurait eu un accident, alors ?

— À vrai dire…

Nouveau silence, plus long encore.

— Je ne sais pas si cela a un lien avec votre enquête, mais Yuri a fait une tentative de suicide.

— Comment ?

À nouveau paniqué, Nangô scruta les alentours avant de répéter, à voix basse :

— Une tentative de suicide ?

— C'est loin d'être la première. Mais comme personne n'en comprend la cause…

— Dans quel état se trouve-t-elle ?

— Apparemment, elle s'est rétablie.

— Je vois.

Gêné, Nangô baissa la tête et conclut :

— Excusez-moi de vous avoir dérangée. Je rappellerai une autre fois.

— Très bien, merci par avance, répondit la dame d'une voix hésitante, sans même avoir demandé pourquoi il rappellerait.

Dès qu'il eut raccroché, Nangô fut plongé dans la pire des confusions. Les tentatives de suicide de Yuri avaient-elles un lien avec le meurtre de Nakaminato ? Qu'avait-il bien pu se passer le jour de son arrestation avec Jun'ichi ?

Dans l'état actuel des choses, il ne restait qu'à retrouver Mikami. Décidé, Nangô reprit son téléphone portable, quand celui-ci se mit à sonner. Nangô écarquilla les yeux. L'écran affichait le numéro d'Okazaki, au centre de détention de Tokyo.

— Allô ? dit Nangô.

La voix à l'autre bout du fil était indistincte, comme si son interlocuteur recouvrait le combiné avec sa main :

— C'est Okazaki. Un avis d'exécution est arrivé ce matin du ministère de la Justice, à l'intention du directeur.

— Qui va être exécuté ?

— Ryô Kihara.

Nangô devint livide, sa tête se mit à tourner. Il aurait suffi qu'ils déterrent les preuves seulement quelques heures plus tôt…

— L'ordre n'arrivera qu'aujourd'hui, dans la soirée. L'exécution aura lieu quatre jours plus tard.

— Entendu. Merci.

Avant de raccrocher, Okazaki ajouta :

— On ne peut plus rien arrêter.

Nangô n'avait pas imaginé de scénario aussi désastreux. Il appellerait Jun'ichi plus tard. À présent, il fallait jouer leur va-tout. Si tout se passait comme il l'espérait, il pourrait enrayer l'exécution de Ryô Kihara. C'était leur dernière carte.

Il téléphona à Sugiura et lui expliqua la situation. L'avocat, ébranlé, hurla :

— Tout est fichu ! Il n'y a plus rien à espérer, c'est l'exécution !

— Calmez-vous ! lança Nangô, à moitié pour se conforter lui-même. Il reste un moyen !

— Lequel ?

— On peut encore invoquer l'article 502 de la loi sur les procès pénaux.

— Quoi ?

Nangô entendit aussitôt l'avocat feuilleter frénétiquement son recueil de lois.

— C'est le passage sur la « Contestation de peine » ! le pressa Nangô avant de réciter l'article de mémoire. « Lorsque la peine requise par le procureur est imméritée, il est possible de la contester auprès du tribunal qui l'a prononcée. »

— Et alors ? demanda l'avocat.

— Écoutez-moi : la mise à mort est une peine prononcée par le procureur. On va la contester.

Sugiura se tut. Il devait cogiter à toute vitesse.

— D'ordinaire, les exécutions ont lieu immédiatement après leur prononcé. Les condamnés à mort n'ont pas même le temps de les contester. Or cette fois-ci, les choses sont différentes. Nous savons que l'exécution aura lieu dans quatre jours.

— Mais, balbutia l'avocat, quels sont l'objet et la raison de la contestation ?

— Infraction à la loi. Le garde des Sceaux doit donner l'ordre d'exécution dans les six mois qui suivent le verdict définitif du procès. Pour Kihara, la durée est dépassée. L'exécuter maintenant est tout ce qu'il y a de plus illégal !

— Mais enfin, ce texte n'a qu'une valeur de principe, rien de pl…

— On se fout des principes ! Ce texte est on ne peut plus clair !

— Non, je vous le dis, c'est impossible. Le tribunal ne recevra jamais cette contestation, ce serait comme s'il recon-

naissait qu'à ce jour la quasi-totalité des exécutions avaient
été illégales !

— C'est justement ça que nous visons, martela Nangô,
agacé par le fait que l'avocat soit aussi lent à la détente.
Pourquoi serait-on obligé d'exécuter le condamné dans les
cinq jours qui suivent l'ordre du ministre si le ministre lui-
même a le droit de dépasser allégrement le délai de six
mois pour signer l'ordre d'exécution ?

— Je doute que les autorités soient de votre avis.

— Ça nous fera toujours gagner du temps. Je ne suis pas
en train de dire qu'on va remettre Kihara en liberté avec
cette contestation, mais d'ici à ce qu'elle soit rejetée, on
pourra glisser une cinquième demande de révision !

— Entendu. Je vais le faire.

Sugiura s'était rangé à cet ordre d'une voix tellement affo-
lée qu'on ne savait plus qui de Nangô ou de lui employait
l'autre.

Nangô raccrocha et s'apprêta à appeler Jun'ichi sur son
portable. Mais il n'en eut pas le temps.

— C'est vous, M. Nangô ?

Il releva la tête. Deux hommes en polo munis d'oreillettes
se tenaient debout devant lui.

— C'est bien moi.

Il se composa un air calme et éteignit son téléphone
d'un geste discret.

— Police de Katsuura. Veuillez avoir l'obligeance de nous
suivre, s'il vous plaît.

Avec les cinq hommes présents, la salle d'interrogatoire
de la brigade pénale du commissariat de Katsuura était
pleine à craquer.

L'inspecteur en chef Funakoshi conduisait en personne
l'interrogatoire de Nangô. Deux inspecteurs l'assistaient, et le
procureur Nakamori avait pris place sur une chaise pliante
à côté de la porte.

Funakoshi martelait une seule et même question : il voulait savoir où se cachait Jun'ichi Mikami. Nangô sentait qu'il ne les portait pas dans son cœur. Mais quoi de plus normal : Jun'ichi et lui l'avaient carrément devancé en découvrant de nouvelles preuves dans l'affaire Utsugi.

— Où se trouve Jun'ichi Mikami ? demanda Funakoshi une énième fois. Vous le savez, mais vous ne voulez pas nous le dire.

— Faux. Je n'en sais rien, et c'est la vérité.

Nangô mourait d'envie de voir quelle mine faisait Nakamori, assis derrière lui.

— Dans ce cas, pourquoi refuser de nous donner votre adresse ?

— Parce que je tiens à protéger ma vie privée.

Funakoshi lâcha un ricanement.

— Est-ce que Mikami avait un portable sur lui ? demanda-t-il.

— Je ne sais pas.

— Faites-nous le plaisir de sortir le vôtre.

L'inspecteur en chef tendit la main dans un geste théâtral. Nangô s'emporta :

— Il n'en est pas question.

— Comment ça ?

— Vous m'avez amené ici pour un interrogatoire volontaire, oui ou non ? Vous n'avez pas le droit de me contraindre à vous laisser fouiller mes affaires.

— Je vous conseille de nous obéir docilement, ça vaudrait mieux pour vous.

— Je pourrais vous dire exactement la même chose. Je travaille à la demande d'un cabinet d'avocat. Vous préférez peut-être qu'on poursuive cette discussion devant les tribunaux ?

Funakoshi grimaça comme s'il venait de mordre dans un fruit amer, et jeta un regard par-dessus l'épaule de Nangô. Sûrement pour appeler le procureur à la rescousse.

Sentant que Nakamori allait se manifester, Nangô reprit sans lui en laisser le temps :

— Je vais sortir d'ici. Sans vous demander la permission. Si vous voulez m'arrêter, libre à vous.

Alors, il se leva. Nakamori intervint aussitôt :

— Un instant.

Le procureur vint se poster à côté de Nangô, puis s'adressa aux trois inspecteurs :

— Je voudrais parler seul à seul avec M. Nangô. Veuillez sortir, s'il vous plaît.

Les policiers eurent beau afficher leur mécontentement, ils durent néanmoins se résoudre à obéir au magistrat. Les trois hommes quittèrent la salle d'interrogatoire.

À présent qu'ils étaient seuls, Nakamori s'assit face à Nangô et repoussa du coude le procès-verbal encore vierge.

— C'est en tant qu'ami que je tiens à discuter avec vous. Cela vous convient-il ?

— Après cet interrogatoire, ça ne peut pas me faire de mal, répondit Nangô en riant.

Avant d'accorder sa confiance au procureur, il voulut toutefois mettre sa loyauté à l'épreuve. Il sortit son téléphone portable et composa le numéro de Jun'ichi. La voix de la messagerie indiqua que le correspondant avait éteint son téléphone.

Frustré et inquiet pour lui, Nangô laissa un message :

— Jun'ichi, c'est Nangô. Il s'est passé quelque chose de très étrange. Ce sont tes empreintes qu'on a retrouvées sur les pièces à conviction. Écoute-moi : ne retourne surtout pas à l'appartement. Va quelque part où personne ne te verra, et attends, compris ?

Nakamori ne fit rien pour l'arrêter. Rassuré, Nangô raccrocha.

— Qu'est-ce que tout ça signifie ? dit le procureur. J'ai beau réfléchir, rien ne fait sens. Jun'ichi se serait-il donné autant de peine pour déterrer des preuves qui l'accable-raient ?

— Je ne comprends pas non plus.

— Du moment que ses empreintes figurent sur les pièces, cela signifie qu'il les a touchées. Serait-ce lui le meurtrier du couple Utsugi ?

Nakamori n'était visiblement pas au courant de la fugue du jeune homme. Ni du fait que l'intéressé disait n'avoir conservé que de vagues souvenirs de ce moment-là. Nangô hésita longuement, mais décida de taire ce volet de l'histoire.

— Qu'en pensez-vous, monsieur le procureur ?

Nakamori croisa les bras et réfléchit. Il finit par deman-der :

— Vous a-t-on promis une récompense pour votre enquête en cours ?

Nangô acquiesça. Quelque part dans sa tête, un voyant d'alerte se mit à clignoter. Toutefois, l'envie d'entendre le raisonnement de Nakamori l'emporta.

— Nous toucherons une forte somme si nous réussissons à prouver l'innocence de Kihara.

— Je vois. Question suivante : est-ce que Mikami ne connaîtrait pas de graves difficultés financières à cause de l'homicide d'il y a deux ans ?

Nangô releva soudain la tête. Il venait de se rappeler que Jun'ichi se faisait un sang d'encre pour sa famille, au point de déprimer.

— Vous voudriez dire que, appâté par la récompense, il aurait décidé d'endosser un crime qu'il n'a pas commis ?

— Oui.

Nangô fouilla désespérément sa mémoire. Au cours de ces trois derniers mois, Jun'ichi avait agi seul des journées entières. Aurait-il pu en profiter pour découvrir les preuves quelque part, y appliquer ses empreintes et les enterrer dans les vestiges du Zôganji ?

— Mais en faisant ça, il se condamnerait à mort.

— Voilà précisément pourquoi il aurait découvert lui-même les preuves. Il se serait en quelque sorte dénoncé volontairement.

Surpris, Nangô observa le procureur.

— L'affaire Kihara est un cas bien particulier dans les annales des condamnations à mort. En effet, le coupable aurait eu des chances d'échapper à la peine capitale s'il s'était livré à la police. Mikami était au courant de cela, il a très bien pu faire un pari à cent contre un, et tenter le tout pour le tout.

— Afin de sauver ses parents de la banqueroute ?

— Oui. Étant donné les faits, je ne vois pas d'autre hypothèse. S'il s'était livré de lui-même à la police, vous ne seriez pas parvenu, au terme de votre enquête, à prouver l'innocence de Kihara. Par conséquent, la récompense ne vous aurait pas échu. Pour empocher la récompense tout en se dénonçant, il n'avait d'autre choix que de déterrer les preuves de ses propres mains.

— C'est impossible, murmura Nangô.

Il se trouva à court de mots. Jun'ichi avait donc touché les pièces à conviction de son plein gré.

— Autre chose, reprit Nakamori, la mine sombre. Cela reste entre nous, mais sachez que l'ordre d'exécution de Ryô Kihara est déjà parti.

— Je suis au courant, confessa Nangô. Un ancien collègue du centre de détention me l'a dit.

— Au train où vont les choses, Kihara sera exécuté dans quatre jours. Cependant, la découverte des empreintes de Mikami a déjà été rapportée aux autorités. Savez-vous ce qu'il va se passer ?

— Non.

— Une fois Kihara exécuté, vous imaginez bien que les autorités ne reconnaîtront jamais leur erreur. Un dysfonctionnement aussi grave serait susceptible de faire vaciller l'exercice même de la peine de mort. Cependant, elles ne pourront pas non plus ignorer l'histoire des empreintes de Jun'ichi. C'est pourquoi je ne vois qu'un seul scénario se profiler : afin de rétablir l'équilibre des peines, Mikami sera fait complice de Kihara et condamné à mort à son tour.

Combien de fois Nangô était-il devenu livide depuis ce matin ?

— Vous croyez vraiment que c'est ce qui arrivera ?

Nakamori hocha la tête.

— La justice, vous savez, court constamment le risque d'être employée de façon arbitraire par les puissants. Si la cour s'en tient aux preuves, elle devrait elle aussi juger Mikami complice. Auquel cas, le verdict sera la peine capitale.

— Je veux sauver Jun'ichi.

Il n'avait pensé à rien du tout. Ses lèvres s'étaient mues d'elles-mêmes, pour prononcer cette phrase à son insu.

— C'est un type bien. Il a certes commis un homicide, mais il s'est sincèrement amendé, c'est un gars admirable.

— Je comprends. Je vous comprends, insista Nakamori avec compassion.

— Qu'on puisse lui passer la corde autour du cou, et le faire avancer sur la trappe…

Dans ses mains, Nangô retrouva les sensations de l'exécution des numéros 470 et 160, et la sueur se mit à ruisseler sur son corps. La question que Jun'ichi lui avait une fois posée lui revint en mémoire :

Quelqu'un qui ne se repent pas d'avoir tué mérite-t-il forcément la peine de mort ?

— Il n'est pas impossible de sauver Mikami, reprit Nakamori. À vrai dire, le cas où de nouvelles preuves surgissent après signature de l'ordre d'exécution est encore inédit à ce jour. En ce moment même, les agents du ministère doivent être en train de s'arracher les cheveux pour savoir comment traiter cette situation.

Impatient, Nangô demanda :

— Et on fait quoi, concrètement ?

— Il suffit d'empêcher l'exécution de Kihara. Ainsi, il n'y aura plus besoin de rétablir l'équilibre des châtiments, et Mikami aura des chances d'éviter la condamnation à mort.

Nangô entrevit une brève lueur d'espoir, mais se rendit compte que la solution proposée par Nakamori ne changerait rien au dénouement tragique de l'affaire.

— Mais même dans ce cas, Mikami écopera de la perpétuité, non ?

— Cela me semble être le verdict le plus approprié.

— Impossible ! s'écria-t-il.

Que Jun'ichi ait pu assassiner le couple Utsugi n'était même plus une éventualité pour lui. Le jeune homme avait décidé de prendre la place de Ryô Kihara afin de toucher la récompense, cela s'arrêtait là.

— Il n'y a vraiment rien à faire, aucun moyen que Mikami s'en sorte ?

— Cependant…

Nakamori n'eut pas le temps d'aller plus loin : Nangô l'interrompit d'un geste de la main. Il venait d'avoir une idée. D'une voix plus posée, il la soumit au procureur :

— Et si ni Mikami ni Kihara n'avaient tué Utsugi ? Si le véritable coupable était encore dans la nature ?

Le magistrat s'immobilisa et observa Nangô.

— Il suffirait de mettre la main sur lui pour sauver les deux autres, conclut ce dernier.

— Avez-vous espoir de le trouver ?

Nangô se tut, et fit le point sur la situation.

À ce stade, il fallait se raccrocher à la contestation pour vice de procédure que maître Sugiura allait déposer. Si par miracle la cour l'acceptait, ils pourraient gagner le temps nécessaire à l'établissement d'un cinquième pourvoi en révision. D'ici là, il faudrait retrouver le livret bancaire manquant et découvrir l'identité du véritable tueur…

— Nous n'avons pas le choix, dit Nangô.

— Avant de vous lancer dans la recherche de l'assassin, suggéra le procureur, veillez sur Mikami. C'est la plus grande des priorités. S'il était arrêté et que la police arrive à lui soutirer de faux aveux, tout serait fini.

Nangô hocha la tête et demanda :

— Une fois sorti de cette pièce, que dois-je faire ?

— Vous serez certainement pris en filature : il faudra semer la police d'une façon ou d'une autre. Ensuite, retrouvez Mikami et cachez-vous.

— Entendu.

— Évitez les grandes artères ainsi que les gares. Il y a de fortes chances que les inspecteurs y soient aux aguets.

— Et mon téléphone ? demanda Nangô en désignant l'appareil.

Funakoshi possédait son numéro, car Nangô lui avait donné sa carte de visite lors de leur premier entretien.

— Y a-t-il un risque que je sois pisté ?

— Oui. Même si vous ne passez pas d'appel, il suffit que le téléphone soit allumé pour vous localiser.

— Et mis sur écoute ?

— Ça, non, je ne pense pas. Il ne s'agit pas de crime organisé.

Nangô se leva. Juste avant de passer la porte, il se retourna et posa une dernière question :

— Dites-moi, monsieur le procureur, comment se fait-il que vous soyez notre allié à présent ?

Nakamori répondit sur un ton déterminé :

— Je souhaite que justice soit faite. Rien de plus.

En sortant du commissariat de Katsuura, Nangô se rendit aussitôt au port de pêche et marcha sur la digue. Il vit un pêcheur qui faisait mine de regarder à l'intérieur de son panier avant de jeter un œil derrière lui, et sut immédiatement qu'il s'agissait d'un flic.

Nangô comprit la tactique de Funakoshi : l'inspecteur

ne cherchait pas à dissimuler la filature, afin de l'empêcher d'entrer en contact avec Jun'ichi. Il attendait que le jeune homme, livré à lui-même, tombe dans le filet tendu à travers toute la ville de Katsuura.

Nangô réfléchit à la marche à suivre et se sentit déconcerté. Même s'il arrivait à semer ses poursuivants, sans portable ni transports en commun, il lui serait impossible de prendre contact avec Jun'ichi.

2

Jun'ichi avait éteint son portable en entrant dans la bibliothèque.

À neuf heures passées, réveillé par la chaleur, il était sorti prendre son petit-déjeuner avant de monter dans le train en direction de Nakaminato. Un peu avant dix heures, il était de retour sur les lieux de sa fugue, afin de réfléchir une nouvelle fois au crime qu'il avait commis.

Or, à peine descendu à Nakaminato, il fut pris d'une puissante nausée et renonça à son plan. À la place, il se rendit à la bibliothèque en suivant l'indication d'un panneau devant la gare, pour lire quelques livres sur l'art bouddhique. La statue d'Acala découverte dans le bâtiment principal du Zôganji restait imprimée dans sa mémoire.

En arrivant, il prit le premier livre de l'étagère qui lui tomba sous la main, et alla s'asseoir à une table occupée par des étudiants en plein bachotage.

L'ouvrage présentait toutes sortes de bouddhas, bodhisattvas et divinités : Vairocana la Grande Lumière, Maitreya le Bienveillant ou encore les anti-dieux que sont les Ashura. Les statues d'Acala occupaient une place à part dans l'esprit du jeune homme et Jun'ichi trouvait étrange de se fixer ainsi sur cette divinité.

Finalement, après avoir parcouru plusieurs ouvrages, ses yeux s'arrêtèrent sur une rubrique intitulée « Techniques de construction des statues bouddhiques ». Jun'ichi, dont le premier métier était le moulage industriel, s'intéressait aux techniques plastiques anciennes.

Celles-ci étaient multiples : sculpture sur bois, sur plâtre, modelage de la cire… Il existait en outre un procédé dit de « laque sèche creuse », qui consistait à modeler, sur un socle, une forme primitive en terre, et à enrouler par-dessus une toile de lin enduite de laque. La dernière phase du procédé le stupéfia. En surface, la laque séchait en épousant la forme de la statue, puis on vidait la terre en dessous.

« *Les statues bouddhiques obtenues à partir de cette technique ont la particularité de posséder un intérieur creux.* » Voilà ce qu'expliquait le livre.

Un intérieur creux.

Après avoir relu plusieurs fois cette phrase, Jun'ichi referma l'ouvrage. Le ventre de la statue du Zôganji – c'était le seul endroit qu'ils n'avaient pas fouillé. Et si le livret bancaire se trouvait à l'intérieur ?

Jun'ichi s'empressa de replacer l'ouvrage sur l'étagère et sortit de la bibliothèque. Il appela Nangô sur son portable mais tomba sur le répondeur. Il laissa malgré tout un message disant qu'il avait découvert un nouvel indice, puis voulut appeler maître Sugiura, mais celui-ci s'avéra injoignable.

Un nouvel événement s'était-il produit ? Il laissa aussi un message sur le répondeur de l'avocat, pour l'informer que les preuves se trouvaient peut-être au Zôganji.

Il écouta ensuite sa messagerie vocale. Un nouveau message de Nangô disait :

« *Jun'ichi, c'est Nangô. Il s'est passé quelque chose de très étrange. Ce sont tes empreintes qu'on a retrouvées sur les pièces à conviction.* »

Mes empreintes ?

Jun'ichi fronça les sourcils. Il devait y avoir méprise. Il avait beau réfléchir, il était parfaitement impossible que ses empreintes se retrouvent sur les preuves.

« Écoute-moi : ne retourne surtout pas à l'appartement. Va quelque part où personne ne te verra, et att... »

La police. Il était poursuivi par la police. À cette pensée, un frisson glacial lui parcourut l'échine, et dans sa mémoire ressuscita le souvenir des menottes fixées à ses poignets deux ans plus tôt.

Dix ans auparavant, il se trouvait à Nakaminato avec Yuri lorsque le couple Utsugi avait été assassiné. Comment était-il possible que ses propres empreintes figurent aujourd'hui sur les pièces à conviction volées sur la scène du crime... ?

L'appréhension de Jun'ichi se changea en terreur. Il venait de comprendre que sa position et celle de Kihara s'étaient inversées. C'était lui désormais, l'innocent que l'on exécuterait.

Comment avait-on pu découvrir ses empreintes ? Cela défiait les limites de l'entendement. Figé debout devant la bibliothèque, il jeta tout autour de lui un regard apeuré.

Personne qui ressemblât à un policier.

Il baissa la tête et s'engouffra dans la rue qui menait à la plage. Il s'efforçait de marcher à pas lents, mais son cœur battait à se rompre dans sa poitrine. Il entra dans un magasin de souvenirs et acheta un chapeau ainsi que des lunettes de soleil pour camoufler son visage.

En ressortant, il appela Nangô, en priant pour qu'il décroche. Mais son téléphone demeurait éteint.

Dans la ville chauffée à blanc par le soleil, la filature s'était changée en concours d'endurance. Nangô avait passé les trente premières minutes à flâner dans Katsuura. Soudain, les policiers le virent se mettre à courir, s'enfoncer dans le dédale des ruelles, tourner à droite, puis à gauche, et semer ainsi deux d'entre eux.

Cependant, les choses se déroulaient encore comme l'inspecteur en chef Funakoshi l'avait prévu. Dans le quartier tout en venelles où Nangô avait tenté de se perdre, une autre équipe de police était en faction : aussitôt prévenue, elle partit à la recherche du fuyard, dont elle connaissait le visage.

Le stratagème fonctionna. Visiblement rassuré d'avoir semé ses poursuivants, Nangô entra sans même se retourner dans un restaurant italien proche de la gare.

Cinq inspecteurs se postèrent devant l'enseigne. Une policière en civil partit en reconnaissance. De l'intérieur, elle informa ses collègues au moyen de son portable qu'elle n'avait pas trouvé trace de Jun'ichi. Les inspecteurs croyaient en effet que Nangô lui avait donné rendez-vous à cet endroit.

Pendant les trois heures qui suivirent, les deux camps attendirent. Au moment où le soleil commençait à décliner, Nangô se leva enfin de son siège. Il régla l'addition, sortit du restaurant et monta l'escalier de la gare de Katsuura.

La filature reprit. Un policier partit en éclaireur. Il pensa d'abord que Nangô allait prendre un train, mais, au lieu de cela, le vit entrer dans les toilettes publiques. Il le croisa devant l'entrée des toilettes, mais continua comme si de rien n'était tout droit jusqu'aux portiques menant aux quais, sans se faire repérer. Les deuxième et troisième équipes prirent le relais au moment où Nangô ressortait des toilettes, puis de la gare.

Finalement, la cible s'éloigna des grandes artères pour entrer dans une zone résidentielle. Les policiers étaient pleins d'espoir. Nangô marcha une dizaine de minutes, puis entra dans un immeuble à un étage du nom de « Villa Katsuura ».

Ils avaient découvert son repaire. L'un des inspecteurs envoya aussitôt un rapport au commissariat. Les instructions de Funakoshi arrivèrent sans tarder : « Entrez de force ! » Quatre d'entre eux restèrent dehors pour bloquer les issues, les deux autres agents montèrent les marches quatre à quatre jusqu'au premier puis frappèrent à la porte de l'appartement.

— Oui ?

— Police de Katsuura. Ouvrez.

On ouvrit sur-le-champ. Nangô passa la tête à l'extérieur, l'air effaré.

— Que venez-vous faire ici ? demanda-t-il.

— Ne faites pas l'idiot, on s'est vus au commissariat tout à l'heure.

L'inspecteur qui avait répondu était en effet présent quelques heures plus tôt dans la salle d'interrogatoire. Et il s'aperçut tout de suite que quelque chose clochait. Dans son souvenir, le visage de Nangô était légèrement différent.

Un signal d'alarme retentit dans la tête du policier. Tout en pressentant qu'ils venaient de commettre une terrible bévue, il demanda :

— Qui êtes-vous ?

L'homme en face de lui répondit :

— Je suis Shôichi Nangô, le frère jumeau de Shôji Nangô.

— Et qu'est-ce que vous fichez ici ?

— À cause de moi, Shôji n'a pas pu aller à l'université, expliqua son jumeau avec le sourire. Aujourd'hui, je rachète ma dette envers lui.

Nangô attendit cinq minutes dans les toilettes publiques de la gare avant de sortir. Son grand frère avait mis trois heures pour venir de Kawasaki. Ils avaient échangé leurs vêtements dans la cabine des toilettes, et ceux de Shôichi, trempés de sueur, s'avéraient désagréables à porter. Mais c'était tout sauf le moment de faire la fine bouche.

Son frère lui avait confié ses clés de voiture : Nangô repéra l'engin garé près du rond-point devant la gare et s'y engouffra. Puis il roula à tombeau ouvert en direction de Nakaminato.

Il avait écouté le message vocal de Jun'ichi, qui lui disait avoir mis la main sur un nouvel indice. Qu'est-ce que cela signifiait ? Le jeune homme s'acharnait donc à rechercher le véritable coupable. Cela remettait en cause les résultats de l'expertise des pièces à conviction. Il mourait d'envie de questionner l'intéressé, mais son portable risquait d'être sur écoute. Il songea alors à téléphoner depuis une cabine, mais se ravisa, trouvant plus urgent pour le moment de fuir Katsuura.

Il filait depuis quelques instants sur la nationale en direction du sud lorsqu'il remarqua que les automobilistes venant en sens inverse lui faisaient des appels de phares. Pensant qu'il s'agissait d'un contrôle de vitesse, Nangô ralentit. Nakamori lui avait en effet conseillé de se méfier des grands axes. Un contrôle routier devait avoir été mis en place un peu plus loin.

Nangô rassembla mentalement les morceaux de la carte de Nakaminato. À coup sûr, la route desservant la maison de Kôhei Utsugi faisait un détour par les montagnes avant de mener à Katsuura. Nangô se rappela le point de jonction avec la route nationale, rebroussa chemin et s'engagea sur une route montagneuse.

Il était parti pour réclamer le secours du seul allié qui lui restait à Nakaminato. Le client prêt à récompenser copieusement quiconque prouverait l'innocence de Ryô Kihara. Il suffirait certainement que Nangô lui raconte les derniers événements pour qu'Andô Norio, le propriétaire de l'hôtel Beau Soleil, accepte de le cacher, ainsi que Jun'ichi, dans son gigantesque complexe hôtelier.

La nuit approchait. Nangô réussit à parcourir la route de montagne qui s'enfonçait à l'intérieur de la péninsule de Bôsô sans tomber sur le moindre contrôle routier.

J'y suis presque, songea-t-il.

Il se précipiterait à l'hôtel, et là, il pourrait joindre Jun'ichi sans craindre d'être écouté.

Pourvu que je ne me fasse pas prendre d'ici là, pria-t-il de toutes ses forces.

Jun'ichi passa une bonne partie de l'après-midi sur la plage, la tête et le visage dissimulés sous son chapeau et ses lunettes de soleil. La côte se déroulait sur une longueur d'environ trois cents mètres, et vibrait sous les cris des jeunes baigneurs. Profitant du couvert de la foule, Jun'ichi tenta plus d'une fois de joindre Nangô sur son portable, mais celui-ci restait constamment éteint.

Quand le soleil commença à décliner, le jeune homme ressentit une angoisse plus vive. Les estivants quittaient petit à petit la plage. Il risquait dorénavant d'attirer l'attention en y restant.

Il se leva, sonda les alentours derrière ses lunettes de soleil et se mit lentement en marche. A priori, aucun flic ne l'avait pris en filature.

Qui sait ? peut-être ne risquait-il plus rien dans Nakaminato ? Soudain, il fut rattrapé par un tout autre motif d'inquiétude : et si Nangô avait fini en garde à vue à Katsuura ?

Dès qu'il eut quitté la plage, Jun'ichi se dirigea vers une rue commerçante. Il savait ce qu'il devait faire : retourner sans plus attendre aux ruines du Zôganji et fouiller les entrailles de la statue d'Acala. Mettre la main sur la dernière pièce à conviction suffirait non seulement à prouver l'innocence de Ryô Kihara, mais aussi à lever les soupçons qui pesaient sur lui. Il n'y avait qu'une façon de sauver tout le monde, y compris Nangô : résoudre l'affaire de Nakaminato.

Dans un magasin de bricolage, Jun'ichi acheta des gants de travail, de la corde ainsi qu'une lampe torche, et fourra le tout dans son sac à dos. Il retourna ensuite à la gare et loua un vélo dans un magasin de souvenirs qui proposait ce service. Pour se rendre en pleine nuit dans la montagne, un vélo éveillerait moins les soupçons qu'un taxi.

Jun'ichi pédala de toutes ses forces, dépassa la nationale et s'engagea sur la route montagneuse qui menait à la maison de Kôhei Utsugi. À ce moment-là, une voiture déboula devant lui, manquant de peu de le renverser. Il se retourna, croyant voir Nangô sur le siège passager, mais il ne s'agissait pas de leur Civic de location.

Jun'ichi ôta son chapeau et ses lunettes teintées et les rangea dans son sac à dos. Puis il se remit en selle, pour grimper l'abrupte pente.

Une fois garé dans le parking de l'hôtel Beau Soleil, Nangô poussa un soupir de soulagement. Il avait fui Katsuura et rejoint Nakaminato sans problème. Mais il n'était pas sorti d'affaire et devait rester sur ses gardes. La police surveillait peut-être le complexe hôtelier.

Il entra dans le hall et constata qu'il n'y avait qu'un groupe d'étudiants ; il n'aperçut fort heureusement aucun policier en faction.

Au comptoir se trouvait le chef de réception de la première fois. Lorsque Nangô demanda à s'entretenir avec le propriétaire de l'hôtel, l'employé s'empressa de l'annoncer. Moins d'une minute plus tard, Nangô recevait l'autorisation désirée.

Il monta au deuxième étage, frappa à la dernière porte au fond du couloir et fut accueilli par Andô et son sourire allègre. L'homme dégageait toujours cette impression de détente et de modestie malgré sa position sociale élevée.

— Y a-t-il eu du nouveau dans votre enquête ? s'enquit-il tout en invitant Nangô à prendre place sur le canapé.

Conscient de se trouver dans une position extrêmement délicate, celui-ci fut troublé. Le client avait exigé de maître Sugiura le plus strict anonymat. Déclarer qu'il était venu jusqu'ici pour requérir son aide serait complètement déplacé. Andô risquait de croire que l'avocat avait enfreint le secret professionnel.

— Nous sommes à deux doigts de résoudre l'affaire, répondit Nangô sur un ton anodin. Mais avant de tout vous expliquer en détail, pourrais-je, s'il vous plaît, emprunter votre téléphone ?

— Allez-y, accepta Andô en désignant d'un air affable l'appareil posé à côté de son cendrier.

Nangô composa le numéro de Jun'ichi. Le portable du jeune homme sonna. Nangô priait pour qu'il décroche, lorsqu'il entendit enfin une voix :

— Allô ? Nangô ?

— Mikami ! s'écria-t-il malgré lui.

Il lui semblait qu'il ne l'avait pas vu depuis des siècles.

— Nangô, tout va bien ?

La voix claire du jeune homme lui mit du baume au cœur.

— Ne te fais pas de souci pour moi. Pense plutôt à toi. Tu es au courant pour les empreintes ?

— J'ai entendu votre message. Qu'est-ce que ça signifie ?

— C'est plutôt à moi de te poser cette question.

Jun'ichi s'emporta :

— Comment est-ce qu'ils ont pu retrouver mes empreintes ?

Stupéfait, Nangô lui demanda en retour :

— Attends. Réponds-moi franchement. Tu n'en as vraiment aucune idée ?

— Aucune, répondit Jun'ichi, catégorique. Je n'ai touché ni la hache ni le sceau.

— Et il y a dix ans ? Tu disais que tu ne te souvenais plus très bien de ce qu'il s'était passé.

— Non, répondit Jun'ichi après un instant de silence. Ce n'est pas moi qui ai tué le couple Utsugi, ni rien de ce genre. C'est une erreur.

— Bien. Je te crois, répondit Nangô.

Il le questionnerait davantage plus tard ; pour l'heure, il reprit :

— Est-ce que tu comprends la situation dans laquelle tu te trouves ?

— Oui, répondit fermement Jun'ichi. C'est la même que Ryô Kihara.

— Exact.

Nangô devina que Jun'ichi devait être désemparé, perclus d'angoisse. Il bouillait intérieurement. *Pourquoi faut-il que tu affrontes seul un moment pareil ?*

— Tu es où ?

— Je retourne au Zôganji.

— Quoi ? s'écria Nangô.

Son acolyte lui fit alors part de sa découverte à la bibliothèque.

— Nous avons cherché partout, et la police aussi, sauf à l'intérieur de la statue.

— Très bien.

Nangô jeta un coup d'œil furtif à Andô. Debout devant son bureau, le patron de l'hôtel étudiait son emploi du temps, feignant de ne pas écouter sa conversation.

— Je suis à l'hôtel Beau Soleil.

— C'est vrai ? s'écria Jun'ichi d'une voix plus gaie. Je suis sûr que le client va nous venir en aide.

— Moi aussi.

Nangô songea alors que les ruines du Zôganji étaient une cachette parfaite et somma le jeune homme d'y rester.

— Si jamais tu trouves les preuves, ne bouge pas, reste bien où tu es. Je vais venir te chercher.

— Entendu.

— Je ne peux pas utiliser mon portable. Si tu n'arrives pas à me joindre, ne te fais pas de souci, c'est normal.

— J'ai compris.

Jun'ichi posa alors une dernière question :

— Nangô, est-ce que tout va bien ?

— Ça va. Tout va bien se passer, j'en suis sûr.

— Bon, à plus tard.

Ils raccrochèrent, et Nangô se tourna vers son hôte.

— Désolé. Je disais donc que nous sommes quasiment en mesure de prouver l'innocence de Kihara.

Andô écarquilla les yeux.

— Vraiment ?

— Oui.

Nangô se demanda jusqu'à quel point Sugiura avait informé son client des avancées de l'enquête.

— Cependant, reprit-il, un obstacle s'est dressé sur la dernière marche, et pour le franchir j'ai besoin de votre aide coûte que coûte.

— Je ferai tout ce que vous voudrez. Dites-moi.

— J'aimerais que vous me conduisiez en voiture dans la montagne, près du lieu du crime.

— C'est là que se trouvent les preuves ?

— Oui.

— Aucun problème, assura Andô.

Il décrocha le téléphone et ordonna que sa voiture l'attende devant l'entrée de l'hôtel.

— Allons-y.

Nangô suivit le patron de l'hôtel jusqu'au rez-de-chaussée. En chemin, il lui demanda de le cacher avec Jun'ichi une fois que les preuves auraient été récoltées. Le patron accepta.

Le soulagement de Nangô fut immense.

Ils passèrent devant la réception et montèrent dans la Mercedes, Nangô côté passager. Grâce au sentiment qu'il avait d'être traité comme un VIP, il se détendit quelque peu. Ils l'avaient échappé belle. Il suffirait que la statue du Zôganji leur délivre l'ultime pièce à conviction pour déclencher in extremis un grand retournement de situation.

Andô récupéra les clés auprès du voiturier et monta côté conducteur. Il alluma la climatisation puis dénoua sa cravate.

Surpris, Nangô le regarda manipuler l'accessoire qui, au

lieu de s'enrouler autour du cou, était composé de deux parties indépendantes, bande et nœud pouvant se détacher.

Peut-être Andô avait-il remarqué que Nangô l'observait, car il eut un léger rire et expliqua :

— Les cravates qui se nouent autour du cou, je trouve ça étouffant.

Nangô hocha la tête, sourit, et regarda cette fois-ci les bras d'Andô. Celui-ci avait retroussé les manches de sa chemise : le propriétaire de l'hôtel Beau Soleil ne portait de montre ni à l'un ni à l'autre poignet.

Arrivé en haut de la pente raide, Jun'ichi se demanda, inquiet, s'il avait emporté assez de matériel.

Le soleil couché, le mur de terre à ses pieds était englouti dans l'obscurité et paraissait peu engageant sous le faisceau de la lampe torche. De surcroît, un air chargé d'humidité lui effleurait les joues. Jun'ichi regretta de ne pas s'être muni d'une pelle. Si jamais la pluie se mettait à tomber, l'entrée du Zôganji risquait de disparaître sous les éboulements.

Néanmoins, l'urgence était extrême. Cette pensée emporta la décision, et Jun'ichi agrippa la corde qu'ils avaient laissée la fois précédente et qui pendait toujours jusqu'en bas de la pente. Il coinça sa lampe torche, tournée vers le bas, dans sa ceinture et descendit lentement vers l'entrée du temple.

Ses gants de travail glissaient un peu sur la corde, mais malgré cela, au bout de quelques minutes, il parvint à rallier l'entrée sans dommage.

Lampe torche en main, Jun'ichi se faufila dans la cavité parfaitement noire. Depuis la veille, l'air circulait de nouveau dans la structure et l'odeur de moisissure s'était atténuée. Il avança avec précaution en éclairant le plancher, et se dirigea vers le fond du bâtiment principal.

Les marches n'attendaient que lui. Il s'approcha de la première, d'un pas prudent, puis leva la lampe vers le faîte.

Le faisceau de lumière se perdit dans l'obscurité. Il compta le nombre de marches tout en baissant la lampe : il y en avait treize.

Treize marches.

Inconsciemment, Jun'ichi ferma les yeux. Fallait-il voir là un funeste présage ?

Toutefois, le jeune homme devait bien gravir ces treize marches s'il voulait sauver sa vie et celle de Ryô Kihara.

Il leva la tête, puis se mit à monter l'escalier lentement.

La Mercedes s'engagea tous phares allumés sur la route de montagne.

Il ne leur faudrait pas plus d'un quart d'heure pour arriver au Zôganji.

Sur le siège passager, Nangô se demandait à quel moment une erreur avait été commise. Le jour de leur rencontre avec Andô, l'avocat avait téléphoné à Nangô dès leur sortie de l'hôtel – le timing semblait trop parfait pour être anodin. Le client avait probablement dû se plaindre auprès de Sugiura du fait que Jun'ichi ne s'était pas retiré de l'enquête. Et comme Andô avait rencontré Jun'ichi juste avant cela, Nangô avait été porté à croire que le client et lui ne faisaient qu'un.

— Où s'arrête-t-on ? demanda Andô.

— Nous sommes bientôt arrivés. Dans un moment, vous passerez devant la maison de M. Utsugi : il faudra prendre le chemin de terre.

Nangô fit carburer son cerveau à toute vitesse. Le véritable coupable était quelqu'un qui avait commis un crime grave par le passé. Quelqu'un qui avait Kôhei Utsugi pour conseiller d'insertion, et qui avait beaucoup à perdre, lorsque celui-ci l'avait fait chanter. C'était en outre une personne suffisamment riche pour se permettre de virer quatre-vingt-dix millions de yens en liquide avant d'être poussé au meurtre.

Nangô jeta un œil aux poignets nus d'Andô et dit :

— J'ai l'impression que vous possédez un fort sens des responsabilités.

— Vous trouvez ?

— Bien sûr. Vous avez tellement fait pour Ryô Kihara… Vous ne seriez pas du groupe sanguin A, par hasard ?

— Non, je suis B.

Nangô faillit éclater de rire. Impossible de faire demi-tour. La réapparition du livret bancaire d'Utsugi signerait la condamnation à mort du meurtrier. Aucun doute là-dessus : Andô serait prêt à les attaquer, Jun'ichi et lui, au péril de sa vie.

La Mercedes passa devant le lieu du crime, à présent simple maison abandonnée. Lorsqu'elle s'enfonça sur le chemin de terre battue, les deux hommes furent légèrement secoués.

— Nous sommes bientôt arrivés ? voulut savoir Andô.

— Oui.

Nangô ne se souvenait pas d'avoir prononcé le nom du Zôganji au téléphone devant le propriétaire de l'hôtel.

— Mon acolyte a déjà mis la main sur les preuves, il nous attend là-bas.

— Là-bas, c'est-à-dire ?

— Dans la forêt. Une petite cabane autrefois utilisée par les services forestiers.

Dans les ténèbres, Jun'ichi avait enfin gravi les treize marches.

Tout en se demandant dans combien de temps Nangô arriverait, il passa entre les piliers puis balaya l'espace de sa lampe : le halo n'atteignait pas le rez-de-chaussée.

Jun'ichi éclaira alors la statue au centre de l'étage. Acala, brandissant sa précieuse épée chasseuse de démons, se tenait prêt à exterminer tout ennemi de l'enseignement du Bouddha. Autrefois la plus grande des divinités païennes, il était devenu au cours du temps une divinité gardienne du bouddhisme, douée d'une puissance dévastatrice écrasante. Quiconque enfreignait la loi ou offensait la Terre pure érigée par Shakyamuni était voué à goûter le tranchant de son épée sertie de joyaux.

À présent, Jun'ichi comprenait pourquoi la statue le fascinait. Les documents qu'il avait lus précisaient que le bouddhisme usait de cette entité destructrice pour les mortels ineptes, incapables d'obtenir le salut grâce à la seule miséricorde du Bouddha.

Tout en se demandant tristement si lui-même était un ennemi d'Acala, le jeune homme joignit les mains en prière. Après cela seulement, il s'approcha de la statue et avança la main jusqu'à son tronc.

Une sensation surprenante le traversa. Il ôta sa main en frissonnant. Il observa à nouveau la silhouette courroucée d'Acala, et cette fois-ci enleva ses gants pour la toucher à mains nues.

Aucun doute. Il s'agissait d'un modèle en bois sculpté, et non pas d'une statue enduite de laque, à l'intérieur creux.

Le désespoir déferla dans son cœur. Son hypothèse était donc fausse ?

Là-dessus, il entendit au loin un bruit de moteur. Songeant que Nangô était arrivé, il fit volte-face vers l'entrée, mais le bruit diminua bientôt, comme si le véhicule s'éloignait.

Jun'ichi regarda de nouveau Acala, éclaira la statue entière et l'examina avec minutie. Ce faisant, il découvrit dans son dos des lignes qui dessinaient une sorte de carré. Il avait du mal à voir à cause de l'écran de flammes sculpté en arrière-plan.

Il joignit une nouvelle fois les mains, puis tira sur les flammes encastrées dans le corps de la statue. La sculpture entière pencha, et les flammes se détachèrent du dos de la divinité.

Il les déposa sur le côté, éclaira le dos à présent nu d'Acala et observa le cadre en question. C'était un couvercle, nul doute là-dessus. Après tout, les statues en bois étaient peut-être elles aussi pourvues de cavités. Jun'ichi passa le doigt autour du carré et tressaillit à nouveau. Le couvercle en bois était scellé avec une espèce de colle résineuse, et les traces de l'opération avaient été camouflées à l'aide d'un colorant. Rien à voir avec une quelconque technique ancestrale. C'était sans conteste l'œuvre du meurtrier, dix ans plus tôt.

Jun'ichi tenta aussitôt d'ouvrir le couvercle de bois, mais sans succès. La colle était puissante et de bonne qualité.

Il redescendit alors l'escalier quatre à quatre, à la recherche d'un objet susceptible de lui servir d'outil. Dans un coin du bâtiment principal, il trouva une houe, s'en empara, remonta à l'étage et fit le tour de la statue.

Pour accéder à la cavité dans son dos, il n'avait d'autre choix que de la détruire.

Jun'ichi serra le manche dans sa main, brandit la houe puis hésita.

Le blocage mental qui le retenait était bien plus fort que ce qu'il avait éprouvé à l'instant de tuer Kyôsuke Samura, deux ans auparavant. Il crut alors comprendre pourquoi des carnages étaient commis dans le monde au nom de Dieu, ou des dieux.

Toutefois, se dit le jeune homme, ce n'était pas Acala qui sauverait la vie de Ryô Kihara. Mais bien lui-même.

Jun'ichi visa le dos de la divinité, et abattit la houe.

La Mercedes dépassa les ruines du Zôganji et s'arrêta environ trois cents mètres plus loin.

Nangô en descendit.

— Je dois entrer dans la forêt, dit-il.

Andô hocha la tête et sortit une lampe torche de sa boîte à gants.

— Je viens avec vous.

— Vous n'allez pas salir vos chaussures ?

— Je n'aurai qu'à en racheter, répondit le propriétaire d'hôtel en regardant ses chaussures de cuir noir bien cirées.

Tous deux prirent la direction de la cabane des services forestiers. Ils parlaient peu, car Nangô réfléchissait aussi vite que possible à la suite des événements.

Comment réagirait Andô, une fois arrivé à la cabane, lorsqu'il comprendrait que Nangô l'avait berné ? Quoi qu'il en soit, ce serait l'occasion où jamais de voir apparaître le véritable visage de cet homme. S'il était coupable, il devait savoir où étaient cachées les preuves, et ne manquerait alors pas de foncer au Zôganji.

Il fallait l'en empêcher à tout prix. Nangô fouilla sa mémoire pour savoir si quelque chose, dans la cabane, pourrait lui servir d'arme, mais sans succès.

Là-dessus, il entendit un bruit de moteur au loin. Andô l'avait entendu lui aussi, car il s'immobilisa et croisa le regard de Nangô. La voiture venait de derrière eux. Elle approchait donc des ruines du Zôganji.

Bon sang, qui cela pouvait-il être ? Nangô fixa Andô du regard. Cet homme-là ne serait donc pas le meurtrier ? Le véritable coupable serait venu remettre la main sur les pièces à conviction ?

— Je me demande bien qui c'est, s'interrogea Andô à voix haute.

Nangô pencha la tête sur le côté en signe d'ignorance, mais en retour, le visage de son interlocuteur exprima une vague suspicion.

Merde… Nangô n'était plus sûr de rien, mais il pressentait que les choses prenaient un tour désespéré.

La voiture devait s'être arrêtée au pied de la pente.

Nangô l'avait rejoint, songea Jun'ichi. Grisé par l'arrivée des renforts, il abattait sa houe avec une force redoublée. À chaque coup, des éclats de bois se détachaient du dos de la statue et volaient dans tous les sens. Il frappa encore, encore et encore, et enfin, le couvercle carré céda brutalement.

Jun'ichi jeta la houe, ramassa la lampe torche et examina la grande ouverture qu'il avait pratiquée. Il y avait là des rouleaux. Enfonçant son bras, il sortit ce qui ressemblait à de vieux soutras. Il recommença, mais la cavité s'avéra trop profonde pour qu'il puisse en atteindre le fond. Jun'ichi reprit la houe et cogna à nouveau l'échine de la statue, de toutes ses forces.

Il y eut un gros craquement. Le jeune homme était parvenu à briser le dos d'Acala sur toute sa longueur, rendant le bas de la cavité accessible.

Il regarda à l'intérieur et poussa un cri.

Le livret bancaire. Le nom de Kôhei Utsugi figurait en première page. Il était maculé de taches noires, des éclaboussures de sang vieilles de dix ans. Des liasses de documents jetées pêle-mêle accompagnaient le tout, sans doute les fameux dossiers de suivi des repris de justice établis par Utsugi, et mystérieusement disparus du lieu du crime. Toutefois, c'est une autre découverte encore qui avait fait s'écrier Jun'ichi. Celle de deux objets dont la présence était des plus inexplicables.

Une hachette et un sceau.

Tous deux noircis de sang, à l'instar du livret bancaire.

Nangô et Jun'ichi avaient déjà récupéré ces deux pièces à conviction, alors comment pouvaient-elles se retrouver ici ?

Le jeune homme décida d'ouvrir le livret bancaire. Il remit ses gants de travail et prit soin de ne pas frotter la page de garde.

Ses yeux s'arrêtèrent tout de suite sur plusieurs virements chiffrés en millions de yens. Le nom de l'émetteur était « Andô Norio ».

Le propriétaire de l'hôtel Beau Soleil.

Jun'ichi connaissait le nom du tueur. Il fit volte-face vers l'entrée. Le meurtrier ne se trouvait-il pas en ce moment même avec Nangô, dans la voiture qui venait de se garer au pied de la pente ?

Andô attaqua bien plus tôt que Nangô ne l'aurait cru.

Ce dernier s'apprêtait à ouvrir la porte de la cabane quand il entendit un frottement de tissus. Il se retourna à l'instant même où un rondin de dix centimètres de diamètre s'abattait sur l'arrière de son crâne.

Nangô se trouva totalement assourdi du côté gauche. Le coup avait dû déchirer le lobe de son oreille, car une traînée de sang tiède coula le long de sa joue. Accroupi sur place, il n'avait plus désormais le moindre doute sur l'identité du tueur.

Andô revint aussitôt à la charge. Désarmé, Nangô se protégea la tête de ses bras et continua à endurer vaille que vaille les violents assauts de l'ennemi. Soudain, les coups cessèrent de pleuvoir. Andô croyait-il qu'il avait perdu connaissance ? Nangô aperçut les chaussures de son adversaire dans un angle de son champ de vision : l'homme se tournait vers la cabane. C'était le moment de contre-attaquer. Nangô enserra les jambes de l'ennemi et se releva d'un coup, le faisant chuter dans son mouvement. Andô se tordit, heurta du dos la porte de la cabane qui céda sous le choc, et s'effondra à l'intérieur.

Nangô fondit sur lui. Il parvint à le plaquer au sol, mais un coup de pied dans ses parties génitales le fit reculer. Les techniques de défense apprises au début de sa carrière étaient rouillées. Andô parvint à inverser leur position et, à cheval sur Nangô, serra les deux mains autour de son cou.

Nangô s'était fait une raison : ce serait un combat à mort. Sa conscience commença à se brouiller. Il battit des bras au hasard pour fouiller le sol autour de lui, trouva la lampe torche d'Andô et resserra les doigts autour. Alors, dans un gémissement rauque, il l'abattit sur la tempe de son ennemi.

Mais Andô ne relâcha pas sa prise. Ses yeux crispés étaient injectés de sang.

Nangô les visa, et frappa avec la lampe torche.

Jun'ichi referma le livret bancaire et le mit à l'abri dans son sac à dos. Son regard se porta alors sur le sceau et la hachette.

Comment ces deux objets avaient-ils atterri ici ? Et comment expliquer que ces mêmes pièces à conviction existaient déjà et portaient ses empreintes ?

Une voix dans un coin de son esprit le sommait de déguerpir au plus vite. Si jamais Andô se trouvait dans la voiture garée non loin, s'attarder pourrait s'avérer fatal.

Cependant, ces preuves n'avaient rien à faire là, et leur présence ici n'était pas anodine. Nangô et lui-même étaient complètement passés à côté d'une pièce cruciale du puzzle.

À force de fixer les caractères du nom Utsugi sur le sceau, Jun'ichi se rendit compte que l'objet était en plastique. À cet instant, il comprit tout.

L'enquête qu'il avait menée n'avait nullement pour but de prouver l'innocence de Ryô Kihara. Elle n'avait pas non plus visé à découvrir l'identité du véritable tueur, Norio Andô. La récompense mirobolante qui leur avait été promise n'était autre que l'argent que son propre père avait versé. La raison pour laquelle Jun'ichi, et lui seul, avait failli être écarté de l'enquête, la façon dont ses empreintes s'étaient retrouvées sur les fausses pièces à conviction déterrées… Jun'ichi avait tout percé à jour.

La graveuse laser permettait de sculpter des photopolymères avec une précision de cent microns. À partir des photocopies rassemblées dans le dossier du procès, il était facile de dupliquer le sceau au nom d'Utsugi. Et pas uniquement. En convertissant des empreintes digitales en données deux dimensions, puis en gravant celles-ci sur un tampon, les copier devenait un jeu d'enfant.

Jun'ichi se rappela sa visite chez le mystérieux client anonyme. Ce dernier lui avait proposé une tasse de thé non pas par gentillesse, mais afin de recueillir ses empreintes.

Là-dessus, le plancher du temple grinça. L'intrus essayait-il de camoufler le bruit de ses pas ? Les treize marches, plongées dans le noir, prévinrent Jun'ichi de son approche. Une marche, puis une autre – l'homme guidé par une folie meurtrière se rapprochait de Jun'ichi, lentement mais sûrement.

Le fameux client avait-il appris l'existence de ce lieu par l'intermédiaire de maître Sugiura ? Il devait en tout cas redouter plus que tout la découverte des pièces à conviction. S'il était prouvé que le sceau déterré dans la pente était un faux, le client ne pourrait plus faire pendre Jun'ichi à la place de Kihara.

Jun'ichi braqua sa lampe torche sur l'escalier et le démon assoiffé de vengeance apparut lentement dans le faisceau de lumière.

— Deux ans de prison, c'était une peine bien trop légère, dit Mitsuo Samura, un fusil de chasse serré dans la main. Seulement deux ans, pour avoir pris la vie de mon fils ?

Jun'ichi, terrorisé, ne put prononcer un seul mot. Le canon du fusil était braqué droit sur sa tête. Son adversaire débordait d'un désir de vengeance sans commune mesure avec celui de Keisuke Utsugi.

Mitsuo Samura avait le droit de le tuer, songea Jun'ichi. Lui-même avait tué son fils deux ans plus tôt. Il était légitime qu'il accomplisse sa vengeance.

Défiguré par une haine incommensurable, Mitsuo paraissait un autre homme. Il se rapprocha à pas lents de Jun'ichi, la crosse de son fusil coincée contre sa hanche.

— Donne-moi les preuves. Elles doivent être détruites. C'est toi qui as tué le couple de vieux, et personne d'autre.

Ces mots délivrèrent Jun'ichi de sa torpeur. Si les preuves accablant Andô disparaissaient, Kihara serait exécuté, et l'erreur judiciaire consommée.

Voyant Jun'ichi hésiter, Mitsuo cria :

— La hache et le sceau ! Et le livret, aussi !

Jun'ichi hocha la tête, tendit la main vers son sac à dos. Il regarda à l'intérieur, mais tout était noir. Il ramassa la lampe torche au sol, fit semblant d'éclairer les pièces à conviction avec, et soudain l'éteignit.

Au moment où tout fut plongé dans les ténèbres, Mitsuo tira un coup de chevrotine. Jun'ichi se plaqua au sol, hors de lui-même. Un bruit assourdissant lui déchira les tympans, et sa réverbération se transforma en pure douleur.

— Tu mérites la peine de mort ! Et c'est moi qui vais t'exécuter !

Les cris de Mitsuo lui parvinrent entrecoupés, à cause des violents bourdonnements dans ses oreilles. Jun'ichi ne pouvait pas bouger. Le moindre bruit trahirait sa position.

L'œil droit crevé, Andô poussa un hurlement et tomba à la renverse. Nangô, à quatre pattes, tenta désespérément d'avaler sa salive et de reprendre son souffle. Sur ce, il reçut un coup entre les omoplates. Andô, l'œil sanguinolent, avait ramassé un morceau de bois équarri dans la cabane.

Si Nangô mourait, Jun'ichi et les preuves seraient en grand danger. Et Ryô Kihara n'échapperait pas à l'exécution. Nangô réussit à reprendre un peu son souffle et fonça aussitôt vers le fond de la cabane. Il avait aperçu une chaîne enroulée dans un coin.

Andô comprit ce qu'il allait faire et lui porta un coup aux jambes. Nangô chuta, mais parvint tout de même à saisir le bout de la chaîne de la main droite. Il fit volte-face et frappa le meurtrier avec.

Un son aigu résonna et Andô, ébranlé, eut un mouvement de recul. Mais cela ne dura qu'un instant : il se ressaisit, brandit son morceau de bois et s'élança. Nangô eut à peine le temps de tirer la chaîne à lui que l'autre était déjà là. Il leva les bras pour bloquer son attaque et, dans ce mouvement, la chaîne alla s'enrouler autour du cou d'Andô. Nangô la serra fortement des deux mains.

Sa colère à l'égard du cruel assassin éclata en une puissante invective :

— Ça ne t'a pas suffi, deux meurtres ? C'est les salauds comme toi qui nous pourrissent l'existence !

Andô poussa un cri inaudible tout en essayant de frapper Nangô de ses poings, la bouche contractée dans un rictus hideux. En le voyant grimacer, Nangô ressentit une peur atroce et serra d'autant plus fort la chaîne autour du cou d'Andô.

— Si tu crois que je vais te laisser tuer Kihara et Mikami !

Nangô ne desserrait pas son emprise. Il ne s'était pas rendu compte que son adversaire n'opposait plus aucune résistance. À cet instant, tous les souvenirs de sa vie avaient disparu. Ses parents, son frère jumeau, sa femme et son fils qu'il essayait de récupérer, la boulangerie qu'il rêvait d'ouvrir. Tout.

Le visage d'Andô avait pris un teint terreux, et une langue rouge vif pendait de sa bouche, inerte.

Nangô revint soudain à lui, lâcha la chaîne.

Andô s'effondra en avant, comme s'il attendait que Nangô le rattrape.

L'ex-gardien, stupéfait, regarda le cadavre à ses pieds.

C'était la troisième fois qu'il exécutait un criminel, mais la première hors de prison.

Mitsuo Samura avait bel et bien abandonné l'idée de s'en remettre à la justice. L'intérieur du temple enfoui sous terre était l'endroit rêvé pour assassiner Jun'ichi sans laisser de traces.

Dans l'obscurité totale, guidé par sa seule ouïe, Mitsuo arpentait le niveau supérieur du temple, répétant régulièrement « Où tu es ? Où est-ce que tu es ? » comme un murmure.

Jun'ichi ne respirait plus. À chaque pas de Mitsuo, de légères vibrations se répercutaient jusque dans ses mains. Un pas, puis un autre : il sentait Mitsuo approcher de lui.

Finalement, il n'arriva plus à retenir son souffle. L'effroi au corps, Jun'ichi empoigna son sac à dos et piqua un sprint.

Il entendit l'exclamation de surprise de Mitsuo, puis une décharge de chevrotine tonna dans son dos. L'espace d'un instant, les étincelles jaillissant de l'arme éclairèrent la fuite de Jun'ichi. Plus que trois mètres avant les marches. Mais la clarté, aussi brève fût-elle, aida le chasseur en trahissant la position de sa proie.

Le bruit d'une douille éjectée de l'arme, puis aussitôt, un nouveau tir visant Jun'ichi. Des fragments de planche volèrent et vinrent piquer sa joue. La déflagration suivante déclencha une douleur dans sa jambe droite. La décharge de chevrotine l'avait frôlé.

Jun'ichi se laissa tomber sur sa gauche, contourna la statue d'Acala à tâtons et s'y adossa. Au même moment, un son grave et sinistre, comme venu du fin fond de l'enfer, résonna dans tout le Zôganji. Le plancher de bois se mit à bouger. Jun'ichi, dans son effarement, posa les mains sur le sol. Pas de doute : les tirs aveugles de Mitsuo avaient brisé un des piliers qui soutenaient le premier étage.

Le sol commença à pencher dangereusement. Mitsuo devina ce qui était en train de se passer et approcha de Jun'ichi à pas bruyants. *C'est la fin*, songea le jeune homme. L'instant suivant déciderait de l'issue de la bataille. Vivre ou mourir, c'était le moment crucial : Jun'ichi alluma sa lampe torche.

Mitsuo se trouvait juste à côté de lui : il croisa le regard de sa cible et brandit sa carabine. Jun'ichi prit de l'élan puis se lança de tout son poids contre la statue d'Acala.

La lourde sculpture tangua, le sol pencha plus dangereusement encore. Jun'ichi perdit l'équilibre, glissa et tomba avec la statue, droit sur Mitsuo.

Un coup de feu résonna, suivi de cris de détresse. Jun'ichi fut projeté en l'air. La lampe torche voltigea en tournoyant, éclairant un court instant le palier supérieur du temple en train de s'écrouler, ainsi que l'escalier qui avait tenu bon.

Les treize marches ne menaient plus nulle part…

Le regard de Jun'ichi s'arrêta sur l'escalier, il ressentit un choc, comme si tout son corps était comprimé, puis il ne comprit plus rien.

3

Neuf heures du matin.

La porte métallique s'ouvrit.

Le lourd claquement parvint aux oreilles de Kihara, lui faisant interrompre son travail de confection de sacs. Un frisson d'épouvante le traversa, depuis le haut du crâne jusqu'au bout des ongles, tel un fil de fer gelé. Tout le quartier des condamnés à mort était plongé dans un silence confus et palpitant. Qui serait le prochain sacrifié ?

Les pas des émissaires de la Mort résonnèrent dans le couloir. Marchant en rythme, ils avançaient droit devant eux, dans sa direction.

Ne vous approchez pas ! Par pitié, ne venez pas !

Kihara priait de toutes ses forces. Malgré cela, le dur bruit des semelles, loin de faiblir, continuait, régulier. La file de gardiens arriva au niveau de sa cellule.

C'est mon jour ? C'est mon tour d'être tué ?

Les pas s'arrêtèrent soudain.

Ils sont là ! Devant ma cellule !

La trappe de communication s'ouvrit.

Un gardien y jeta un œil. Kihara lui rendit un regard interdit.

Le gardien referma la trappe puis déverrouilla la porte. De l'autre côté se tenaient l'équipe des surveillants, le directeur du traitement des détenus, en uniforme, mais aussi le chef du traitement et du redressement.

Le surveillant-chef dit :

— Numéro 270, Ryô Kihara. Sors.

Toute force quitta le corps du condamné, qui s'effondra sur place. Il venait de se faire dessus, son bas-ventre était tiède et mouillé, ses dents claquaient.

Deux surveillants entrèrent dans sa cellule et le soulevèrent par les aisselles. Il avait beau vouloir résister, ses muscles refusaient de se tendre.

Le directeur du traitement, l'air gêné, s'approcha de lui.

— Bon, quoi qu'on te dise, je pense que tu ne comprendras pas. Cependant, la procédure exige qu'on te fasse lire ceci, dit-il à Kihara avant de lui brandir deux feuilles sous le nez. Le premier document est la réponse à une contestation de la part de ton avocat, effectuée en vertu de l'article 502 du code de procédure pénale.

Le souffle coupé, Kihara lut le document.

« Décision n° 165 (XXIII), an 13 de l'ère Heisei (2001)

DÉCISION

Pour le centre de détention de Tokyo

Détenu : Ryô KIHARA

La personne ci-dessus conteste une sentence du tribunal. Au vu de ce fait, la cour a pris la décision suivante :

DISPOSITIF

La présente contestation est rejetée. »

Il n'arriva même pas à lire les « RAISONS » développées dans le paragraphe suivant. Tout espoir était broyé. Il n'en revenait pas.

— Tu as lu ? Tu as bien lu ?

Le directeur répéta sa question jusqu'à ce que le malheureux daigne hocher la tête. Il lui montra alors le second document.

— Ça, c'est la réponse à ta demande de révision.

Kihara tenta de détourner le visage, mais la voix du directeur tonna dans ses oreilles :

— Lis-le, enfin !

Ce qui le força à y poser les yeux.

« Décision n° 4 (V), an 13 de l'ère Heisei (2001)

Décision

Requérant : Ryô Kihara

Né le 10 mai 1969

Domicile légal : 3-7-6 Matsukawa, district d'Inage, ville de Chiba, préfecture de Chiba

Incarcéré au centre de détention de Tokyo

Le verdict de culpabilité rendu en date du 7 septembre 1992 par la cour d'appel de Tokyo (et confirmé en appel le 5 octobre 1994 par la Cour suprême à la suite d'un rejet de pourvoi en cassation), concernant l'affaire pour laquelle le susnommé requérant est soupçonné de vol et coups et blessures ayant entraîné la mort, a fait l'objet d'une demande de révision. La présente cour, après audience du demandeur et du procureur, a pris la décision suivante :

Dispositif

Concernant l'affaire actuelle, une procédure de révision va être entamée. »

Kihara écarquilla les yeux.

Il relut la dernière phrase, encore et encore.

Sa conscience était embrumée, aussi crut-il d'abord à une hallucination.

— Tu as compris ce qui est écrit ? demanda le directeur du traitement.

Kihara secoua la tête de gauche à droite.

Peut-être par égard pour les détenus des cellules voisines, le directeur baissa la voix pour annoncer à son oreille :

— La cour a décidé de rouvrir ton procès.

Kihara regarda tour à tour son interlocuteur et les hommes qui l'entouraient. Tous souriaient.

— Tu m'entends ? Il ne s'agit pas d'une ruse pour t'amadouer. En tant que prévenu en attente d'un nouveau jugement, tu vas être déplacé dans une autre cellule. Tu quittes le quartier des condamnés à mort.

— On t'emmène à l'étage du dessus, ajouta le surveillant-chef, l'air joyeux, avant de voir le pantalon trempé de Kihara. Dès que tu te seras lavé, tu rassembleras tes affaires.

Toujours stupéfait, le détenu regarda une nouvelle fois les gardiens lui sourire. Il sut alors que ces hommes pouvaient être aussi bien des émissaires de la Mort que des anges.

— Ça veut dire que je suis sauvé ?

— Tout dépendra du nouveau procès. Je ne peux t'en dire plus à présent, répondit le directeur. Quoi qu'il en soit, toutes mes félicitations, ajouta-t-il avec un sourire.

Les surveillants voulurent aider Kihara à se relever, mais cette fois, il les repoussa avec une force surprenante. Il avait besoin d'essuyer le flot de larmes qui jaillissait de ses yeux.

L'homme extrait du gouffre de la mort resta un moment tête baissée au milieu de sa cellule, pleurant et gémissant tout haut.

Pour finir, le chef du traitement et du redressement des détenus se pencha à côté de lui, posa la main sur son épaule et dit :

— Cette décision n'a pu aboutir qu'au prix d'un énorme sacrifice. Tâche de ne jamais l'oublier.

7

Les deux hommes

Sur le bureau du procureur Nakamori étaient empilés les dossiers de trois criminels. L'un d'eux faisait l'objet d'un abandon de poursuites pour cause de décès, tandis que les deux autres étaient inculpés à l'issue de violents interrogatoires du parquet.

Nakamori se demandait si, en fin de compte, justice avait véritablement été rendue.

Il prit d'abord le dossier du suspect décédé.

Norio Andô.

À l'âge de vingt et un an, le futur propriétaire de l'hôtel Beau Soleil avait commis un vol avec meurtre. Élevé par sa seule mère, le jeune homme s'était un jour emporté contre un usurier venu chez eux pour une opération de recouvrement crapuleux. Andô se rendit plus tard dans les locaux du prêteur, tua deux personnes et s'empara de la reconnaissance de dettes de sa mère.

Le verdict, en première comme en deuxième instance, fut la réclusion à perpétuité, peine confirmée lors du rejet de son pourvoi. Au bout de quatorze ans de réclusion, il fut libéré sous conditions et, cinq ans plus tard, une grâce lui fut accordée et il recouvra ses droits civiques. On nomma Kôhei Utsugi pour suivre sa liberté conditionnelle.

Profitant de la jouissance de ses droits civiques, Norio Andô entreprit de faire bâtir un vaste hôtel à Nakaminato. Il se maria à la même époque, cachant à son épouse son passé carcéral, et mena une vie de famille normale. Son entreprise connut un véritable essor, il s'en fit le P-DG, et c'est alors que commença le chantage de Kôhei Utsugi.

Un temps, Andô se plia aux exigences de son conseiller d'insertion. Puis, comprenant qu'il finirait tôt ou tard par courir à sa perte si les choses se poursuivaient ainsi, il assassina le vieillard en copiant le modus operandi de la retentissante affaire 31, et subtilisa chez sa victime les documents qui le concernaient.

La suite fut révélée par l'enquête ultérieure à sa mort, enquête à laquelle Ryô Kihara contribua. Ayant regagné une certaine sérénité depuis la validation de sa demande de révision, il recouvra lentement la mémoire et fut ainsi capable d'offrir un nouveau témoignage sur l'affaire Utsugi. Il révéla que, lorsque Andô avait pénétré chez les Utsugi, il ne l'avait pas tout de suite reconnu, car celui-ci portait une cagoule, et il se souvint qu'après le meurtre Andô avait prévu de le supprimer lui aussi lorsqu'ils seraient au pied de la montagne. L'accident de moto lui avait en fait sauvé la vie.

La révision du procès de l'ex-condamné à mort suivait son cours. Du moment que le ministère public avait reconnu Andô comme le véritable coupable de l'affaire de Nakaminato, Kihara avait des chances d'être libéré.

Nakamori consulta alors le dossier du deuxième criminel.

Mitsuo Samura.

Cet homme avait perdu son fils deux ans plus tôt par la faute de Jun'ichi Mikami, et la peine de deux ans de prison ferme prononcée à l'encontre du jeune meurtrier l'avait laissé insatisfait. En lisant les minutes du procès, il avait pris connaissance de la fugue de Jun'ichi. Il découvrit ainsi que le jeune homme se trouvait à Nakaminato le jour où le couple Utsugi avait été tué.

Mitsuo Samura apprit aux informations que le coupable désigné de ce meurtre, Ryô Kihara, avait écopé de la peine capitale dans des circonstances pour le moins singulières. Il songea alors que s'il arrivait à faire accuser Jun'ichi de vol avec meurtre, il parviendrait à venger son fils par l'entremise de la justice. Mitsuo Samura intégra des groupes d'opposants à la peine de mort et collecta des informations sur Kihara. Il apprit que ce dernier s'était rappelé avoir gravi un escalier, et eut ainsi l'idée d'aller enterrer de fausses pièces à conviction dans les ruines du Zôganji.

Cependant, découvrir lui-même les preuves à charge qui accableraient Jun'ichi – qui plus est, des preuves susceptibles de l'envoyer à l'échafaud – lui sembla trop peu judicieux, c'est pourquoi il loua les services d'un avocat tout en promettant à qui ferait innocenter Kihara une récompense de plusieurs dizaines de millions de yens. Ladite somme lui avait été versée par les parents de Jun'ichi Mikami au titre du contrat de conciliation.

Or, au même moment, la coïncidence géographique censée confondre Jun'ichi donna naissance à une nouvelle coïncidence : Nangô, recruté par maître Sugiura, pressentit qu'il existait un lien étrange entre le meurtre des Utsugi et la fugue de Jun'ichi, dix ans plus tôt. Ce pressentiment emporta la décision, et Nangô choisit le jeune homme comme associé pour mener à bien sa tâche. En apprenant cela, Mitsuo Samura essaya à plusieurs reprises d'évincer Jun'ichi de l'enquête, mais comme Nangô et maître Sugiura étaient de connivence, ses tentatives se soldèrent par un échec.

Il aurait peut-être suffi que Nangô découvre seul les fausses pièces à conviction fabriquées à l'aide d'une technologie de pointe pour que Jun'ichi soit exécuté. Ce plan criminel avait été magistralement orchestré.

Un débat houleux éclata au sein du parquet à propos des chefs d'accusation retenus à l'encontre de Mitsuo Samura. Le fait d'avoir tenté de faire exécuter Jun'ichi au moyen de fausses preuves devait-il être considéré comme une tentative d'homicide ou comme une préméditation d'homicide ? Et la pendaison de Jun'ichi, si elle avait eu lieu, aurait-elle constitué en soi un « homicide », autrement dit l'élément essentiel pour déterminer un crime ?

Nakamori ignorait comment les juges avaient abouti à leur décision finale. Les plus hautes instances des parquets de Chiba et de Tokyo conclurent que seul le fait d'avoir attaqué Jun'ichi avec un fusil de chasse relevait de la tentative d'homicide. La phase d'instruction terminée, Mitsuo Samura, rescapé des ruines du Zôganji, dut attendre trois mois pour se remettre complètement de ses blessures, avant que des poursuites ne soient engagées contre lui.

Le procureur ouvrit alors le dossier du troisième criminel.

Shôji Nangô. Coupable d'homicide.

L'ancien surveillant pénitentiaire était inculpé pour avoir tué par strangulation un assassin qui, jugé, aurait très certainement écopé de la peine capitale. Meurtre ou coups et blessures ayant entraîné la mort ? Légitime défense ou, plus encore, état de nécessité ? Des faits aussi problématiques et délicats pouvaient amener toutes sortes de conclusions.

Toutefois, à la surprise générale, l'accusé affirma de lui-même avoir eu l'intention de tuer. Dès qu'il avait vu qu'Andô ne portait pas de montre au poignet, supprimer cet homme lui avait paru la seule issue possible.

Nakamori doutait de la véracité de ce témoignage. Nangô n'aurait-il pas plutôt prévu de prendre sur lui une faute plus lourde que de raison, et de l'expier ? C'est du moins l'impression qu'il avait gardée de son entretien avec lui au parloir.

Par la suite, Nakamori avait été soulagé d'apprendre que maître Sugiura, l'avocat choisi par Nangô pour le défendre, plaiderait la légitime défense en dépit de la volonté de son client. Cet avocat à l'air un peu misérable s'était montré confiant :

346

« Quoi que dise Nangô, je plaiderai non coupable. C'est le seul moyen de faire triompher la justice.

— Bon courage à vous. »

Nakamori avait répondu en souriant et sans la moindre ironie. Il souhaitait l'acquittement de Nangô tout autant que Sugiura.

Le procureur rassembla les documents et les rangea dans leurs pochettes. Il poussa alors un nouveau soupir de soulagement.

Pour la première fois de sa vie, il avait commis une erreur en requérant la peine de mort.

Nakamori rendait grâce aux deux justiciers sans qui Ryô Kihara aurait été exécuté.

Il se demanda ensuite si Jun'ichi Mikami, le second héros de l'histoire, avait complètement guéri depuis son sauvetage des ruines du Zôganji.

Quand avait-il vu Jun'ichi pour la dernière fois ?

C'était la question que se posait Nangô, assis dans sa cellule individuelle au centre de détention.

La dernière fois, c'était dans la péninsule de Bôsô, la nuit où ils avaient découvert les fausses pièces à conviction dans les ruines du Zôganji. Ils étaient rentrés dans leur appartement dépouillé où, grisés par le sentiment du devoir accompli, ils s'étaient saoulés jusqu'au petit matin. Cette nuit-là, Jun'ichi riait, et sa joie semblait véritable. Le bonheur ridait son visage bronzé.

Depuis, six mois s'étaient écoulés sans qu'ils se revoient.

Le jeune homme devrait bientôt pouvoir sortir de l'hôpital, songea Nangô. Son acolyte avait été retrouvé dans un sale état : contusions sur tout le corps, blessure par balle à la cuisse droite et quatre fractures. Le bon côté de l'histoire, c'est qu'il était toujours en vie, se dit Nangô en riant.

Sur ce, un surveillant vint l'appeler.

Il avait une visite.

Nangô se leva et lissa son pantalon en jersey froissé.

Il fut conduit dans un parloir avocat. Contrairement aux parloirs habituels, la présence des surveillants y était interdite, garantissant aux détenus un entretien confidentiel avec la personne qui assurait leur défense.

C'est un Sugiura au bord de l'épuisement qui s'assit derrière la vitre en Plexiglas. Il adressa à Nangô un sourire convenu et dit :

— Je viens pour trois choses. La première : pendant la lecture de l'acte d'accusation, niez. Vous n'êtes pas un assassin.

Nangô ouvrit la bouche, mais Sugiura l'arrêta d'un geste de la main.

— Croyez bien que je ne vous laisserai pas tranquille avec ça jusqu'à l'ouverture de l'audience.

Nangô rit et répondit :

— J'ai compris. La deuxième raison de votre visite, c'est ?

— Votre épouse m'a demandé de vous apporter ceci.

L'air guère enchanté, Sugiura sortit un document de sa serviette et le posa devant Nangô.

— C'est une demande de divorce. Que dois-je en faire ?

Nangô regarda la feuille. Sa femme y avait déjà apposé son sceau.

— Vous n'êtes pas obligé de vous décider tout de suite, prenez votre temps.

Nangô acquiesça. Mais sa réponse était déjà toute trouvée. Son rêve de récupérer sa famille et d'ouvrir une boulangerie avait volé en éclats au moment où il avait tué Norio Andô.

Le détenu baissa la tête comme pour enfouir les pensées qui avaient surgi dans son esprit, puis répondit :

— Je ne suis pas surpris du tout. Je ne lui en veux pas. Elle ne pouvait pas savoir qu'elle avait épousé un meurtrier.

Sugiura baissa les yeux et fouilla à nouveau dans son sac avant d'aborder la troisième raison de sa visite.

Tiens, j'y pense, se souvint Nangô, *c'est bien Jun'ichi qui avait trouvé comment appeler ma boulangerie, « South Wind Bakery ».*

— J'ai une lettre pour vous, de la part de Mikami.

Nangô leva la tête.

— Il est sorti de l'hôpital tout récemment. Il a aussi fini sa rééducation et, apparemment, il va bien.

— Je suis content pour lui. Et cette lettre ?

Sugiura décacheta le pli de l'autre côté de la vitre, puis demanda :

— Voulez-vous que je vous la lise ou que je vous laisse en prendre connaissance à travers la vitre ?

— Je vais la lire moi-même.

Sugiura plaqua le papier contre la paroi transparente.

Nangô se pencha en avant pour lire l'écriture au stylo bille de Jun'ichi.

« Cher Nangô, comment allez-vous ? Je suis enfin sorti de l'hôpital. À partir de demain, je pense reprendre petit à petit le travail dans l'atelier de mon père.

Je tiens à vous remercier du fond du cœur pour ces derniers mois. M. Nakamori m'a laissé entendre que si vous ne m'aviez pas intégré à cette enquête, les choses auraient pu très mal finir pour moi. Vous n'avez pas seulement sauvé la vie de Ryô Kihara, mais aussi la mienne.

Normalement, vous rendre visite est la première chose que j'aurais dû faire en sortant de l'hôpital. Mais aujourd'hui, j'en suis incapable. Sachez que je vous cache quelque chose depuis le début. Quelque chose qui me fait terriblement culpabiliser, et me force à vous demander pardon.

J'imagine que si vous m'avez demandé de collaborer avec vous dans cette affaire, c'est que vous vous inquiétiez pour ma réinsertion sociale. Or, en ce qui me concerne, je ne ressens pas la moindre culpabilité vis-à-vis de ma victime, Kyôsuke Samura.

Je dois profiter de cette lettre pour vous confier toute la vérité sur ce que j'ai fait. Ce n'est pas du tout un hasard si l'homme que j'ai tué est originaire de l'endroit où j'ai fugué il y a dix ans. Kyôsuke Samura et moi nous sommes rencontrés à Nakaminato alors que nous étions tous les deux lycéens.

Vous devez sûrement savoir que lors de mon arrestation à Nakaminato j'étais avec Yuri Kinoshita, une camarade de classe. Nous sortions ensemble depuis notre première année de lycée. Elle et moi avions prévu ce voyage à Katsuura pour les vacances d'été de notre troisième année. Bien sûr, nous n'en avions pas dit un mot à nos parents.

Pendant les quatre jours que devait durer l'escapade, nous nous sommes conduits comme les deux empotés que nous étions. Nos conversations, notre façon de nous comporter... Nous n'avions pas les pieds sur terre, et tout semblait flotter au milieu des nuages. C'était comme dans un rêve, quand on essaie désespérément de toucher du doigt la réalité. J'éprouvais sans cesse une vague angoisse, qui venait, je pense, de mon désir pour le corps de Yuri. Quand j'y songe à présent, je nous vois comme des enfants qui se prennent pour des adultes.

La veille de notre retour à Tokyo, dans l'après-midi, nous nous sommes rendus à Nakaminato pour passer la soirée sur la plage. Nous avions entendu dire qu'elle était moins bondée que celle de Katsuura. Nous nous promenions dans le quartier d'Isobe lorsque nous sommes tombés par hasard sur le panneau de la fabrique Samura. J'ai voulu m'arrêter, curieux de comparer cette entreprise avec celle de mon père, et Kyôsuke Samura est sorti.

Il nous a adressé la parole. Nous l'intéressions, car nous venions de la capitale. Il nous a dit de repasser le voir le lendemain, qu'il nous montrerait les environs.

Yuri et moi étions comme ensorcelés, prisonniers de ses mots. Nous ne nous l'étions pas dit, mais ni elle ni moi ne voulions encore rentrer à Tokyo.

Rester plus longtemps posait le problème des frais d'hôtel, mais à notre grande surprise, Kyôsuke Samura a ajouté qu'il

350

paierait pour nous. Il vivait seul avec son père, et recevait bien plus d'argent de poche que nécessaire pour un lycéen.

Yuri et moi avons hésité, mais l'envie de prolonger notre voyage était trop forte : nous avons dit oui. Sur le coup, j'ai ressenti un léger soulagement. Nous aurions plus de temps à notre disposition pour devenir adultes. C'était d'ailleurs comme si un répit m'était accordé, car j'éprouvais une sorte de fatigue à être tiraillé entre mes puissants désirs et la peur de passer à l'acte propres à cet âge-là.

Dès le lendemain, Yuri et moi avons profité au maximum de notre séjour à Nakaminato. Nous savions pertinemment que nos parents devaient se faire un sang d'encre, mais là encore, le fait de braver l'interdit faisait naître une complicité qui balayait tout sentiment de culpabilité.

Or, nous avons très vite déchanté en comprenant que Kyô-suke était un délinquant. Il nous avait présenté ses amis du lycée, mais ils nous répugnaient. Au moment où nous avons pris conscience de ça, les journées paradisiaques en bord de mer s'étaient envolées en un clin d'œil, et les vacances d'été touchaient à leur fin.

Nous avons décidé de rentrer à Tokyo le lendemain. Quand nous l'avons annoncé à Kyôsuke, il a aussitôt proposé d'organiser une fête d'adieu. Yuri et moi avons décliné, préférant passer notre dernière soirée en amoureux.

Or, devant notre refus, Kyôsuke s'est transformé en un clin d'œil. Sans prévenir, il m'a attaqué avec un couteau à cran d'arrêt, m'entaillant profondément le bras gauche, avant d'emporter Yuri et de déguerpir avec ses deux amis.

Tout est devenu clair à ce moment-là. Kyôsuke Samura avait pris Yuri pour cible dès le moment où il nous avait adressé la parole.

J'ai couru le long du littoral à leur recherche, tout en comprimant ma blessure. J'ai fini par entendre les gémissements de Yuri, en provenance d'un petit entrepôt au coin d'un embarcadère : j'ai regardé à l'intérieur, et là, je les ai vus tous les trois.

351

Kyôsuke plaquait Yuri au sol, il était en train de la violer. C'est lamentable, ô combien lamentable de ma part, mais pendant un moment, je suis resté prostré, les yeux écarquillés. L'ami de Kyôsuke s'est rendu compte de ma présence et a foncé sur moi avec son couteau. J'ai repris mes esprits et tenté de me précipiter vers Yuri, mais l'ami en question a réussi à planter sa lame dans ma blessure. L'hémorragie a empiré d'un coup. Alerté par l'agitation, Kyôsuke s'est retourné et, avec un léger sourire, il a changé de position de sorte que je le voie mieux. Du sang coulait entre les cuisses de Yuri.

Kyôsuke en a rapidement terminé. Puis, pour acheter notre silence, il a enfoncé une liasse de cent mille yens dans ma poche, avant de disparaître avec ses amis.

Je me suis précipité vers Yuri : son visage était vide de toute expression. On aurait dit que son âme s'était échappée de son corps. "Yuri", ai-je appelé, mais, à ma grande surprise, c'est elle qui m'a demandé : "Ça va ?" Elle venait de découvrir ma blessure au bras. "Il faut t'emmener à l'hôpital", a-t-elle ajouté.

Comment a-t-elle fait pour se soucier de moi dans un moment pareil ? Devant une telle sollicitude, j'ai pleuré. Je lui ai demandé pardon de ne pas avoir pu la protéger. Mais Yuri ne faisait que répéter : "Tu vas mourir si on ne va pas à l'hôpital", comme si elle divaguait. J'ai appris plus tard que son esprit était brisé à ce moment-là. Elle portait en elle une blessure profonde et à jamais inguérissable.

Ensuite, nous avons été recueillis par la police. Nous ne devions jamais retrouver notre insouciance. Yuri s'est dès lors changée en quelqu'un de sombre, et ce pour toujours.

Pensant aider Yuri, j'ai parlé à la police. Mais l'inspecteur que j'ai vu m'a expliqué que le viol relevait d'un traitement spécial : seule la victime avait le droit de déposer plainte pour engager des poursuites. Il m'a ensuite demandé le plus sérieusement du monde si "la victime était vierge", car dans le cas d'un viol, la déchirure de l'hymen équivaut à des coups et blessures, et la victime n'est plus obligée de venir porter plainte elle-même.

C'était effectivement le cas, et j'aurais donc pu porter plainte à la place de Yuri, mais sur le moment, j'ai imaginé ce qui se passerait si un procès était ouvert. J'ai pris conscience alors que lorsque viendrait le moment d'élucider les faits, Yuri devrait essuyer une fois de plus un terrible déshonneur.

Une dernière chose : le policier a soulevé le point de l'âge. Même si une plainte était déposée contre Kyôsuke, celui-ci ne courait quasiment aucun risque de recevoir la moindre sanction pénale, car il était âgé de dix-sept ans au moment des faits.

C'est là que, pour la première fois de ma vie, j'ai éprouvé l'envie de tuer quelqu'un. Cette envie demeurait vague, mais comme il fallait renoncer au procès, la dernière issue possible était à mon sens le meurtre de Kyôsuke. Cependant, la seule idée de retourner à Nakaminato me donnait la nausée. Le souvenir odieux de cette nuit-là me visitait toutes les nuits en rêve. Quand j'ai pris conscience de l'état de choc dans lequel je me trouvais, ma culpabilité à l'égard de Yuri a décuplé. Comment pouvais-je avoir autant de mal à me relever alors que Yuri, de son côté, avait reçu un choc incomparablement plus violent que moi ?

Elle s'était mise à dire que tous les hommes qu'elle croisait dans la rue ressemblaient à Kyôsuke Samura. Il paraît qu'elle a aussi fait une tentative de suicide, mais je ne suis pas au courant des détails. À l'époque, nous ne nous fréquentions quasiment plus, et je devais me résoudre à l'observer de loin.

Pendant plusieurs années, je n'ai rien pu faire d'autre que suivre son évolution. Ses blessures psychologiques allaient-elles guérir ? N'allait-on pas trouver une façon de poursuivre Kyôsuke Samura pour son crime ? Ou bien faudrait-il que je réussisse à me rétablir psychologiquement, et trouve la volonté nécessaire pour me rendre à Nakaminato ?

Toutefois, rien ne s'est passé comme il aurait fallu. L'état de Yuri n'a pas changé, personne n'a trouvé comment acculer

Kyôsuke Samura, et moi, je n'ai pas eu le courage de retourner à Nakaminato.

Peu après cependant, lors d'un salon de stéréolithographie à Hamamatsu, j'ai revu Kyôsuke Samura. Il avait dû commencer à travailler dans l'entreprise de son père, tout comme moi, et il était monté à la capitale pour acheter du matériel dernier cri.

Une chance inespérée se présentait à moi. Si cet homme disparaissait de la surface de la terre, la terreur qui s'était installée dans le cœur de Yuri se dissiperait elle aussi – j'en étais convaincu. J'ai alors réussi à découvrir dans quel hôtel séjournait Kyôsuke, grâce au registre des invités du salon.

Je suis immédiatement parti à la recherche d'une lame. J'ai d'abord pensé acheter un couteau de cuisine dans le premier magasin venu, mais j'ai jeté mon dévolu sur un couteau de chasse. Rien de tel pour tuer une bête sauvage, me disais-je.

Puis, l'arme rangée dans mon sac, je me suis posté dans le bar juste à côté de l'hôtel de Kyôsuke pour finir d'élaborer mon plan. Je songeais à aller frapper à la porte de sa chambre. Il me laisserait sûrement entrer. Et même sans cela, il suffirait qu'il m'ouvre la porte pour que je puisse le poignarder.

J'étais en train de retourner le problème dans mon esprit quand Kyôsuke est apparu dans le bar. Il était sorti de l'hôtel pour dîner. Déstabilisé, je me suis mis à cogiter à toute vitesse. C'est là que nos regards se sont croisés. Je suis sûr que ce type avait mauvaise conscience, et qu'il était tout sauf prêt à assumer ce qu'il avait fait. Il a foncé vers moi et a aboyé : "Y a quelque chose qui te dérange ?"

La suite est telle que le tribunal l'a révélé. Je savais que je n'aurais pas l'avantage dans une lutte au corps à corps. Pour tuer Kyôsuke, je devais d'abord m'éloigner de lui, sortir le couteau de mon sac puis de son emballage. Mais avant que j'en aie eu le temps, Kyôsuke a fait une chute mortelle.

Je crois que vous l'avez compris : le crime que j'ai commis ne consiste pas en "coups et blessures ayant entraîné la mort", *punis de deux ans de réclusion, mais bien en un homicide, et pour ça, je méritais certainement la peine de mort.*

Après mon arrestation, j'ai pleuré jour et nuit. Devant mes larmes, à la barre, le juge a cru que je me repentais. Mais je pleurais parce que j'étais devenu un criminel pathétique, conscient de toute la douleur causée à ses parents – pour Samura, je n'ai pas versé la moindre larme. Il était impossible de laisser cette pourriture libre et impunie. Je ne me sentais pas coupable : tout au plus éprouvais-je le déplaisir d'avoir tué un gros animal, et chaque fois que ce déplaisir refaisait surface, il s'accompagnait de ma haine envers Kyôsuke Samura.

À présent, j'ai compris que je n'avais pas fait ça pour Yuri. Non : mon comportement m'avait été dicté par ma seule volonté de vengeance. D'ailleurs, non seulement Yuri ne se rétablissait pas, mais elle persistait à vouloir attenter à ses jours. J'avais foutu ma vie en l'air, et ça ne lui avait pas apporté la moindre consolation. Encore maintenant, je parie qu'elle continue à se morfondre, seule.

Je n'ai plus aucun moyen de sauver Yuri. Et même si Kyôsuke Samura était en vie, j'aurais beau me repentir tant et tant, je ne pourrais jamais plus retrouver la Yuri d'autrefois.

Qui doit payer pour cela ? Un procès n'aurait rien changé. Les dommages et intérêts n'auraient représenté qu'une compensation dérisoire, incapable de refermer les plaies de Yuri. La justice n'aurait reconnu que les coups et blessures infligés à la chair de la victime, sans faire aucun cas de son âme, aujourd'hui brisée.

La loi est-elle juste ? Est-elle véritablement impartiale ? Quiconque commet un crime, qu'il soit issu des classes supérieures ou non, riche ou pauvre, intelligent ou bête, sera-t-il jugé d'une manière équitable, qui corresponde à la faute qu'il a commise ? Le meurtre de Kyôsuke Samura était-il une faute ? Et moi-même, qui l'ignore, suis-je un être abject, sans espoir de salut ?

Vous devez connaître le principe pénal de non bis in idem, selon lequel une personne ne peut pas être jugée deux fois pour les mêmes faits. Pour ma part, j'ai déjà été jugé pour coups et blessures ayant entraîné la mort, et j'ai purgé ma peine. Personne ne peut plus me juger pour cet homicide. La seule méthode qui reste, c'est le lynchage. Et c'est elle que le père de Kyôsuke Samura a choisie pour me punir. Je ne veux pas lui jeter la pierre. Il a voulu m'exécuter, tout comme j'ai exécuté son fils.

Seulement, j'ai compris que dans cette affaire le lynchage aurait appelé une vengeance, et donné lieu à des représailles sans fin. Pour éviter cela, il faut que quelqu'un se charge de punir à la place de la partie lésée. À mon sens, ce que vous avez fait à l'époque où vous étiez surveillant pénitentiaire, du moins concernant l'exécution du numéro 470, était juste.

Cette lettre est devenue bien longue et décousue.

Mon seul regret est de ne pas avoir réussi à revenir dans le droit chemin, malgré les espoirs que vous placiez en moi. Je changerai peut-être un jour de regard sur ce que j'ai fait, mais en attendant, je continue à vivre en portant sur mes épaules le poids d'un meurtre pour lequel je n'ai pas été jugé.

Le froid est devenu plus mordant en cette saison, prenez bien soin de vous, et bon courage.

Je prie pour que vous soyez acquitté et sortiez de prison le plus vite possible.

Jun'ichi Mikami
À Shôji Nangô

P-S : Que va-t-il advenir de la South Wind Bakery ? »

Nangô avait achevé sa lecture. Il murmura :

— Toi et moi, on est condamnés à perpétuité. Et sans liberté conditionnelle.

*

Un an plus tard, en vertu de l'article 453 du code des procédures pénales, un court entrefilet parut dans la presse nationale.

« Annonce de verdict : acquittement après révision de procès

Ryô Kihara (né le 10 mai 1969, sans emploi, incarcéré au centre de détention annexe de Kisarazu) s'était vu reprocher les faits suivants : "le meurtre de Kôhei Utsugi et de son épouse Yasuko Utsugi ainsi que le cambriolage de leur demeure du district de Nakaminato, dans la préfecture de Chiba, le 29 août 1991". Jugé coupable des faits reprochés, il avait écopé de la peine de mort. Cependant, après réouverture du procès, aucune preuve de son crime n'ayant pu être attestée, il est acquitté le 19 février 2003.

Tribunal d'instance de Tateyama, préfecture de Chiba »

Voilà ce que Jun'ichi Mikami, condamné pour coups et blessures ayant entraîné la mort, et Shôji Nangô, ancien surveillant pénitentiaire et portant à jamais sur ses épaules le meurtre de trois criminels, avaient accompli.

Bibliographie

— 「〈秘密にされてきた驚くべき真実〉誰も知らない『死刑』の裏側」近藤昭二著　二見文庫
[*Une vérité surprenante et remisée dans le secret : la face cachée de la peine de mort*, Shôji Kondô, éd. Futami bunko].

— 「死刑執行人の苦悩」大塚公子著　角川文庫
[*La Souffrance des bourreaux*, Kimiko Ôtsuka, éd. Kadokawa bunko].

— 「そして、死刑は執行された3　元死刑囚たちの証言」　恒友出版編　恒友出版
[*Alors, ils furent exécutés, vol. 3 : Témoignages d'anciens condamnés à mort*, recueil des éditions Kôyû Shuppan].

— 「前科者」合田士郎著　恒友出版
[*Repris de justice*, Shirô Aita, éd. Kôyû Shuppan].

— 「死刑執行人の記録」坂本敏夫著　光人社
[*Chroniques de bourreaux*, Toshio Sakamoto, éd. Kôjinsha].

— 「元刑務官が語る刑務所」坂本敏夫著　三一書房
[*La Prison racontée par d'anciens surveillants carcéraux*, Toshio Sakamoto, éd. San-ichi shobô].

— 「死刑執行」村野薫著　東京法経学院出版
[*L'Exécution capitale*, Kaoru Murano, éd. Tokyo hôkei gakuin shuppan].

— 「死刑って何だ」村野薫著　柘植書房
[*Qu'est-ce que la peine de mort ?*, Kaoru Murano, éd. Tsuge shobô].

— 「死刑囚の一日」佐藤友之著　現代書館
[*Une journée de la vie d'un condamné à mort*, Tomoyuki Satô, éd. Gengai shokan].

— 「図解　仏像のみかた」佐藤知範著　東西社
[*Les Statues bouddhiques – Illustrations*, Tomonori Satô, éd. Tôzaisha].

— 「魅惑の仏像1　阿修羅　奈良興福寺」毎日新聞社
[*Ces statues bouddhiques qui nous fascinent, vol. 1 – Asura, au Kôfukuji de Nara*, éd. Mainichi shinbun].

— 「新版現代法学入門」伊藤正己・加藤一郎編　有斐閣双書
[*Introduction au droit contemporain, nouvelle édition*, sous la direction de Masami Itô et d'Ichirô Katô, éd. Yûhikaku sôsho].

— 「刑法入門〔第3版〕」小暮得雄・板倉宏・宮野彬・沼野輝彦・白井駿・川端博著　有斐閣新書
[*Introduction au droit pénal* (3e édition), Tokuo Kogure, Hiroshi Itakura, Akira Miyano, Teruhiko Numano, Shun Shirai, Hiroshi Kawabata, éd. Yûhikaku shinsho].

— 「NHK人間講座　トラウマの心理学」小西聖子著　日本放送出版協会
[*Cours de la NHK : Psychologie du traumatisme*, Takako Konishi, éd. Nihon hôsô shuppan kyôkai].

— 「私は見た　犯罪被害者の地獄絵」岡村勲　文藝春秋2000年7月号
[*Ce que j'ai vu : l'enfer des victimes de crimes*, Isao Okamura, revue *Bungei Shunjû*, juillet 2000].

— 「イラスト監獄事典」野中ひろし著　日本評論社
[*Dictionnaire illustré des prisons*, Hiroshi Nonaka, éd. Nihon hyôron sha].

— 「日本の検察」久保博司著　講談社
[*L'Action publique au Japon*, Hiroshi Kubo, éd. Kôdansha].

— 「犯罪者の処遇」佐藤晴夫・森下忠編　有斐閣双書
[*Le Traitement des criminels*, Haruo Satô, Tadashi Morishita,
éd. Yûhikaku sôsho].

— 「犯罪者の社会内処遇」瀬川晃著　成文堂
[*Comment la société traite les criminels*, Akira Segawa, éd.
Seibundô].

— 「更生保護の実践的展開」鈴木昭一郎著　日本更生
保護協会
[*Déroulement pratique de la réhabilitation*, Shôichirô Suzuki,
éd. Nihon kôsei hogo kyôkai].

— 「東京における保護司活動三十年」東京保護司会連
盟三十周年記念誌編集委員会編　東京保護司会連盟
[*Trente Ans de conseil d'insertion et de probation à Tokyo*,
recueil d'articles à l'occasion du trentième anniversaire
de l'union des associations de conseillers pénitentiaires
d'insertion et de probation de Tokyo, édité par le comité
éditorial des conseillers pénitentiaires d'insertion et de
probation de Tokyo].

— 「図解科学捜査マニュアル」事件・犯罪研究会編
同文書院
[*Manuel d'investigation scientifique illustré*, par l'Association
des chercheurs en criminologie, éd. Dôbunshoin].

— 「〔新版〕記載要領　捜査書類基本書式例」警察庁
刑事局編　立花書房
[*Écrire de manière claire et concise : recueil de formules de
base pour des documents d'enquête (nouvelle édition)*, Bureau
des affaires criminelles de l'Agence centrale de la police,
éd. Tachibana shobô].

— 「刑事裁判書集（上・下）」法曹会
[*Recueil d'audiences pénales*, vol. 1 & 2, Association japonaise du barreau].

— 「犯罪白書　平成12年版」法務省法務総合研究所編
大蔵省印刷局
[*Le Livre blanc des crimes et délits, édition 2000*, éd. de l'Ins-

titut de recherches juridiques du ministère de la Justice,
presses du ministère des Finances].

— 「六法全書」有斐閣
[*Les Six Codes*, éd. Yûhikaku].

Composition et mise en page : FACOMPO, LISIEUX

MIXTE
Papier issu de
sources responsables
FSC™ C003309

Achevé d'imprimer en Allemagne
par GGP Média GmbH à Pößneck
en avril 2016

Dépôt légal : avril 2016